# EL CAMINO DE LA SABIDURÍA

Sage Bennet

# El camino de la sabiduría

## Nueve prácticas espirituales para encontrar la paz y la serenidad

EDICIONES URANO
Argentina - Chile - Colombia - España
Estados Unidos - México - Uruguay - Venezuela

Título original: *Wisdom Walk*
Editor original: New World Library
Traducción: Núria Martí Pérez


Aribau, 142, pral. - 08036 Barcelona
www.edicionesurano.com
www.mundourano.com

ISBN: 978-84-7953-663-2
Depósito legal: NA. 2.903 - 2007

Fotocomposición: Ediciones Urano, S.A.
Impreso por Rodesa S.A. – Polígono Industrial San Miguel
Parcelas E7-E8 – 31132 Villatuerta (Navarra)

Impreso en España - *Printed in Spain*

*En memoria de mis padres, Jack y Rachel,*
*con amor y gratitud por su legado*

*La vida es el regalo de la naturaleza,*
*pero una vida bien vivida es el regalo de la sabiduría.*

ANTIGUO ADAGIO GRIEGO

# Índice

# Agradecimientos

Agradezco profundamente a Terry Wolverton, mi mentora en mi faceta de escritora y fundadora de Writers at Work en Los Ángeles, su asombrosa y creativa orientación durante las fases de este proyecto. Doy las gracias a Barbara Moulton, mi agente literaria, por la claridad, la integridad y el entusiasmo que me ha brindado en esta labor y a Jason Gardner, el editor de la New World Library, por su delicado y respetuoso estilo literario, su aguda visión y su compasivo corazón.

Quiero dar las gracias también a mis mentores espirituales: el doctor Brugh Joy, por sus percepciones sobre el misterio y por apoyar mi naturaleza intuitiva, la doctora Carolyn Conger, por su generosa y práctica supervisión, y la doctora Linda Garnets, por sus brillantes percepciones a lo largo de muchos años. También agradezco al doctor Michael Bernard Beckwith el que me diera la oportunidad de ejercer como pastora y enseñar el camino de la sabiduría en el Agape International Spiritual Center. Deseo expresar mi más profundo agradecimiento a mis amigas, colegas y compañeras de oraciones: las reverendas Janet Garvey-Stangvik, Greta Sesheta, Mary Murray Shelton y Diane Harmony, la doctora Juanita Dunn y Lorene Belisama.

He tenido la gran suerte de gozar de la acogida de una comunidad que ha sido mi refugio mientras escribía este libro. Deseo sobre todo dar las gracias a mi pareja, Sandy Viall, y a mi perro *Beau*, al que quiero con locura; a mi familia biológica, por el cálido vínculo que mantengo con vosotros, sobre todo a mi tía Dottie y a mis antepasados, el doctor Michael Mands y mis abuelas Esther y Molly, por su sabiduría y su guía; a nuestra familia de amistades, Helene Zuckerman, Scott Marr, Marsha y Larry Sheldon, Donald y Fang Doyle, por las frecuentes cenas y celebraciones de fiestas que hemos compartido; a los miembros de la comunidad de la Joy's Jubilation, llamada cariñosamente JJ2, por su inolvidable compañerismo en el camino transformador, y a Charlene Shildmyer, Robin Johnson y Helen Siegel, mis amigas de toda la vida.

Y por último deseo dar las gracias a los alumnos de mis clases, con quienes he tenido el placer de compartir al camino de la sabiduría. Para proteger su privacidad, he cambiado sus nombres. En algunos casos los protagonistas de las historias son una combinación de varios alumnos que conozco. He citado los nombres reales de los familiares, amigos y colegas que me han dado permiso para hacerlo, y cuando no ha sido así, he cambiado los nombres.

# Introducción

Bienvenido a *El camino de la sabiduría.* Al elegir este libro has iniciado la aventura de explorar las tradiciones espirituales más importantes del mundo. A lo largo del viaje irás reuniendo la sabiduría de estos distintos caminos y te invitaré a hacer unas prácticas de cada tradición que enriquecerán tu vida.

La sabiduría antigua afirma: «Pues la sabiduría vale más que las perlas». Sin embargo, el mensaje que prevalece en la actualidad es distinto y nos anima a buscar la riqueza en el exterior. Lo llevamos a cabo adquiriendo productos, progresando en el escalafón empresarial, obteniendo títulos académicos y persiguiendo otras metas. Pero a menudo nos extraviamos por el camino. Perdemos el contacto con nosotros mismos y nos descubrimos trabajando en exceso, gastando demasiado dinero, sintiéndonos estresados, incluso deprimidos, y preguntándonos por qué hemos perdido el equilibrio. Pensamos: «Cuando alcance la meta que me he fijado, recuperaré el equilibrio. Trabajaré más aún, conseguiré un trabajo mejor, me compraré una casa y pagaré mis deudas». Es difícil decir si es la búsqueda de la riqueza exterior lo que nos hace perder el equilibrio o si es la falta de equilibrio interior lo que nos mueve a buscar soluciones exteriores. Pero tanto si es una cosa como otra, nos descubrimos sobre una cinta sin fin, corriendo y alcanzando objetivos sin cesar y, sin embargo, seguimos sin saber cómo volver a casa, al lugar de nuestro interior donde nos sentimos tranquilos, satisfechos y serenos. Incluso los que estamos bastante satisfechos con nuestra vida seguimos sin aprovechar la riqueza del camino de la sabiduría. Pero los diamantes de la paz interior y las esmeraldas de un corazón bondadoso están a nuestro alcance. Si seguimos las indicaciones de *El camino de la sabiduría*, podremos obtenerlos.

## Beneficios de esta obra

Este libro consta de nueve capítulos. Los ocho primeros te presentan las diferentes tradiciones espirituales —el hinduismo, el budismo, el islamismo, el cristianismo, el judaísmo, la espiritualidad de los indios americanos, el taoísmo y el Nuevo Pensamiento— y te ofrecen ejercicios fáciles para adquirir sabiduría que te resultarán muy beneficiosos. El capítulo noveno sigue la misma línea al concentrarse en todas las tradiciones y en sus ideas sobre la práctica espiritual de ayudar a los demás. Al final de cada capítulo encontrarás unos Sabios Pasos. Las acciones que te sugiero en ellos te ayudarán a aplicar los ejercicios de sabiduría en la vida cotidiana. Aprenderás a:

- Crear un altar en tu casa. De este modo te acordarás de que estás conectado a una presencia espiritual superior que te enriquece y te da sabiduría en la vida.
- Meditar y encontrar la paz interior. Aprenderás a mirar en tu interior y a practicar el arte de permanecer en quietud para gozar de paz interior, buena salud y descubrir tu verdadero yo.

- Entregarte a la oración. Cultivarás el arte de dirigir palabras reverentes de súplica, alabanza y agradecimiento a un poder superior como una alternativa a las preocupaciones y al miedo.
- Perdonarte a ti mismo y perdonar a los demás. Mejorarás la calidad de tu vida cotidiana eliminando los resentimientos negativos del pasado y abriendo el corazón a un mayor amor.
- Reservarte un día de descanso. Al elegir un día a la semana para descansar, profundizarás tu conexión con Dios, serás más consciente de las cosas buenas que te ofrece la vida y mantendrás una relación más estrecha con la familia y los amigos.
- Dejar que la naturaleza sea tu maestra. Así conectarás con la naturaleza, aprenderás de ella y serás consciente de que formas parte de la gran matriz de la vida.
- Fluir con la corriente. De esta manera te volverás uno con el río universal de la vida y gastarás menos tiempo y energía en oponerte a su curso.
- Captar la visión que Dios tiene de tu vida. Al practicar el arte de visionar, que te conecta con la sabiduría interior y universal, podrás descubrir el verdadero sentido de tu vida.
- Ofrecerte al servicio de los demás. Al ayudar a las personas de tu familia, de tu comunidad y del mundo entero, experimentarás la satisfacción que crea el servicio desinteresado.

Yo he experimentado los beneficios de estos ejercicios una y otra vez mientras escribía *El camino de la sabiduría* e impartía clases. Miles de alumnos se han visto también recompensados por ellos a lo largo de las dos décadas en las que los he estado enseñando. He incluido en el libro muchas historias acerca de sus éxitos y retos, y de cómo superaron las dificultades aplicando los ejercicios para adquirir sabiduría y las ideas expresadas en estas páginas. Además de ofrecerte los beneficios de los ejercicios, este libro te permite:

- Conocer las tradiciones espirituales más importantes del mundo expresadas por medio de ejercicios para adquirir sabiduría.
- Reconocer la sabiduría de las otras tradiciones espirituales.
- Apreciar la interconexión que existe entre las personas de distintas culturas y religiones, derribando de ese modo las barreras mentales que separan a unas personas de otras.
- Participar en la «querida comunidad», un término que Martin Luther King utilizaba para describir un mundo libre de prejuicios raciales y religiosos.
- Curar antiguas heridas que tu religión te ha producido.
- Superar los prejuicios y las falsas ideas sobre otras religiones. (Para ayudarte a analizarlos más a fondo, he incluido en el apéndice una lista de las preguntas más importantes que debes hacerte.)
- Desarrollar un grado de sabiduría que te ayudará a alcanzar la serenidad del alma.

## Cómo leer este libro

Al igual que hay muchos caminos que conducen a la misma cima, hay también varias formas de leer este libro. Al escribir *El camino de la sabiduría* te imaginé leyendo cada capítulo, reflexionando en la sabiduría que te ofrecían, y llevando a cabo uno o varios de los Sabios Pasos que aparecen al final. Por ejemplo, el capítulo primero está inspirado en el hinduismo. El ejercicio de sabiduría que presenta es: «Crea un altar en tu hogar». Y los Sabios Pasos del final del capítulo son: *Encuentra el lugar idóneo para el altar. Crea tu propio y único altar. Enciende una vela en el altar.* Después de ver cómo te beneficiaría esta práctica de sabiduría, me he imaginado que seguías leyendo los siguientes capítulos. El orden en que los presento refleja el desarrollo de las prácticas de sabiduría, que va de las más sencillas a las más complicadas, en lugar de ser simplemente una cronología de las tradiciones espirituales.

Sin embargo, si prefieres leer los capítulos sin seguir este orden, guiándote por los que más te atraigan o por tu intuición, puedes también hacerlo sin perderte las partes esenciales. Por ejemplo, puedes reservarte un día de descanso a la semana antes de crear un altar en casa sin perder los beneficios que éste te ofrece.

Leer *El camino de la sabiduría* con un pequeño grupo de personas o en clase también puede aportarte nuevas percepciones. Al recorrer el camino de la sabiduría con otras personas, éstas te ayudan a integrar las prácticas de sabiduría en la vida cotidiana. Si lo deseas, puedes crear tu propio grupo con varios amigos o con los miembros de tu familia, interviniendo por turnos para poder hablar con más facilidad en grupo. También encontrarás a personas con ideas afines a las tuyas en la página web www.sagebennet.com. O uniéndote a las teleclases de *El camino de la sabiduría.* En la página web aparecen las fechas y los horarios.

Tanto si recorres el camino de la sabiduría con un pequeño grupo de personas como si lo recorres solo, si estos ejercicios son nuevos para ti es mejor que hagas los Sabios Pasos de un capítulo al menos durante dos semanas antes de pasar a los del siguiente.

Algunos lectores prefieren concentrarse sobre todo en el viaje curativo. Otros en cambio disfrutan del camino de conocer y aprender cosas sobre las ocho tradiciones espirituales. Y otros lectores amantes de los ejercicios, prefieren dedicarse a perfeccionar los ejercicios de sabiduría. Embarcarte en el camino de la sabiduría no significa que tengas que abandonar la tradición espiritual que tanto aprecias, sino que puedes recibir la sabiduría de otras tradiciones y beneficiarte de ella manteniéndote fiel a las enseñanzas de tu propia tradición. Tu viaje te servirá incluso para apreciar más aún el camino espiritual que sigues y aumentar tus conocimientos sobre los otros caminos que conducen a la sabiduría. Esta introducción también te allanará el camino para hacer un estudio más sustancioso. La obra te permite seguir tu propio camino de la sabiduría. Sea cual sea el tema en el que más te concentres, desarrollarás la habilidad de vivir sabiamente y experimentarás los beneficios que la sabiduría nos aporta.

## Cómo empecé mi camino de la sabiduría

En el año 1984 pasé una profunda crisis. El pictograma chino de «crisis» se compone de dos caracteres: el «peligro» y la «oportunidad». Mi vida reflejaba ambas cosas. En aquella época yo era una profesora universitaria itinerante que iba de una ciudad a otra para intentar asegurarse un contrato tras otro. En aquellos años había muy pocas plazas para los profesores de humanidades y yo estaba dispuesta, pese al estrés que me generaba, a hacer estos grandes cambios en mi vida para conseguir estos trabajos como profesora.

Tras pasar dos años dando clases en la Universidad de Kentucky, me trasladé a la Universidad de Wisconsin. Estaba recién casada y mi marido decidió dejar su trabajo en Kentucky para irse conmigo a Wisconsin, por eso acordamos que yo sería la que llevaría un sueldo a casa hasta que él encontrara un nuevo trabajo. La transición fue más dura de lo que esperábamos y él no pudo encontrar un empleo. Mi hijastra también tuvo problemas con el sistema más avanzado de enseñanza de Wisconsin y además tuvo que adaptarse a su nueva familia. Después de haber estado durante un año trabajando a tiempo completo, aprendiendo a congeniar con mi hijastra y sintiendo la presión de ser la única que sostenía económicamente a la familia, empecé mi segundo invierno en Wisconsin. Estábamos a una temperatura de treinta y cinco grados bajo cero. Dentro de mí había una voz que gritaba: «¡No sigas! ¡Detente!» Pero seguía sin descifrar este mensaje interior. En lugar de ello, caí en el abismo de una elevada fiebre y de una doble pulmonía.

Durante un mes estuve durmiendo muy mal por la noche, recostada en un sillón reclinable marrón. A menudo me despertaba en medio de la noche y me quedaba mirando al vacío durante largo tiempo en el silencio de las cuatro de la madrugada. Mi vida se alzaba ante mí. «No poder respirar bien indicaba sin duda algo. Pero ¿qué?», me preguntaba. Había alcanzado muchas de las metas que me había fijado: un doctorado en filosofía, un trabajo como profesora en una buena universidad cuando esta clase de empleos escaseaban, una nueva familia para calmar el paso de mi reloj biológico. Mi vida tenía todo lo que acompaña al éxito, pero yo estaba enferma, estresada y me sentía más vacía de lo que pensaba. A medida que seguía sin poder dormir bien por la noche, vi que había perdido el equilibrio. Trabajar en exceso se había convertido en mi estilo de vida normal: seis intensos años de esfuerzos para doctorarme, el subidón de adrenalina diario de vivir en la ciudad de Nueva York, dejar la Universidad de Kentucky para ir a trabajar a la de Wisconsin y de pronto, ¡paf!, me había topado con un muro. Mi vida se había parado en seco y ahora estaba reclinada por la noche en un sillón sintiéndome como si tuviera un león yaciendo sobre mi pecho. Cada vez que respiraba sentía un dolor más profundo que el que me producía la pulmonía.

Una noche en la que me sentía más agitada de lo habitual, encendí una vela y me puse a contemplarla. La llama de la vela me calmó. Sintiéndome entonces más tranquila, me di cuenta de que también respiraba con más lentitud. Mi incesante tos desapareció durante un breve espacio de tiempo. Era el estado más parecido al de la meditación que había experimentado desde hacía muchos años. «¿Por qué no meditaba si me gustaba tanto hacerlo?», oí que me preguntaba una voz interior en medio de la oscuridad, y luego la misma voz respondió: «Porque has estado demasiado ocupada con los aspectos externos de la vida». Estuve pensando en ello durante un buen rato. Aquella noche fue decisiva en mi vida. Durante varias semanas seguí sentándome en medio de la noche, intentando recuperarme y respirar con normalidad para poder volver a enseñar en la universidad. Salí de la enfermedad sabiendo que debía cambiar algo en mi vida. No sabía que mi matrimonio iba a romperse.

Me asombro al ver cómo los acontecimientos de la vida parecen dirigidos por una fuerza superior que está más allá de nuestro control. Poco después de divorciarme sentí el deseo de ir a visitar un centro de meditación que estaba cerca del lugar donde vivía. Hasta entonces no me había dado cuenta de su existencia. El maestro de meditación que se ocupaba de los retiros de los fines de semana había visto la tarjeta que yo había dejado en el tablero de anuncios de una de las cooperativas de alimentos de la región y me llamó para invitarme a un retiro de un fin de semana. Acepté el ofrecimiento porque me encantaba meditar sentada. Me sentí como si aquel fin de semana me hubiera encontrado a mí misma e intuí que debía quedarme una temporada en el centro. Le pregunté al maestro de meditación si era posible y él me respondió que sí. También conseguí dar clases en la universidad sólo dos o tres días a la semana para no tener que hacer a diario la hora de trayecto en coche que había desde el centro a la universidad. En aquella comunidad espiritual me sentí como en casa, y ahora me doy cuenta de que en aquella época lo necesitaba mucho.

En el Centro Christine, un refugio formado por diversas ermitas construidas en un terreno boscoso cubierto de nieve, aprendí una ecléctica variedad de prácticas espirituales procedentes de distintas tradiciones: meditación budista, poesía y danza sufí, baños de vapor y ruedas de la medicina de los indios americanos, *pujas* hindúes y un enfoque místico de las enseñanzas de Jesús y de la misa católica. Me asignaron un trabajo en la biblioteca, donde pude explorar la rica colección de libros de estas tradiciones. Leí obras de Rumi, san Juan de la Cruz y otros autores espirituales de diversas tradiciones, y bebí de su sabiduría como una sedienta viajera. Y después apliqué varios ejercicios de estos libros —meditación, oraciones, caminar conscientemente y perdonar a los demás— en mi práctica espiritual. Mi camino de la sabiduría se manifestó ante mí como un claro en el bosque. Estos ejercicios me permitieron experimentar cada vez más una inexplicable dicha y paz. Había oído hablar de estas sensaciones, pero hasta aquel momento nunca las había experimentado.

Mi vida se estaba transformando. El ritmo que yo llevaba se volvió más pausado de dentro a fuera. Me sentía en contacto con una dimensión espiritual dentro de mí luminosa y sabia. Me sentía más conectada a mi corazón y a mi cuerpo, y más feliz de lo que me había sentido en mucho tiempo. Era como si hubiera encontrado mi camino. El camino de la sabiduría que estaba recorriendo, paso a paso, me había permitido volver a mí misma, a mi verdadero yo, la parte mía que estaba conectada con el infinito.

Cuando dejé el Centro Christine, la hermana Virginia, la fundadora y maestra del centro, me recordó que el mapa místico de mi interior me guiaría adonde yo necesitara ir. Y así fue. Me llevó al sudeste de California, donde enseñé en una universidad sustituyendo a un profesor que se había tomado un año sabático. En la Universidad del Rancho Santiago me pidieron que diera un curso sobre las distintas religiones del mundo, lo cual fue una maravillosa sincronicidad.

A lo largo de los últimos veinte años he estado dando clases sobre las tradiciones espirituales, combinándolas con los ejercicios de sabiduría que forman parte del enriquecedor viaje de la transformación espiritual. Durante este tiempo he seguido profundizando mi práctica, recuperando el equilibrio en mi vida y curándome de dentro a fuera. En la actualidad, agradezco aquellas oscuras noches en Wisconsin en las que permanecía recostada en medio de la oscuridad contemplando el rostro de la muerte. Ahora me doy cuenta de que mi vida reflejaba las percepciones de san Juan de la Cruz. La noche oscura del alma es el tiempo en el que las estructuras de nuestra vida se desmoronan, en mi caso fue la idea que yo tenía del éxito como un estilo de vida ajetreado y un trabajo productivo. Cuando nuestras antiguas estructuras se derrumban en aquella oscura noche del alma, nos vemos obligados a depender cada vez más de lo espiritual, nuestra verdadera base. Por eso recurrimos al Espíritu, a Dios o al Amado —sea como sea como queramos llamarle— porque es lo único que nos queda.

Tanto si has experimentado la noche oscura del alma, como si estás demasiado ocupado, deseas más paz y equilibrio en tu vida, o quieres saber más cosas de ti mismo, de la espiritualidad y de las tradiciones espirituales más importantes del mundo, me alegra poder ofrecerte las posibilidades que encontrarás en las páginas de este libro.

El camino de la sabiduría nos está esperando. Te deseo que tengas un viaje lleno de bendiciones.

# 1

## EL HINDUISMO:
## *crea un altar en tu hogar*

*Construye un templo en tu corazón.*
*instala a Krisna en él,*
*ofrécele una flor de amor.*

PERIYALVAR, POETA DEL SIGLO VIII

En la primavera del 2002 asistí a un retiro de ocho días de duración realizado en Kauai y dirigido por Brugh Joy. Como parte de nuestras exploraciones espirituales, visitamos un templo hindú una agradable tarde de marzo. Kumar, un ingenioso monje vestido con la tradicional ropa azafrán, nos dijo: «Al hacer los votos, los monjes recibimos tres objetos: un hábito anaranjado, un móvil y un ordenador portátil». Nuestro pequeño grupo se echó a reír ante esta enigmática mezcla antigua y moderna. Podíamos ver el móvil que Kumar llevaba a la vista en la pretina. «En el hinduismo —prosiguió—, también creemos en un Dios o Presencia, y que cualquier persona y cosa de este mundo son sagrados. Incluso alguien como Bin Laden. En el hinduismo creemos en la reencarnación y que la gente tarda más de una vida en comprender ciertas lecciones para descubrir la luz interior. Es como si cada persona fuera un horno y su labor consistiera en mantener la superficie del mismo limpia para que la luz pueda brillar a través de él, ésta es la responsabilidad que cada uno de nosotros tenemos. Si el horno está negro por fuera, se verá oscuro y la luz no podrá pasar a través de él. Pero la luz es siempre la misma. También creemos que cada uno debe limpiar la superficie del horno. Nadie puede hacerlo por ti. Si intentas limpiar el horno de otra persona, te quemarás la mano. También creemos que el infierno es un estado mental y que podemos tanto salir como quedarnos en él. Que depende totalmente de nosotros.»

Al finalizar la visita turística me acerqué a Kumar, que estaba de pie en el templo principal preparándose para ocuparse de otro grupo. Su rostro moreno, que contrastaba con su hábito anaranjado, revelaba una dentadura blanca casi perfecta. Le miré directamente a los ojos marrones. Me recordaron un espacio en el bosque que me animaba a sacarme los zapatos y a andar descalza por él.

—¿Qué sabio mensaje del hinduismo les recomendarías a aquellos que deseen iniciar una práctica basada en esta tradición? —le pregunté.

—Diles que creen un altar en su hogar —me respondió.

Mientras me alejaba para unirme a mi grupo, me dije a mí misma: «Sí, crear un altar en casa, un lugar donde poder entrar en contacto con Dios y con el propio santuario interior, sería la forma perfecta de iniciar nuestro camino de la sabiduría».

Iniciamos el camino de la sabiduría creando un santuario en nuestro hogar y también en el corazón. En él podemos aprender el arte de la devoción, el cual nos conduce a la paz interior y nos permite conocernos mejor.

El hinduismo, la religión que predomina en la India, es una de las filosofías espirituales más antiguas que se conocen, tiene más de seis mil años de antigüedad, precede a la historia documentada. El hinduismo no surgió de un único fundador, sino que la rica y sagrada historia procedente de los diversos milenios de tradiciones espirituales hindúes está formada por una variedad de textos sagrados escritos por unos maestros iluminados.

Los alumnos de las clases del Camino de la Sabiduría se sorprenden al enterarse de que muchos de los maestros contemporáneos de los que han oído hablar son hindúes: Yogananda y la Self-Realization Fellowship, Sai Baba, Maharishi Yogi y la Meditación Trascendental (MT), A. C. Bhaktivedanta Prabhupada y el movimiento Hare Krishna, Gurumayi y el movimiento del Siddha Yoga, Sri Aurobindo y el East-West Cultural Center, y el famoso Deepak Chopra, que ha popularizado la medicina ayurvédica.

## Los principios esenciales: el hinduismo

**LA NATURALEZA DE LA DEIDAD.** Al principio los hindúes veneraban a unos dioses que representaban los poderes de la naturaleza, como el sol y la lluvia. Sin embargo, con el paso del tiempo los hindúes llegaron a creer que aunque estas divinidades parecieran tener una forma separada, formaban parte del espíritu universal llamado *Brahman.* El Brahman está formado por muchas divinidades, las más importantes son *Brahma,* el creador del universo; *Visnu,* su preservador, y *Siva,* su destructor. Los hindúes creen que el universo experimenta unos ciclos infinitos de creación, conservación y destrucción.

**LA RELACIÓN PERSONAL CON LA DEIDAD.** El Brahman, la Conciencia Suprema omnipresente o el Absoluto, no sólo está en cada ser y en cada objeto del universo, sino que al mismo tiempo los trasciende. El elemento divino que hay en el interior de todos se llama la presencia del *atman.* En el hinduismo las numerosas formas de culto, rituales y meditación están concebidas para que el alma experimente directamente a Dios. El buscador puede seguir cuatro caminos: a través del amor y la adoración, a través del trabajo y el servicio a los demás, a través de la mente y el estudio, o a través de una combinación de los tres caminos anteriores, que incluye los ejercicios psicoespirituales.

**EL CULTO.** Cuando los hinduistas rinden culto en los templos, lo hacen en calidad de individuos y no como congregación. La mayoría de los templos hindúes tienen muchos altares, cada uno está dedicado a una divinidad en particular. El hogar también es un importante lugar de culto, centrado alrededor del altar doméstico.

**LAS CREENCIAS ÉTICAS.** Los hindúes creen en el *karma,* la ley de la causa y el efecto a través de la cual creamos nuestro destino con los pensamientos, las palabras y las acciones. La ley del karma dice que cada acción influye en el renacimiento que tendrá el alma en la siguiente encarnación. Los hindúes creen que es necesario tener un gurú, o un maestro iluminado, para despertar a la verdad absoluta. También creen que toda clase de vida es sagrada y que hay que amarla y respetarla, por eso practican la *ahimsa,* o la no violencia, en las acciones, las palabras y las obras. Los hindúes creen que no hay ninguna religión que sea mejor que otra en cuanto a enseñar el camino que conduce a la salvación, que hay que aceptar y comprender cualquier camino espiritual.

EL ALMA Y LAS CREENCIAS SOBRE LA MUERTE. La esencia de cada alma es divina y el objetivo de la vida es llegar a ser conscientes de esta esencia divina. Todas las almas están evolucionando hacia la Liberación, o *moksha.* Los hindúes creen que el alma no muere nunca. Cuando el cuerpo muere, el alma renace o se reencarna. Cuando todos los karmas se resuelven y se alcanza la moksha, los seres se liberan del ciclo de renacimientos y alcanzan la Liberación.

## ¿En qué consiste un altar doméstico?

Los hindúes de la antigüedad designaban un lugar sagrado en el hogar a modo de santuario, un lugar donde los habitantes de la casa pudieran elevar sus almas a primera hora de la mañana y permanecer en él en íntima comunión con la divinidad. Este centro de fuerza espiritual, llamado *devatarchanam,* es «el lugar para rendir culto a la divinidad». El altar proporciona una fortaleza de pureza a la familia y crea un ambiente sagrado en el hogar. En cada hogar de hindúes devotos hay una habitación con un altar sagrado que, a modo de templo en miniatura, irradia bendiciones a los habitantes de la casa y a la comunidad.

En el centro de la habitación se encuentra el altar, una zona concebida para los actos sagrados devocionales. Al igual que ocurre en los templos, las imágenes y los iconos de las divinidades son el centro de atención del altar. Un icono no es un mero adorno de barro o metal, sino una imagen considerada la encarnación de la deidad en el hogar. Todos los iconos tienen alguna de las siguientes cualidades:

- Antropomórfica: significa que tiene un aspecto humano.

- Teriomórfica: tiene unas características de animal, como Hánuman, el dios mono, o Ganesa, el dios elefante.
- Anicónica: significa sin imágenes, como el elemento fuego o la suave piedra del Shaligrama venerada como Visnu.

El altar de un hogar de la tradición hindú puede estar formado por la reproducción de una deidad, un rosario para contar las recitaciones y un texto espiritual inspirador, todos estos elementos crean el contexto sagrado para realizar ante el altar unas prácticas espirituales tan comunes como meditar, recitar cantando un texto sagrado, quemar incienso y ofrecer flores y alimentos a la deidad o al maestro al que se ha dedicado el altar.

Crear un altar en casa y utilizarlo es una tradición que cualquier persona puede seguir, independientemente de cuál sea su orientación espiritual. Un altar puede servir para muchas funciones. Genera una atmósfera sagrada en el espacio donde vives y te ofrece un lugar para comunicarte con los reinos interiores y espirituales. Disponer de un altar te ayuda en tu viaje curativo o transformador y al mismo tiempo es un buen punto de partida para empezar a cultivar una práctica espiritual. También fortalece la relación que mantienes con los miembros de tu familia cuando en este espacio sagrado festejáis celebraciones como las de los días de descanso, los cambios de estación, los cumpleaños y las graduaciones.

## La creación de un espacio sagrado

Aunque no pertenezcas a la tradición hindú, puedes disfrutar de todos modos de los beneficios de crear un altar en tu hogar. Este santuario actúa como un lugar donde puedes encontrarte tanto contigo mismo como con la divinidad, al margen de cómo la concibas.

Vamos a empezar con nosotros mismos. Muchos de nosotros no conocemos el centro de paz que hay en nuestro interior. Podemos pasarnos la mayor parte del día ocupados sin ser conscientes de las vetas de oro que se ocultan bajo la superficie de nuestro ser. Disponer de un altar en casa nos permite sentarnos ante él y entrar en contacto con este centro interior de paz. Y a medida que sigamos haciendo esta práctica descubriremos una parte nuestra que quizá no conocíamos, la que está conectada con el infinito.

¿Cómo podemos crear en casa el espacio sagrado de un altar? Al decir espacio sagrado me estoy refiriendo a crear un ambiente tranquilo y bello que nos estimule a meditar en el aspecto espiritual y en la realidad invisible que lo impregna todo.

**LA ELECCIÓN DEL LUGAR.** Si no puedes darte el lujo de disponer de una habitación dedicada al altar, busca un rincón de la casa al que puedas ir con regularidad cada mañana, tarde y noche para permanecer en él en quietud y contemplación. Puedes elegir un rincón del dormitorio o de la sala de estar y colocar en él una mesa, o cubrir la que ya había con una atractiva tela de colores. O también puedes crear tu altar sagrado en un patio que dé a un jardín o incluso cerca de la bañera, donde puedes encender varias velitas y darte un baño en paz.

**LA PURIFICACIÓN.** Es mejor limpiar a fondo el espacio en el que vas a colocar el altar. Barre el suelo, limpia las superficies y enciende unas barritas de incienso o purifica el espacio quemando hojas de salvia. También es importante prepararte entrando en este espacio sagrado con ropa limpia y pensamientos claros. Puedes usar salvia o agua para crear un ceremonial purificador rociándote, por ejemplo, la cara y las manos con agua fresca o atrayendo con una pluma el humo purificador de las hojas de salvia hacia tu cabeza, brazos, torso y pies.

**QUÉ PUEDES COLOCAR EN EL ALTAR.** Una buena forma de empezar a construir el altar es cubriendo la superficie que le has asignado con una tela de terciopelo de color arándano, un antiguo mantel blanco de encaje, pañuelos de color marrón y beige o cualquier otro material textil que te guste. Si lo prefieres, puedes dejar la mesa de madera o de cristal sin cubrir. Las velas son otro objeto importante que puedes colocar en el altar, ya que no son sólo una fuente de luz sino un poderoso símbolo del espíritu. También puedes poner en él barritas de incienso de sándalo, narcisos frescos, fotos de los seres queridos, conchas marinas y plumas. Los iconos procedentes de diversas tradiciones espirituales también constituyen un maravilloso centro de atención para el altar. Los dioses hindúes Ganesa o Hánuman o la diosa Sarasvati te ofrecerán una rica experiencia. También puedes elegir una estatua de otra tradición espiritual que sea importante para ti.

**LAS OFRENDAS.** Una ofrenda es una forma de reconocer y rendir homenaje a la deidad presentándole un regalo —normalmente en forma de comida y flores— como un acto de culto o de sacrificio. La palabra *sacrificio,* que significa «convertirlo en sagrado», indica que hacer ofrendas en el altar es un acto sagrado. Puedes ofrecer flores recién cortadas o varios cuencos llenos de agua como símbolo de gratitud por la plenitud de tu vida.

**LA CREACIÓN DE UN RITUAL.** Desarrollar un ritual que puedas repetir de forma habitual te permite entrar con regularidad en el estado de conciencia que el altar favorece: un lugar tranquilo y acogedor donde puedes empezar tu práctica espiritual. El ritual que crees puede consistir sencillamente en encender una vela y ofrecer una rosa en el altar. El acto de limpiar el altar también puede ser un ritual diario al tiempo que te permite conservarlo limpio y ser consciente de los honorables huéspedes que has invitado en tu hogar. Otra actividad que suele hacerse ante un altar es leer un texto inspirador. Deja a tu alcance varias páginas que te eleven el espíritu y te inspiren paz y equilibrio.

**ALTARES PORTÁTILES.** Al viajar puedes llevarte un altar portátil contigo. Una vela roja colocada en un vaso votivo rodeada de un collar, una estatuilla del Buda o una imagen de la Virgen María envuelta en un paño de seda pueden transformar cualquier superficie en un espacio sagrado. Un altar portátil te abre en cualquier lugar el portal que conduce al mundo sagrado: tanto si te encuentras en la habitación de un hotel en una ciudad desconocida, como si vas a visitar a un familiar o a trabajar a otro lugar.

Aunque desees crear un altar y hayas elegido el lugar donde vas a colocarlo, e incluso reunido varios objetos para poner en él, puede que aún te produzca cierta incomodidad la idea. Hasta es posible que te cree una ligera aversión. Al menos esto fue lo que a mí me ocurrió. Como para mí superar esta reticencia fue una experiencia muy gratificante, te ofrezco a continuación mi historia.

## *Cuando los altares cobran vida*

Si he de serte sincera, al principio no me entusiasmaban los altares. No me sentía atraída por unos iconos que no pertenecían a mi cultura. Estaba acostumbrada a vivir tan deprisa que me impacientaba al pensar en dedicar tiempo para crear un altar. No tenía suficientes objetos para crearlo y los que tenía seguramente no podría volver a encontrarlos. Al principio me parecía más una molestia, una pérdida de tiempo, que un acto sagrado. Sin embargo, advertí que al ver el altar que había creado sentí en mi interior una conexión con la belleza que emanaba. De algún modo me había conmovido algo de él que no podía describir.

Lo que hizo que mi mente se abriera al poder de los altares fue impartir una clase con mi amiga Lorene. Después de reflexionar sobre ello y de hablarlo, decidimos llamar a la clase que habíamos preparado «Oraciones, rituales y lo sagrado: vivir en presencia de Dios». Uno de los temas que íbamos a tratar era cómo cultivar la conciencia del espacio sagrado. Naturalmente debíamos darle forma creando un entorno adecuado para que los alumnos pudieran experimentarla. Como en aquella época este tema no era mi fuerte, me alegré de que Lorene decidiera conducirlo.

Observar a mi amiga y participar con ella me llevó a la práctica sagrada de crear un altar. Primero limpiamos el aula esparciendo humo de salvia por las cuatro esquinas. También nos purificamos mutuamente atrayendo con una pluma el humo de la salvia hacia nuestro cuerpo, desde la cabeza hasta la punta de los pies. Luego meditamos y rezamos pidiendo que nuestra clase y el altar fueran un reflejo de la presencia sagrada. Y también rezamos para que la gracia divina guiara nuestras manos y nuestro corazón al crear el altar. Tras permanecer sentadas en silencio durante quince minutos, bañadas por el penetrante aroma de la salvia, sentimos que estábamos preparadas para empezar.

Contemplé cómo Lorene extendía, sobre la tabla redonda de madera que habíamos puesto sobre una caja de cartón, una tela blanca de terciopelo. La colocó con elegancia, de manera que cayera armoniosamente por los costados. Después puso unos pañuelos de color marrón alrededor de la mesa y la adornó con conchas de mar, piñas, plumas y velas para representar los cuatro elementos. Me uní a ella colocando un ramo de flores diversas en medio del altar y esparciendo pétalos de rosas de color rosa y rojo por la superficie y alrededor de la mesa. Encendimos las velas y nos alejamos un poco para contemplar el altar desde cierta distancia. Era muy bello y mucho más vivo y poderoso que la colección de objetos que habíamos colocado encima de él. La experiencia hizo que mi mente se abriera y comprendí que bajar el ritmo de vida que llevaba y experimentar la sensación del mundo sagrado a través de la purificación, la meditación, las oraciones y la intención formaba parte de la creación del altar. Vi que este descubrimiento era tan importante como los objetos que habíamos colocado en él.

Me gusta poner flores recién cortadas en mi altar. Cuando me siento en la silla en la que medito, junto al altar, tengo una sensación de paz. He advertido que siempre que veo el altar me acuerdo de mi práctica espiritual. Es como si la energía del altar me llevara a un espacio cargado con una energía espiritual que me eleva y anima a conectar con mi práctica espiritual, incluso en los momentos en los que no me apetece meditar o permanecer en quietud.

Hace poco, cuando mi matrimonio estaba pasando por una temporada difícil, creé un altar para mi marido y para mí en la sala de estar. Coloqué con cuidado unas orquídeas magenta en un jarrón que habíamos usado en la ceremonia de nuestra boda y luego me incliné ante dos estatuillas de bronce de Ganesa, el dios hindú que elimina los obstáculos, y le recé para que las barreras surgidas en nuestro matrimonio desaparecieran y pudiéramos recordar el amor que nos había unido y nuestro compromiso matrimonial. Hacía sólo un año que habíamos hecho nuestros votos ante unos queridos testigos. Durante las semanas siguientes fui poniendo flores frescas en el jarrón, decorándolo cada día con distintas clases de flores: gardenias, rosas rojas, narcisos amarillos o margaritas blancas de botón amarillo. A veces me quedaba contemplando atentamente los dos corazones de cuarzo rosa con el que también había adornado el altar. Para que nos ayudara a recordar la santidad de nuestro matrimonio, invité a mi pareja a rezar ante el altar porque creía que nuestras plegarias serían escuchadas. Y así fue.

Sin embargo, el altar no fue una rápida solución a nuestros problemas. Tuvimos que seguir afrontando nuestras turbulencias interiores y aceptar nuestra propia sombra y la del otro. Necesitábamos escucharnos, dejar de acusarnos y observar el lado oscuro propio que proyectábamos en el otro. Advertí que a medida que lo íbamos haciendo, el altar fue creando una atmósfera agradable para nuestro viaje interior. Del mismo modo que las flores despedían una dulce fragancia, el altar irradiaba unas bendiciones serenas en nuestro hogar y matrimonio.

Conseguimos abandonar la oscuridad en la que nos habíamos sumergido y aprendimos muchas cosas del viaje interior. Una de ellas fue que a pesar de lo que estaba ocurriendo en mi vida, tenía que seguir sintiendo la relación que mantenía con mi pareja, porque de lo contrario, al igual que las flores del altar, la relación se iría marchitando si no se renovaba con amor y atención. Crear el altar y ocuparme de él me ofreció un objeto de concentración que me permitió tener estas percepciones.

## El arte de la devoción

Para los hindúes, el altar y la habitación dedicada a él implica que toda la familia se reúna sobre todo a primeras horas de la mañana, aunque también por la tarde y por la noche, para celebrar el acto devocional, llamado *puja,* que significa «adoración» o «culto». La mayoría de personas creen que el mejor momento del día para celebrar la puja es antes del amanecer. Para prepararse para ella, todos los miembros de la familia se bañan y ponen ropa limpia, ya que desean presentarse ante la deidad con el mejor aspecto posible. El resto del tiempo las puertecitas del altar están cerradas.

Es habitual no comer nada al menos una hora antes de la puja o durante más tiempo. Cada participante prepara antes de bañarse unas flores o alguna pieza de fruta para ofrecer más tarde en el altar. Los ritos pueden consistir simplemente en dejar una flor a los pies de la deidad o en encender una lamparilla de aceite. O en unas actividades más elaboradas como recitar textos sánscritos y hacer ofrendas. La comida que se ofrece a la deidad se llama *prasad.*

El aspecto esencial de cualquier puja es la devoción. Para los hindúes los altares no son sólo un lugar de tranquila belleza que inspira a reconocer a la divinidad, sino también un lugar donde se celebran rituales que les permiten comunicarse con ella. Desarrollar una relación con la deidad se considera una gran bendición y uno la mantiene durante toda la vida.

En una ocasión vi una película sobre una familia hindú que se reunía ante el altar de su hogar para celebrar el cumpleaños de Ganesa, la deidad con cabeza de elefante que elimina los obstáculos. El hijo pequeño de la familia hablaba sobre esta experiencia con tanto entusiasmo que daba la impresión de que fuera su propio cumpleaños y que hubiera recibido el poni que siempre había deseado. Me impresionó tanto la devoción que aquel niño transmitía al hablar sobre una experiencia espiritual que me sentí inspirada y escribí su historia.

---

### *Antes del amanecer*

Sanjaya, de diez años, el primogénito de la familia, es el primero en levantarse para celebrar esta ocasión tan especial del cumpleaños de Ganesa. Es su puja preferida del año. Durante una semana entera la familia rinde homenaje a la deidad para celebrar la ocasión. Sanjaya va a ofrecerle esta mañana a Ganesa uvas y albaricoques en un cuenco dorado que su abuela le regaló para esta clase de celebraciones. Con sus morenos dedos va arrancando con cuidado los granos de uva y colocándolos formando un círculo alrededor de los albaricoques. Al oler el dulce aroma a fruta que despiden sus dedos ligeramente pegajosos se le abre el apetito. Le gustaría meterse algunas uvas en la boca, pero se saca la idea de la cabeza. «Esta ofrenda es para Ganesa», piensa. Y entonces recuerda las palabras de su abuela: «No pruebes nunca la fruta que vas a ofrecer a Ganesa. Reprime este deseo y haz la ofrenda con amor. Así recibirás una bendición muy especial y tus plegarias serán escuchadas». Sanjaya echa de menos a su abuela, que murió cuando él tenía siete años. Pero recordar sus palabras hace que la sienta más cerca. Ahora no es el momento de soñar despierto. Debe apresurarse para darse un baño y vestirse antes de que la puja empiece. Su hermano pequeño aún sigue durmiendo en un catre al otro lado de la habitación. Sus padres todavía no han ido a despertarlos, así que aún le queda tiempo antes de que la puja comience.

Sanjaya anhela mantener una conversación especial con la deidad, como han hecho sus padres. Ha intentado oír si le decía algo pero, por más que se ha esforzado, no ha podido oír nada.

—Abre tu corazón con amor para que la deidad vea que eres sincero —le aconseja su madre.

—¡Por más que intento mostrarle mi amor, no ocurre nada! —se queja él.

—Deja que el amor que sientes por Ganesa se manifieste en cada acto de devoción: al preparar tu ofrenda, al bañarte y vestirte, al recitar las oraciones. Y entonces la deidad sabrá que la amas, te cubrirá con una lluvia de bendiciones y cobrará vida ante tus ojos —le responde ella.

En la serena oscuridad del amanecer, Sanjaya acaba de darse un baño y se prepara para vestirse. Cierra los ojos, intentando concentrarse en el amor que siente por Ganesa mientras se pone el *dhoti* azafranado, que parece unos pantalones plisados, y la *kurna*, la tradicional camisa sin cuello que su madre le dejó preparada en la habitación la noche anterior. Su hermano pequeño se está dando un baño y Sanjaya puede oír los pasos de los miembros de su familia, el ruido de las puertas al abrirse y cerrarse, mientras se preparan para la puja.

Su padre toca la campana ante el altar, la señal de que la puja va a empezar. Sanjaya entra en la habitación donde está instalada la capilla familiar, se prosterna en el suelo, en el fondo, y luego se acerca al altar, en el que su madre, su padre y sus tías y tíos ya están dejando las ofrendas. Mientras su padre pasa una llama por delante de Ganesa para darle la bienvenida al hogar, Sanjaya lleva su ofrenda de frutas al altar. A esta hora del día ya sabe que las puertecitas del altar están abiertas. Se alegra de llevar su ropa ceremonial para presentarse ante Ganesa con su mejor aspecto.

Arrodillándose ante el altar, Sanjaya aspira la fragancia del incienso de jazmín que flota por la habitación y contempla a su querido Ganesa, una divinidad con cabeza de elefante representada con las manos levantadas y los pies danzando. Toca con la frente el suelo y deja la fruta sobre el altar, a los pies de Ganesa. Cerrando los ojos, le susurra: «Ganesa, te ofrezco la uva y los albaricoques. Son mi fruta preferida. Aunque esta mañana he tenido hambre, no me la he comido. Te ruego que bendigas a mis padres y a mis tías y tíos. Ayúdame a no pelearme con mi hermano pequeño, que quiere ir conmigo a todas partes. Y, sobre todo, ayúdame a concentrarme en mis estudios para que pueda ir a la universidad y mis padres se sientan orgullosos de mí». Sanjaya, que ahora se había puesto en pie, se arrodilla en el suelo y se prosterna tendiendo su cuerpo sobre la alfombra y luego, invirtiendo el proceso, se arrodilla y se pone en pie. Al enderezarse ve con el rabillo del ojo que Ganesa le está sonriendo. Al vislumbrar su sonrisa, siente que el corazón se le llena de alegría.

## Los retos y el progreso en el camino

A menudo he enseñado el Camino de la Sabiduría en un cursillo de diez semanas de duración en la universidad o en algún centro espiritual, aunque en algunas ocasiones he enseñado parte del curso en un seminario de varias horas impartido por la tarde. En uno de los cursillos dediqué un par de sesiones a crear un altar. Una noche aparté la mesa que había normalmente en el aula, monté un altar en medio del círculo e invité a los alumnos a sentarse ante él para llevar a cabo nuestra sesión de meditación habitual. Creé este altar con una mesita redonda de madera que cubrí con una tela carmesí y encima puse diferentes conchas marinas que había ido recogiendo durante mis viajes a las islas del archipiélago de Hawai y Tahití. También encendí algunas velas que coloqué alrededor de una estatua de la diosa Sarasvati, la diosa de la voz y el conocimiento. Es la protectora del arte y se le atribuye la invención de la escritura. También es la diosa del habla, el poder a través del cual el conocimiento se expresa en acción. Siempre se representa como una mujer extremadamente bella con una tez de porcelana, a menudo sentada sobre un nenúfar tocando un laúd. Meditamos a la luz de las velas con música de fondo.

Al terminar de meditar invité a mis alumnos a volver a abrir los ojos y les pedí que contemplaran el altar y me comentaran lo que les había parecido. Judy, una sesentañera con un fino cabello canoso cortado muy corto y unas grandes gafas con montura de carey que mantenía los brazos cruzados sobre el pecho, levantó un pulgar para indicarme que tenía algo que decir. «A mí todo este asunto del altar me ha irritado un poco —observó—. ¿Qué es lo que se supone que voy a conseguir al contemplar una reproducción de barro de alguien a quien ni siquiera conozco? En mi tradición no consideramos que Dios se encuentre fuera de uno en una estatua de barro. Creemos que Dios está en nuestro interior. Tener que contemplar una estatua en un altar va en contra de mis creencias.»

Le dije a Judy que sus comentarios eran bienvenidos y que comprendía que pudiera no gustarle aquella práctica de sabiduría. Le sugerí que el icono del altar no pretendía ir en contra de las creencias de nadie, sino que la experiencia del altar no era más que una invitación para que nos abriéramos a la sabiduría relacionada con Sarasvati. Que el altar podía transmitirnos el misterio que la diosa representaba: la inspiración para las artes sagradas de la escritura, la música y otras expresiones similares. Que en esta meditación podíamos recibir estas cualidades como bendición. Y luego les pregunté a los demás si querían hacer algún comentario.

Chris fue el siguiente en hablar. El cabello rubio le caía sobre el rostro ocultando uno de sus ojos. Con el codo apoyado sobre los tejanos rotos por las rodillas, dijo: «No sé cómo explicarlo, pero cuando he entrado en la habitación he sentido un cambio en mi interior, porque la imagen de Sarasvati era tan hermosa que de algún modo le ha hablado a una parte de mí que está más allá de mi control. La belleza de Sarasvati me ha cautivado y esta sensación ha cambiado y hecho más profunda de algún modo mi meditación. La estatua, el altar y las velas me han transmitido una sensación que no puedo explicar».

Le respondí que el ambiente que crea un altar nos facilita cambiar nuestro estado de conciencia y sintonizar con la vibración del mundo sagrado. El altar nos permite estar más cerca de la divinidad, sea como sea que la concibamos. «Acuérdate de que en la tradición hindú tú eres esa deidad; lo trascendente es también inmanente». Ahora Judy parecía estar más relajada. Tenía las manos en los costados y escuchaba los comentarios de los otros alumnos con mucha atención.

Jane, una mujer de treinta y pocos años con unos penetrantes ojos negros, que llevaba una camiseta roja con tirantes y tejanos, fue la siguiente en hablar: «Los altares que yo tengo en casa son muy distintos a éste. Aunque he puesto varios objetos sobre una mesa de madera, no son bellos ni importantes espiritualmente. Siento como si no consiguiera crear un altar».

«Jane, no hay una forma prescrita para crear un altar», le expliqué. «Un altar sirve para reflejar lo que es importante para ti. No tienes por qué comparar tu altar con el de otras personas. Cada uno es único y completo en sí mismo. Además, lo que hace que un altar sea especial es la conciencia que usas para crearlo».

Una sugerencia que puede ayudarnos a crear un altar es dedicar un poco de tiempo a prepararlo. Cierra los ojos durante varios minutos frente al altar y vacía tu mente de lo que está sucediendo fuera de ti en esos momentos. Puedes decirte: «Abro mi mente para crear un altar que sea bello e importante para mí». Y luego déjate guiar para que el altar refleje algo especial para ti. Te sorprenderás al ver hasta qué punto al abrir la mente haces que algo bello se manifieste. No hay una forma errónea de crear un altar, aunque quizá tengas que probar a decorarlo con distintos objetos antes de dar con el efecto o con el significado deseado.

Margie agitó la mano levantándola por encima de su cabeza. Aunque tenía cincuenta y ocho años, parecía más joven. Era una mujer de tez clara, con el cabello caoba y una figura esbelta. «Estoy muy entusiasmada con los altares que he estado haciendo en casa. Gurumayi, mi maestra del Centro de Siddha Yoga, es una mujer muy especial y he colocado su fotografía en mi altar. También he puesto una fotografía de Swami Muktananda, el maestro de mi maestra, varias velas, una pieza de cerámica representando unas manos rezando y una foto de mi hijo. Sin embargo, al asistir a la clase del Camino de la Sabiduría he decidido rehacer un poco mi altar y le he añadido varios objetos relacionados con distintas religiones». Margie, animándose, prosiguió: «Me encanta recitar cantando Om Namah Shivaya. En sánscrito significa "Rindo homenaje al Yo que hay en mí". He descubierto que renovar mi altar me ha ayudado a acordarme más de la divinidad que hay en mí y que la experiencia de mi vida es sagrada».

Kristin, una mujer rubia de ojos azules, ávida por aprender, que absorbía la sabiduría de distintas tradiciones como si estuviera disfrutando de una limonada en un picnic veraniego, terció: «El altar que me ha llevado más tiempo es el de mi oficina. Lo he colocado en la pared del fondo y toca incluso mi escritorio. Siempre he llenado la oficina con tesoros de los lugares a los que he viajado. Pero la tarea de crear un altar en casa ha hecho que me lo tomara más en serio aún. Primero he decidido arreglar el que ya tenía, porque quería que estuviera en un lugar limpio y ocuparme de él como se merece.

»Hace un tiempo me regalaron una estatua de Siva danzando. Como ya se ha dicho en clase, Kali es la diosa de la destrucción y Siva es un dios masculino. La danza de Siva simboliza las fuerzas dinámicas de la creación y la destrucción y el armonioso equilibrio de los polos opuestos. En la mayoría de las imágenes de Siva danzando, la deidad aparece con cuatro brazos, que representan los cuatro puntos cardinales del espacio y simbolizan su omnipresencia. En cada una de las manos sostiene un objeto simbólico distinto o hace un gesto significativo. El tambor representa el sonido de la creación. Uno de los gestos (*abhaya*) de Siva significa "No tengas miedo". El gesto hacia el pie derecho levantado simboliza la liberación de los ciclos de la muerte y el renacimiento. En otra de las manos sostiene una llama, que es la esencia de la creación y la destrucción. La pequeña figura que hay bajo sus pies es el cuerpo del enano Purusha (el olvido), que simboliza la inercia humana, la ignorancia que debe vencerse. El círculo de llamas que rodea a Siva representa el universo.

»Siento como si ahora hubiera llegado el momento de colocar la estatua de Siva en el altar y ver cómo puede ayudarme a emprender un nuevo negocio. También le he añadido unas preciosas rosas rojas. Siento que poner flores frescas cerca del altar me inspira. Pero ahora que tengo un altar en la oficina, me gustaría hacer más altares por toda mi casa. ¿Crees que es una mala idea?»

Al formular esta pregunta, toda la clase se echó a reír.

«No lo creo, Kristin», le respondí. «En cierto modo tenemos muchos altares que quizás hagamos sin darnos cuenta».

Una colección de fotografías dispuestas sobre la repisa de la chimenea cubierta con un mantel de puntillas puede ser un altar con objetos familiares que uno aprecia. Crea en casa y en la oficina tantos altares como te apetezca. En su libro *Altars: Bringing Sacred Shrines into Your Everyday Life,* Denise Linn sugiere hacer nueve altares distintos en cada zona del hogar, santificando cada rincón sabiendo lo que cada espacio sagrado representa.

Los altares nos conectan con los reinos espirituales. Aportan elegancia y belleza a nuestra vida al crear en nuestro hogar una entrada que lleva a los misterios del mundo invisible. El altar que hayamos hecho en casa nos permite entrar en los lugares sagrados de nuestro interior. Hace que reconozcamos el vínculo que mantenemos con el infinito y nos presenta el santuario que hay en nuestro interior que nos acompaña dondequiera que vayamos.

## Unos Sabios Pasos

**ENCUENTRA EL LUGAR IDÓNEO PARA EL ALTAR.** Busca en tu hogar una zona en la que goces de una cierta paz y tranquilidad. Puedes colocar el altar en una habitación dedicada a él o en el rincón favorito de una habitación. En este lugar debe haber un espacio cómodo donde puedas sentarte y una mesita, una repisa o un rincón donde puedas colocar telas, velas y otros objetos que creen un ambiente del mundo sagrado. Al elegir el lugar, ten en cuenta las actividades que realizarás frente al altar, tales como meditar, rezar, escribir un diario, tocar un instrumento musical o escuchar música meditativa.

**CREA TU PROPIO Y ÚNICO ALTAR.** Ahora que has elegido el lugar, intenta crear un altar que sea especial para ti, para que te produzca una sensación de paz y te transporte a un mundo sagrado. Como no hay una sola forma de crear un altar, relájate y disfruta del proceso. Las siguientes ideas te ayudarán a crearlo. Para empezar, es mejor que dispongas de una superficie, como una mesita redonda o rectangular de madera, una caja de cartón o la superficie de un tocador. También puedes utilizar una determinada zona del suelo en un rincón o debajo de una ventana. Ahora viene lo más divertido: elegir la tela, las velas, el incienso, las flores frescas o la reproducción de aquellos objetos espirituales que sean importantes para ti, como por ejemplo las estatuas del Buda o de Quan Yin (la diosa de la compasión). Si lo deseas también puedes colocar en el altar tesoros procedentes de la naturaleza, como conchas de la playa, hojas otoñales de color carmesí, plumas de urraca o piñas. Las fotografías de maestros queridos, de los miembros de la familia y de guías espirituales también te aportarán inspiración y significado. Mientras creas tu espacio sagrado, observa la sensación que te producen ciertos colores y objetos. En el altar puede haber simplemente una vela colocada sobre una tela tejida con tus colores preferidos. O puede ser un altar más complejo y contener objetos, recuerdos y recordatorios de tu viaje espiritual.

**ENCIENDE UNA VELA EN EL ALTAR.** En el mercado encontrarás muchas clases de velas, elige las que más te gusten: aromáticas o normales, largas y finas, o cortas y gruesas, protegidas con un recipiente de cristal o sin protección para que la llama arda libremente. Para iniciar la relación que mantendrás con el altar, siéntate frente a este lugar tan especial que has creado y enciende una vela. Resérvate un tiempo para poder saborear la experiencia: escucha el sonido que produce la cerilla al friccionarla sobre la tira de carbón de la cajita, observa cómo la mecha de la vela atrae la llama, los brillantes tonos amarillos y blancos iluminando los colores y los objetos de tu espacio sagrado. Permanece sentado durante unos momentos bajo la luz de la vela. Siente la sutil presencia, la iluminación, el misterio. Tu altar es una expresión externa de tu santuario interior. Ve familiarizándote con él.

# 2

## EL BUDISMO: *medita y encuentra la paz interior*

*En el budismo se insiste sobre todo en transformar la mente y esta transformación depende de la meditación.*

DALAI LAMA, *HACIA LA PAZ INTERIOR*

Desde el otoño de 1986 hasta el verano de 1987 viví con otros ermitaños en el Christine Center for Meditacion, situado en Willard, Wisconsin. Los ermitaños, por vivir de seis meses a varios años en el centro, nos diferenciábamos de las personas que acudían al centro los fines de semana para hacer un retiro de meditación o un curso intensivo. Durante casi un año viví en una pequeña ermita llamada Ángel de Sabiduría, amueblada sólo con una cama individual, una estufa de leña y un escritorio reducido. La ermita que ocupé era una de las doce o más cabañas dispersas por el boscoso terreno cubierto de nieve, llamadas: Ángel de la Paz, Ángel del Amor, Ángel de la Luz…, por nombrar sólo algunas. Compartíamos el lugar con los ciervos que deambulaban por el bosque, los cuervos y unas grandes vacas blancas y negras que pastaban en el campo de al lado.

En Wisconsin es normal que haga mucho frío. En invierno las temperaturas llegan a bajo cero y se mantienen indefinidamente alrededor de los veinte, treinta y cuarenta grados bajo cero, llegando a veces incluso a la gélida temperatura de cuarenta y cinco grados bajo cero. Pero a pesar del duro clima y del riguroso programa formado por cuatro sesiones de meditación sedente al día —antes de desayunar, de comer, cenar e ir a la cama—, además de los retiros intensivos de fin de semana y de dos semanas de duración, me enamoré de la meditación. Pero no fue un amor a primera vista.

A principios de invierno el encanto que me producía vivir en el bosque con sólo una estufa repleta de leña se había esfumado. Tener las manos llenas de hollín y de astillas debido al continuo acarreo de leña, y levantarme a las tres de la madrugada, cuando hacía un frío que pelaba y aún era de noche, para echar más leña a la estufa, ya no era tan romántico en febrero como lo había sido en octubre. Tiritando de frío cruzaba los campos para ir a la sala de meditación y asistir a la sesión matutina de las cinco de la madrugada. Mientras subía las escaleras que llevaban a la sala de meditación situada en un granero restaurado con unas granulosas paredes de madera de color miel, descubría el taburete en el que meditaba en medio de la sala. Algunas mañanas, al ver el taburete negro esperándome, tenía que hacer un gran esfuerzo por no dar media vuelta y volver a la cama. Aunque la sala se veía de lo más serena y limpia —con los futones y los taburetes negros de meditación alineados simétricamente en ordenadas filas, el fragante aroma del incienso de madera de sándalo y la temperatura cálida y agradable—, meditar en ella no era tan fácil como parecía.

Las largas sesiones de meditación hacían que los muslos se me entumecieran y que la zona lumbar me doliera mucho. Mientras meditaba había estado pensando en practicar el sexo en lugar de permanecer en quietud. Mi mente parloteaba sin cesar, como un mono saltando de rama en rama. Ron, el maestro de meditación que siempre que volvía la cabeza le caía el pelo pelirrojo sobre los ojos, decía algunas palabras durante los largos espacios en los que nos manteníamos en silencio. «Si sentís dolor, concentraos en la inspiración y la espiración. Respirad observando el dolor.» Si no hubiera tenido los ojos cerrados, los habría puesto en blanco como una adolescente irritada. «¿No te das cuenta de que ya he llegado al límite?», pensaba furiosa por mi sufrimiento interior. Permanecer sentada en silencio a veces era como una tortura. Después de un rato que se me hizo eterno, oí que el maestro de meditación decía en un tono sereno: «No os apeguéis al dolor ni a vuestros pensamientos. Dejadlos ir y volved a concentraros en la inspiración y la espiración, inhalando y exhalando».

«¿Por qué estamos sentados aquí día tras día? ¿No sería mejor aprovechar este tiempo para hacer algo, para contribuir en el mundo de alguna forma?», pensaba. Era una convincente voz interior que me costaba no escuchar. Sin embargo, otra parte de mí me guiaba para que siguiera meditando en quietud, concentrándome en la inhalación y la exhalación.

A veces al terminar la sesión de meditación, Ron nos decía si queríamos hacerle alguna pregunta. Una mañana levanté la mano y le dije: «A veces, cuando estoy meditando, me vienen a la cabeza grandes ideas. ¿No sería mejor dejar de meditar para anotarlas?» Esperaba que Ron me aconsejara dejar un bloc y un lápiz cerca del taburete de meditación, pero en lugar de ello me respondió: «Al ego no le gusta que no le hagan caso. Para él es muy deprimente que uno no le dé importancia al proceso mental y a veces puede ser muy listo al intentar engañarnos para que rompamos la disciplina que exige la práctica. Las grandes ideas que tienes pueden esperar a que acabes la sesión. Te sugiero que mientras meditas te concentres en el momento presente y en seguir la respiración, inhalando y exhalando».

De haber sido un gato le hubiera bufado y, dando media vuelta, me habría ido en la dirección opuesta. Una parte mía se sintió consternada con la respuesta, pero otra parte observó a mi ego en plena pataleta. «Vale. Estoy harta. Ya no puedo más. Esta situación ha llegado demasiado lejos. Esto no tiene ningún sentido y pienso que...» En un instante vi cómo mi mente creaba siempre una razón, una distracción o un escenario en el que yo pudiera representar un papel. Sin embargo, vi que «yo» no sólo era esta actriz, sino que también estaba conectada a algo que no era mi «yo» corriente, a algo más profundo y esencial, mi verdadero yo, que había experimentado en la meditación. El hecho de verme como una actriz representando el papel de estrella me pareció tan cómico que me eché a reír por haberme tomado tan en serio. Después de esta experiencia ya no me costó tanto esfuerzo meditar.

Incluso a principios de marzo la capa de nieve seguía aferrada a la tierra. Aunque el largo invierno me había irritado, ahora aceptaba el clima. Me dedicaba a escribir en mi ermita a últimas horas de la mañana y de la tarde. Levantando la vista de vez en cuando, disfrutaba contemplando por la ventana del fondo los pequeños montones de nieve del exterior. Algunas veces veía un gamo caminando silenciosamente por el manto blanco de nieve, y otras sólo divisaba sus huellas. Siempre que metía un leño en la ardiente estufa negra, disfrutaba del aroma a pino y a cedro que despedía y de las hermosas lenguas de fuego de color amarillo ámbar que salían por la puertecita abierta. A veces me preguntaba cómo podía sentirme tan satisfecha con tan pocas cosas. Ya no me importaba que los cuartos de baño se encontraran en el edificio principal, a unos ciento cincuenta metros de distancia de mi cabaña.

Una mañana llegué antes de la hora a la sala de meditación. Me saqué los zapatos y caminé descalza sobre la alfombra de color verde manzana tal como había estado haciendo día tras día en el último año. Me arrodillé sobre el negro rectángulo acolchado que servía como almohadilla de meditación y, con un solo movimiento, me coloqué el taburete debajo del cuerpo y me senté sobre él. Al aspirar el aroma del incienso de madera de sándalo mi respiración adquirió un ritmo tranquilo. Cerré los ojos, y mientras me concentraba en la respiración, me fui sumergiendo en una paz cada vez más profunda en la que mi mente era como un sereno lago al amanecer.

Sonreí al recordar las luchas internas que había mantenido el año anterior en la sala de meditación. Al llegar otros ermitaños a la sala para unirse a la práctica matinal, me sentí distinta. Mi mente ya no estaba tan agitada como antes. Ahora podía observar claramente con el corazón el mundo que me rodeaba y absorber la belleza de los cúmulos deslizándose por el inmenso cielo de la región central. Lancé un suspiro al ver la bondad de los jubilados que se desplazaban con dificultad cada día en medio de aquel frío clima con los tractores y las herramientas para ayudar a construir y reparar las cabañas, las ermitas y las vallas de la propiedad.

Siempre que Ron golpeaba el cuenco de meditación para indicar que la sesión de meditación iba a empezar, tal como se lo había visto hacer durante aquel año que había estado en el centro, mi alma sintonizaba con este sonido que producía hasta que se desvanecía en el silencio. «Empezad a concentraros en vuestro interior y seguid la respiración...» Sin pensármelo, volví a mi santuario interior. ¿Quién habría podido imaginar que al seguir mi respiración día tras día yo podría volver a mi hogar y encontrar en él esa invalorable quietud y paz interior, ese amor y aceptación que me envolvían, la satisfacción que me producía ser simplemente una serena presencia en el mundo?

Muchos meditadores afirman que este ejercicio para adquirir sabiduría les produce efectos transformadores: sienten una mayor paz y claridad mental, son más conscientes de sí mismos y afrontan los altibajos de la vida con más fortaleza. Si en nuestra ajetreada vida nos reservamos un rato para permanecer en quietud, cosecharemos los beneficios que los maestros de meditación ejemplifican y elogian.

El budismo es una tradición espiritual basada en las enseñanzas de Siddharta Gautama, conocido como el Buda o el Iluminado. Fundado en la India alrededor del año 500 a. C., el budismo ha extendido su influencia cultural, religiosa y social en la mayor parte de Asia. El budismo derivó del hinduismo y se desarrolló en una dirección distinta.

## Los principios esenciales: el budismo

**LA NATURALEZA DE LA DEIDAD.** El budismo no cree en una deidad exterior. Sin embargo, al descubrir nuestra naturaleza búdica, podemos despertar al *nirvana,* un estado de Iluminación. Este estado nos permite acceder a las cualidades que suelen relacionarse con la divinidad en otros sistemas religiosos: infinitas bendiciones, bondad, serenidad y omnisciencia.

**LA RELACIÓN PERSONAL CON LA DIVINIDAD.** El Buda enseñó que debíamos depender de nuestra propia naturaleza para afrontar la vida: «Sed vuestras propias lámparas». En lugar de depender de un maestro, nos aconsejó encontrar el sereno centro que hay en nuestro interior a través de las enseñanzas.

6. El recto esfuerzo, que consiste en cultivar unos estados saludables y en purificar la mente.
7. La recta atención o la práctica meditativa, o sea ser consciente de uno mismo y ver las cosas tal como son.
8. La recta concentración, que aspira a alcanzar una concentración unidireccional, un estado donde las facultades mentales se dirigen hacia un determinado objeto.

**EL ALMA Y LAS CREENCIAS SOBRE LA MUERTE.** Los budistas creen que el alma no muere y que va evolucionando a través de una serie de encarnaciones. Cuando el alma se ilumina, trasciende el ciclo del nacimiento y la muerte y alcanza un estado de gozo eterno.

## El poder del Despertar

El budismo es una tradición espiritual que se originó con la experiencia de un hombre que despertó a su verdadero yo. Su conciencia expandida le permitió ver la vida desde una perspectiva iluminada. Los budistas creen que todos podemos alcanzar el Despertar y que una de las herramientas que nos ayudan a lograrlo es la meditación. La historia del Buda nos permite conocer las principales ideas que comparten todas las ramas del budismo. Los seguidores del budismo se toman la historia del Buda como una inspiración para seguir el camino que les lleva a la paz interior.

En *Las religiones del mundo*, Huston Smith nos narra el Despertar del Buda. Cuando el Buda nació en la India alrededor del siglo VI a. C., los adivinos vieron que Siddharta Gautama (llamado más tarde el Buda, que significa «el Despierto») no era un niño ordinario. Sería o un gran gobernante o un gran redentor.

**EL CULTO.** Todos los budistas tienen fe en el Buda; en el Dh ma, sus enseñanzas, y en el Sangha, la comunidad religiosa él fundó. Estos elementos se denominan los Tres Refugios o Tres Joyas. Los budistas rinden culto en los templos y utili la meditación, las plegarias y las banderas y los molinos oración.

**LAS CREENCIAS ÉTICAS.** La conducta ética, considerada el cami que conduce a la Iluminación, se resume en las Cuatro Nob Verdades y en el Óctuple Sendero.

LAS CUATRO NOBLES VERDADES

1. La característica básica de la existencia humana es el suf miento.
2. La causa del sufrimiento es el apego a ideas falsas.
3. Es posible poner fin al sufrimiento.
4. La forma de poner fin al sufrimiento es seguir el Óctuple Se dero.

EL ÓCTUPLE SENDERO

1. La recta comprensión relacionada con la naturaleza de la rea lidad.
2. El recto pensamiento, libre de los deseos sensuales, la malevo lencia y la crueldad.
3. La recta palabra, que significa abstenerse de hablar con cruel dad, falsedad y banalidad.
4. El recto obrar, que consiste en no matar, robar, consumir sus tancias intoxicantes ni jugar a juegos de azar.
5. El recto medio de vida, es decir, ganarse la vida de manera éti ca, sin dañar a un ser vivo ni estafar a los demás.

Para intentar que fuera un gran gobernante su padre ordenó a sus sirvientes que su hijo estuviera rodeado siempre de los lujos del palacio: de voluptuosas bailarinas y banquetes compuestos de los manjares más exquisitos. En el mundo de Siddhartha todo debía ser placentero. Además su padre dio órdenes para que no permitieran que entrara nada desagradable del exterior en la privilegiada vida de Siddhartha llena de lujos.

Un día, los que se encargaban de echar de la entrada del palacio a los ancianos, los enfermos, los moribundos y los que pedían ayuda no cumplieron las órdenes del rey. El príncipe, que hasta entonces había vivido protegido en el palacio, conoció por primera vez la vejez, las enfermedades y la muerte. Durante varios días Siddharta vio a un anciano con los dientes partidos que caminaba apoyado en un bastón y a una mujer tendida al borde del camino con el cuerpo muy deteriorado por la enfermedad. También se encontró con un monje con la cabeza rasurada que llevaba una escudilla de mendicante. A Siddhartha le impresionó mucho ver la muerte, las enfermedades y la vejez. *¿Cuál era real? ¿Su vida en el palacio o las enfermedades, la muerte y la vejez? ¿Y qué era una ilusión? ¿La vida que había llevado en el palacio o la vida que existía fuera de él?* Siddharta sintió el apremiante deseo de conocer la Verdad. Durante seis años estuvo estudiando con dos maestros hindúes y con un grupo de ascetas que predicaban que el ayuno y el ascetismo llevaban a la Verdad. Siguió este camino ayunando, viviendo en el bosque, rezando y meditando, pero no encontró lo que andaba buscando. De no haber sido por una pastora que le ofreció un cuenco de arroz con leche habría muerto de inanición. El Buda vio que ninguno de los dos extremos que había experimentado en su vida —los lujos y el ascetismo— eran el camino que llevaba a la Verdad. Debía de haber un camino medio que se encontrara entre esos dos extremos. Su profundo deseo de alcanzar la Verdad lo llevó a sentarse en meditación al pie del árbol de la Bo (una abreviación de *Bodhi* o Iluminación) hasta que conoció la Verdad por sí mismo.

Aquella noche el Buda despertó al conocimiento de la Verdad, conocida en el budismo como las Cuatro Nobles Verdades. Al igual que un médico espiritual, diagnosticó, analizó y recetó el remedio para la enfermedad de la condición humana. En primer lugar, dijo que la característica básica de la existencia humana era el sufrimiento. En segundo lugar, que la causa del sufrimiento procedía de apegarse a ideas falsas. En tercer lugar, afirmó que era posible poner fin al sufrimiento. Y en cuarto lugar, dijo que la forma de poner fin al sufrimiento era siguiendo el Óctuple Sendero, que incluye, entre otras cosas, la meditación y el ser consciente de la propia conducta e intenciones.

## ¿Qué es la meditación?

Las enseñanzas de sabiduría del budismo nos aconsejan cultivar una práctica meditativa para llevar una vida sana y provechosa. La meditación es una actividad que nos hace mirar en nuestro interior para practicar el arte de aquietar los pensamientos. La meditación nos ayuda a activar la quietud interior, para dejar de apegarnos a los miles de pensamientos que estamos teniendo sin cesar y que nos distraen del momento presente. La mente está constantemente pensando, comparando, juzgando, recordando el pasado y planeando el futuro. Los alumnos de las clases de meditación han de enfrentarse a sus procesos mentales. *¿Estoy haciendo este ejercicio de meditación correctamente? Seguro que el resto de* *la clase medita mejor que yo. ¿Acabará de una vez la sesión de meditación?* La meditación nos ayuda a aquietar estos pensamientos y a ser más conscientes del momento presente, el único que nos permite acceder a la realidad: a lo que está ocurriendo en este instante. Aprender a aquietar la mente crea una profunda paz interior. En la actualidad, el Dalai Lama, una de las voces contemporáneas más importantes del budismo tibetano, nos recuerda: «Una de las cosas que nos enseña la meditación, cuando descendemos lentamente a nuestro interior, es que la sensación de paz ya existe en nosotros: todos tenemos el profundo deseo de experimentarla, aunque a menudo esté oculta, disfrazada o no se deje ver».

EMPEZANDO A MEDITAR. Las dos formas más comunes de meditación se practican sentado o andando. En la primera, es mejor disponer de un lugar tranquilo donde puedas sentarte a meditar sin que te molesten. Mucha gente siente que meditar cerca del altar le ayuda por la serena atmósfera que irradia.

Para practicar esta clase de meditación encuentra un lugar donde puedas sentarte cómodamente con las piernas cruzadas, sobre una silla o arrodillado. Mantén la cabeza derecha, pero sin tensarla. Puedes meditar con los ojos cerrados y la atención dirigida al interior o con los ojos abiertos, con la mirada fija en las manos o en un punto en el suelo a varios palmos de distancia. Mantener los ojos abiertos te ayuda a no dormirte. No te aconsejo que medites tendido, porque en esta postura puedes dormirte fácilmente.

Hay varias opciones para practicar la meditación. La básica para los principiantes es seguir la respiración. Puedes inhalar contando hasta cuatro: uno, dos, tres, cuatro; y exhalar contando también hasta cuatro: uno, dos, tres, cuatro. Si pierdes la cuenta, vuelve simplemente a empezar desde uno. Respira de forma lenta y regular. No fuerces la respiración ni intentes controlarla, deja que adquiera su ritmo natural, como el flujo y el reflujo del mar. Otra forma de concentrarte en la respiración es observar el aire mientras entra y sale de tu cuerpo. Sé lo más consciente posible del proceso respiratorio, de cómo el diafragma sube y baja, del aire fresco penetrando por las fosas nasales y del aire cálido saliendo por ellas.

Tanto si utilizas una técnica determinada como si realizas una práctica meditativa constante durante largo tiempo, o permaneces maravillándote del misterio, descubrirás que tu práctica de meditación irá profundizándose con el tiempo. Después de practicar la meditación durante un cierto tiempo la mente se va acostumbrando a la quietud y se sumerge en una más profunda aún. En esta clase de meditación no te concentras en nada, simplemente practicas la quietud mental. Dejas que la mente sea un simple espectador que lo refleja todo como si fuera un espejo. Observas los pensamientos, las sensaciones, los sonidos, el dolor físico y los olores que experimentas sin apegarte a ellos. Y luego los dejas ir como si fueran nubes deslizándose por el cielo en un día de verano. Una de las formas en las que la mente intentará distraerte de la disciplina de la meditación es apegándose al hechizo de las construcciones mentales.

No esperes tener una experiencia iluminativa o de la vacuidad. Si te vienen grandes ideas a la cabeza, está bien. Anótalas si lo deseas, pero sólo cuando hayas terminado la sesión de meditación. Es mejor adquirir el hábito de dar la prioridad a tu meditación. Y si no te vienen grandes ideas a la cabeza, también está bien. Sea lo que sea lo que ocurra o lo que no ocurra, no dejes que te afecte demasiado. Vuelve a concentrarte en la respiración una y otra vez. Al hacerlo tu mente cultivará un estado meditativo que cada vez se irá apegando menos a los pensamientos, los resultados y las sensaciones. Aprenderás a vivir con más plenitud a cada instante y a apegarte menos a los fenómenos de tu vida que surgen y que desaparecen.

## La importancia de la práctica

Uno de los máximos representantes contemporáneas del budismo actual es Su Santidad el Dalai Lama. Su nombre significa en tibetano «océano de sabiduría». En 1989 fue galardonado con el Premio Nobel de la Paz. Su mayor deseo es que integremos la compasión en todas las áreas de nuestra vida: en el lugar de trabajo, la familia, las relaciones personales y en nuestro trato con cualquier persona que nos topemos. El Dalai Lama dice: «La bondad es mi religión».

Yo tuve el privilegio de asistir a una conferencia que dio el Dalai Lama en Dharamsala, India, el lugar donde reside desde que se exilió del Tíbet, que ahora está en poder del gobierno chino. El primer día que tuvieron lugar los diálogos con Su Santidad en el Palacio de Norbulingka, el Dalai Lama al entrar en la sala nos saludó a todos humildemente con una inclinación y al salir de ella lo hizo caminando hacia atrás para no dar la espalda al centenar de asistentes. La paz y la compasión que irradiaba impregnó la sala como el perfume de una flor.

Al conversar con uno de los monjes que acompañaban al Dalai Lama, nos enteramos de que Su Santidad se había levantado a las tres y media de la madrugada para empezar su primera sesión de cuatro horas de duración compuesta de meditación, ejercicios y otras disciplinas espirituales, o sea que a las nueve de la mañana, cuando empezó la conferencia, ya había estado practicando. El estado de paz que acabábamos de presenciar no era casual, sino el resultado de una práctica diligente, dedicada y constante. Inspirados por el ejemplo del Dalai Lama, varias personas que habíamos asistido a la conferencia decidimos reunirnos a la mañana siguiente para meditar con los monjes budistas en el monasterio de Dharamsala.

---

### *La sala de meditación en Dharamsala*

Cuando me desperté a las cinco de la madrugada para asistir a la meditación, recordé lo inspirador que había sido para mí el compromiso que el Dalai Lama había adquirido con la práctica espiritual y cómo mi práctica de meditación parecía demasiado irregular e inconstante en comparación con la suya. «¡Hoy empiezo un nuevo nivel de práctica!», me dije a mí misma mientras salíamos del hotel para recorrer a pie el trayecto de veinte minutos que llevaba al lugar donde los monjes budistas meditaban cada mañana.

Por las polvorientas calles de Dharamsala deambulaban vacas, perros y monos, además de la gente que se dirigía al trabajo. Las mujeres caminaban de prisa vestidas con saris de vivos colores: rosa, amarillos, dorados y anaranjados. Era como si el paisaje de aquel lugar estuviera salpicado de flores silvestres. Intenté ver si daba con algún sari repetido, pero no pude encontrarlo. Las mujeres reían entre ellas con los brazos entrelazados a la altura de los codos. Los taxistas tocaban el claxon intentando que la multitud de personas, coches y animales aceleraran un poco el paso. Las calles estaban bordeadas de leprosos, a algunos les faltaban las extremidades y los dientes. Muchos de ellos sonreían mientras extendían sus vasos para que los transeúntes les echaran algunas rupias, el valor de una rupia equivale a diez centavos de dólar, lo suficiente para alimentar a una persona durante un día. Los vendedores, amontonados a lo largo de las calles, intentaban atraer la atención de los transeúntes agitando la mano para que les compraran las frutas, telas y joyas que vendían.

Después de cruzar la ciudad, fuimos por una pequeña carretera y subimos por la escarpada colina que llevaba a la sala de meditación. Era un espacio de unos ciento cincuenta metros. En la primera habitación por la que pasamos había varias mesas y estanterías cubiertas con cientos de velas encendidas. Los monjes ya habían acabado de recitar sus oraciones matinales antes de que llegáramos. Lo cual, en medio de aquella fría mañana otoñal en la que aún no era del todo de día, me pareció una hazaña. Me detuve para impregnarme de la belleza de las hileras de velas encendidas. El gesto de los monjes encendiendo aquel montón de velas a primeras horas de la mañana me conmovió. ¡Qué dedicación a la práctica! ¡Qué amor por la quietud! ¡Qué devoción por el crecimiento interior! A partir de aquel día me he acordado muchas veces de aquella habitación, sobre todo al tener ganas de seguir en la cama cuando tenía que levantarme para meditar.

Al continuar el recorrido alrededor de las puertas abiertas de los cuatro lados del templo vi a unos hombres sentados con las piernas cruzadas en el suelo alrededor del perímetro de la sala, con los ojos cerrados y las manos descansando sobre el regazo. En medio de la parte delantera del santuario había un gran Buda dorado con los ojos cerrados que irradiaba una profunda sensación de calma y serenidad. Estaba rodeado de pétalos rosas y blancos y también de docenas de velas votivas encendidas protegidas por un cristal. En la parte derecha del templo había otros practicantes en distintas fases de la meditación dinámica: inclinándose, arrodillándose y prosternándose sobre el suelo de cemento.

En la parte más alejada del perímetro de la sala, varios hombres y mujeres hacían girar los grandes molinos de oraciones de bronce con oraciones budistas por la paz grabadas en ellos. Me uní al variopinto grupo formado por budistas y personas de diversas creencias que habían asistido a la conferencia del Dalai Lama, y también deslicé mis dedos por la fría superficie de los molinos de oraciones para hacerlos girar. Los grandes cilindros abombados de metal giraron fácilmente impulsados por la presión de la palma de mi mano. Sentí las frías letras grabadas bajo mis dedos. Inhalando y exhalando con plena atención como las personas que iban delante y detrás de mí, envié aquellas oraciones por la paz al mundo. También recité una plegaria por la práctica espiritual, esperando que aquella oración se implantara en mi corazón e hiciera que mi práctica de meditación estuviera llena de devoción.

---

## Volviendo al hogar del momento presente

Otra voz contemporánea budista es la de Thich Nhat Hanh, un monje budista zen vietnamita propuesto para el Premio Nobel de la Paz por Martin Luther King, hijo. Nos recuerda que podemos volver al hogar del momento presente y encontrar en él la paz.

> Nuestro verdadero hogar es el momento presente. Vivir el momento presente es un milagro. El milagro no consiste en andar sobre las aguas, sino en andar sobre la verde tierra en el momento presente, apreciando la paz y la belleza de cuanto está a nuestro alcance. La paz se halla a nuestro alrededor, en el mundo, en la naturaleza, así como en nuestro interior, en el cuerpo y el espíritu. Al aprender a sentir esta paz, nos curaremos y transformaremos. No se trata de un problema de fe, sino de práctica.

La meditación nos enseña a ser conscientes, a concentrarnos en el momento presente. Al meditar sentados estamos cultivando esta atención unidireccional mientras contamos o seguimos la respiración, o mientras observamos nuestros pensamientos. Podemos hacer cada acción con plena conciencia: al andar, comer, escuchar. Hay un dicho zen sobre la atención que reza: «Cuando te sientes, siéntate. Cuando te levantes, levántate. Pero sobre todo, no vaciles». Dominar esta práctica nos permite realizar cualquier actividad con todos los sentidos. El cuerpo no está sentado en un lugar mientras la mente está pensando en el futuro, en las tareas que nos esperan. Cuando el cuerpo no está unido a la mente, emitimos el sonido de una campana agrietada.

Siempre que he tenido algún pequeño accidente con el coche, al derrapar en una curva o pasarme la salida de una autopista, ha sido cuando no estaba totalmente presente. En aquel momento tenía la cabeza en otra parte, estaba pensando en algún proyecto que debía hacer o recordando la conversación mantenida con alguien en el trabajo, sólo que entonces decía en mi interior lo que de veras pensaba. Hacer las cosas con plena atención es una especie de meditación. Lo cual se consigue a base de práctica, al igual que ocurre con cualquier habilidad que deseemos desarrollar. Los asistentes a un retiro dirigido por Thich Nhat Hanh también alcanzamos lo mismo al practicar la meditación andando juntos.

## La meditación andando

Practicar la meditación andando es una disciplina budista habitual, aunque es diferente a dar un paseo o caminar para hacer ejercicio aeróbico. Cuando meditamos andando, no lo hacemos con la intención de relajarnos o de hacer trabajar el corazón para que lata a un determinado ritmo, sino para concentrarnos plenamente en el momento presente y estar presentes con todo nuestro cuerpo mientras caminamos. Lo cual puede hacer que andemos mucho más despacio de lo habitual. Al igual que ocurre al meditar sentados, al caminar sabiendo que estamos caminando somos conscientes de nosotros mismos en el momento presente. Advertimos cómo el talón entra en contacto con el suelo y cómo doblamos la planta del pie apoyándonos en la parte delantera con los dedos presionados contra el suelo para avanzar. Al dar el siguiente paso, observamos la respiración, los pensamientos que surgen en nuestra mente, los árboles..., todo aquello que no advertimos cuando estamos pensando en el pasado o en el futuro en lugar de vivir el momento presente.

---

### *Un paseo por la playa*

Varios cientos de personas asistieron al retiro de cinco días de duración que Thich Nhat Hanh dirigió en Santa Barbara en el verde y extenso campus de la Universidad de California situado frente a la playa. En la charla de la primera noche, Thich Nhat Hanh nos invitó a participar en el ejercicio matutino de meditar andando. Al día siguiente, a las siete de la mañana, un grupo de ochenta personas, formado por hombres y mujeres de origen caucásico, africano y asiático, fuimos andando en hilera desde los dormitorios a la playa. Caminamos lentamente en medio de una niebla gris. La humedad del mes de agosto se mezclaba con el fresco aire matinal. Dimos cada paso procurando ser conscientes de estarlo dando. Yo observé mi respiración, la forma de la cabeza de la persona que tenía delante, la silueta de los dormitorios del campus.

Al llegar a la playa aspiré el olor a peces y algas mezclado con la dulce fragancia del aire marino. La hilera de los participantes del retiro se dispersó al seguir cada uno distintos caminos mientras nos dirigíamos hacia donde nuestra meditación nos llevaba. Yo seguí andando con plena atención, contemplando las olas azul pizarra rompiendo suavemente en la arena de color marrón de la orilla. El flujo y reflujo de la marea me recordó la inhalación y la exhalación, como si el mar estuviera en un perpetuo estado de meditación. Mientras seguía andando mis ojos resiguieron el contorno de la hierba verde y espigada de distintas formas y alturas que bordeaba las curvas de las dunas y la marisma de la playa en el trayecto de vuelta al campus.

Empecé a sentir una melodía de satisfacción dentro de mí. La inequívoca paz y profunda intimidad que yo estaba sintiendo, ¿sería la sensación de volver al hogar de la que Thich Nhat Hanh hablaba cuando nos invitaba a regresar al momento presente? En mi corazón brotó como un manantial la canción que Thich Nhat Hanh nos había enseñado la noche anterior para ayudarnos a ser conscientes y me puse a cantarla para mis adentros mientras subía la colina de vuelta a mi habitación:

He llegado.
Estoy en casa,
en el aquí,
en el ahora.
Soy estable.
Soy libre.
Reposo en la
dimensión última.

---

## Los retos y el progreso en el camino

Un martes por la noche mientras estaba dando una clase del Camino de la Sabiduría, Kristin levantó la mano sonriendo cálidamente y me preguntó: «Sé que el capítulo que estamos leyendo esta semana se titula "Medita y encuentra la paz", pero la experiencia que he tenido esta semana con la meditación ha sido todo lo contrario. Cuando me siento a meditar e intento calmar mi mente, sólo me descubro sintiendo ira, frustración o miedo. Hasta que no empecé a meditar no era consciente de esos sentimientos. ¡Lo que encuentro no es paz interior sino caos emocional! ¿Crees que estoy meditando mal?»

Otros alumnos de la clase metieron cuchara. Judy, que solía estar siempre irritada por algo, soltó: «¡Me alegro de no ser la única que no encuentra la paz. Mientras meditaba sólo podía pensar en que estaba enfadada con el vecino del piso de arriba por cambiar de lugar los muebles de su piso a primeras horas de la mañana. Antes de sentarme a meditar ni siquiera me había dado cuenta de que estaba enojada».

Escuché sus comentarios y sonreí: «Quizá tendría que haber titulado el capítulo "Medita y encuentra la paz... algún día"», les dije. La clase se echó a reír, con lo que desapareció la tensión que había en el ambiente.

Los meditadores noveles deben recordar que la experiencia de cada uno es única. Al ser principiantes debemos relajarnos y no tener tanto miedo de fracasar al meditar. En las primeras experiencias de la meditación es habitual que surja un torbellino de pensamientos y sensaciones. Tal vez advirtamos que nuestras sensaciones parecen descontroladas, que son en nuestra mente como monos parlanchines o caballos salvajes galopando. La meditación nos hace ver, quizá por primera vez, cómo nuestra mente salta sin cesar de un pensamiento a otro. En cuanto a las sensaciones, es posible que al meditar las percibamos con más claridad en lugar de intentar negarlas u olvidarnos de ellas como solemos hacer.

Compartí con mis alumnos cómo Thich Nhat Hanh trataba el tema de las sensaciones. Éstas fueron sus palabras: «Cuando en la meditación descubráis que tenéis miedo o que estáis enojados, no intentéis rechazar esta sensación. En lugar de ello, invitadla a sentarse con vosotros en meditación. Decidle: "Ven aquí, miedo, mi querido amigo. Ven aquí, ira, mi querida amiga". Al hacerlo, desactivamos esta sensación, en lugar de fortalecerla más. Aceptamos estas emociones fuertes, en lugar de negarlas, y entonces, al mezclarse con la energía de la plena conciencia, siguen su curso y se transforman».

Si negamos o no reconocemos nuestras sensaciones, perdemos la fuerza que nos da nuestra plenitud. Gastamos mucha energía intentando que nuestros aspectos oscuros no salgan a la luz. Un compañero mío que medita lo pudo comprobar de primera mano. Mientras estaba meditando sentado, sintió una gran soledad. Había estado intentando negar esa sensación la mayor parte de su vida, pero ahora ya no podía seguir haciéndolo. Siguió meditando día tras día, siendo consciente de su respiración. Fue recordando todos los momentos en los que había sufrido desde que era niño hasta convertirse en adulto, y al final llegó a desarrollar tanta compasión por sí mismo que aceptó su soledad al ser simplemente consciente de ella. La afectuosa aceptación de la plena conciencia transformó su soledad.

Cuando meditamos sentados o andando, sea cual sea la situación en la que nos encontremos, aprendemos a ser conscientes de lo que tenemos delante, a reflejarlo sin juzgarlo ni desear cambiarlo, y a dejar simplemente que exista en el presente, sabiendo que al siguiente instante surgirá algo nuevo. Lo denominamos la conciencia testimonio o la mente observadora.

Una de mis historias preferidas sobre la conciencia testimonio trata de un hombre que había empezado una nueva relación sentimental. Un día mientras se estaba duchando le dio un ataque de celos y rabia. Pero de pronto la conciencia testimonio exclamó en su interior: «¡Aléjate de mí, ira celosa!»

Evelyn levantó tímidamente la mano. Aunque siempre participaba con entusiasmo en la clase y tenía cosas maravillosas para compartir, parecía una persona tímida. Llevaba gafas con montura metálica y normalmente iba vestida con un traje chaqueta o pantalones de deporte, y era muy hábil pasando desapercibida; se mimetizaba en la clase como un camaleón. Yo siempre me alegraba cuando ella hablaba. «He de admitir que esta semana me ha costado mucho sentarme a meditar», confesó. Después describió lo que ella llamó una desconcertante contradicción. «Por un lado, me encuentro mejor cuando medito. Me siento más tranquila y serena. Pero ¿por qué entonces no me muero de ganas de sentarme a meditar? En lugar de ello, lo dejo para más tarde ¡y se me ocurren un millón de cosas que hacer como excusa para no meditar! El miércoles puse la alarma del despertador a las seis para meditar antes de ir a trabajar, pero la apagué y seguí durmiendo hasta las siete, o sea que no me dio tiempo de meditar. El jueves por la mañana fui corriendo al teléfono como uno de los perros del experimento de Pavlov para hacer una llamada de larga distancia y estuve charlando con mi hermana en lugar de meditar. Cada mañana me ha ocurrido algo que me ha impedido meditar. ¡Y al final no he meditado en toda la semana!»

Lo que Evelyn estaba describiendo era algo que los otros alumnos conocían muy bien, tal como indicaban las cabezas asintiendo y los ojos abiertos de par en par, que ahora me miraban esperando mi respuesta. «Cuando empezamos a meditar es normal encontrarnos con el obstáculo de resistirnos a hacerlo», les dije.

Al ego —la parte de nuestro ser que disfruta llevando la batuta y recibiendo los aplausos— no le gusta la disciplina de la meditación. Se resistirá, rebelará e intentará hacer que no medites, a veces de unas formas muy astutas. Es mejor afrontar esta parte con compasión. Tranquiliza al ego diciéndole que aún sigue desempeñando una parte importante en la obra. Y luego siéntate a meditar con suavidad, pero con firmeza a la vez y sigue tu respiración. Es mejor que no te resistas al ego, ya que si lo haces podría rebelarse más aún. Sé paciente con tu práctica de meditación. Encontrarte con obstáculos forma parte del proceso. Vuelve a concentrarte en la respiración una y otra vez. Y sobre todo sé bondadoso y suave contigo mismo. Torturarte por haberte saltado una o dos sesiones de meditación no es una buena idea. Simplemente quiérete y se compasivo con tu proceso. No tienes por qué meditar a la perfección. Lo único que debes hacer es practicar.

Con el permiso de Evelyn, les pregunté a los alumnos qué era lo que les ayudaba a establecer una práctica de meditación.

Kristin fue la primera en hablar: «Como tengo dos hijos pequeños, lo que me va mejor es despertarme antes que mi familia se levante. Bendigo la hora de las cinco a las seis y media de la mañana. Suele ser el único momento del día que tengo para mí».

John, un corpulento alumno cuarentón de voz fuerte y dulce corazón, fue el siguiente en hablar. «Yo he descubierto que necesito tener algunos ratitos libres por la mañana y durante el resto del día. En un día muy ajetreado o cuando siento una gran resistencia interior, me doy permiso para hacer las sesiones de meditación más cortas. Aunque por la mañana sólo medite diez minutos, esta breve sesión me centra de todos modos y siempre es mejor que nada. También disfruto meditando durante cinco minutos por la mañana y por la tarde en los descansos del trabajo. Me mantiene despierto y sereno a lo largo del día y me sienta mejor que tomarme un café.»

Bobby, un alumno que llevaba unos vaqueros cortos y una camiseta, parecía el surfero que realmente era. «A mí la música me ayuda a meditar. He visto que si me concentro en una melodía meditativa como las del cedé *Sueño chamánico,* entro en un estado más profundo de quietud sin que surjan demasiados pensamientos en mi cabeza. Me gusta que el cedé dure de veinte a treinta minutos, así cuando acaba sé que la sesión de meditación también ha terminado.»

Liticia, una mujer afroamericana embarazada que rondaba la treintena, dijo sonriendo: «Esta semana he tenido una experiencia maravillosa con la meditación. Fui a ver el partido de fútbol de mi hijo y tuve que esperar cerca de una hora, ya que los chicos hicieron un calentamiento antes de empezar. En lugar de aprovechar ese tiempo para ir a pagar las facturas o hacer alguna otra tarea como de costumbre, me dediqué a meditar andando alrededor del campo. La experiencia me encantó. Durante el partido estuve practicando el estar presente a cada momento. Mi hijo me miró varias veces, sobre todo cuando hacía una buena jugada. Intercambiamos sonrisas y saludos con la mano. Al final del partido, mientras volvíamos con el coche a casa, charlamos de los momentos más interesantes del partido, algo que nunca podía hacer, porque aunque mi cuerpo estuviera presente en ellos, siempre tenía la cabeza en otra parte. Al ir a arropar a Keith en la cama, mi hijo me abrazó durante más tiempo que de costumbre. "¡Gracias por haber venido al partido, mamá!", me dijo».

Liticia siguió describiendo cómo la práctica de ser consciente había aumentado la intimidad entre su hijo y ella. Había comprendido lo valioso que era el tiempo que pasaban juntos. Nosotros también podemos comprender que lo mejor que podemos hacer a alguien es darle nuestra plena y total atención.

Puede que también experimentemos los efectos contrarios cuando no escuchamos a alguien por completo. En una ocasión, mientras paseaba por un parque del norte de California con una amiga a la que hacía varios años que conocía, me contó una información personal sobre ella y luego me miró esperando mi respuesta. Sin darme cuenta yo había estado con la cabeza en otra parte y no había oído lo que me había contado. Cuando le pedí que me repitiera lo que me había dicho, se cerró en banda como una puerta y me soltó: «¡No importa!» No pude convencerla para que me lo volviera a contar mientras seguíamos paseando. Aquella tarde de otoño se abrió una brecha en nuestra amistad. Me sentí culpable por haberme perdido aquel momento de intimidad. El sufrimiento que me causó aquel paseo por el parque me hizo darme cuenta de lo importante que es ser plenamente consciente en nuestras relaciones personales. Me prometí practicar el ser consciente lo mejor que pudiera, sobre todo cuando alguien me abriera su corazón. También tuve que perdonarme a mí misma por preocuparme aquel día. Todos nos distraemos de vez en cuando. La plena conciencia es una habilidad que se adquiere a base de práctica.

---

### *La resistencia de Jim*

Jim era un alumno silencioso de la clase del Camino de la Sabiduría hasta que dije que debían meditar cada día y escribir un diario sobre su práctica meditativa. Normalmente sugiero a mis alumnos una serie de actividades en lugar de obligarles a hacerlas, pero si siento que una clase en particular lo necesita, entonces les digo que es una tarea obligatoria. Al oírlo, Jim moviéndose nerviosamente en el asiento con su habitual pálido rostro ahora enrojecido, me lanzó una mirada asesina con sus ojos marrones, que solían estar escondidos detrás de unas gafas de montura gris. Sentado en el borde de la silla, su musculoso torso me recordó al de un gato salvaje acorralado.

—¿Quieres decirme algo, Jim? —le pregunté, aunque él no hubiera levantado la mano para indicarme que quería hacer una pregunta o un comentario.

—Pues verás, apenas consigo salir de casa a tiempo para ir

a trabajar. Cuando me siento a meditar, mis pensamientos se mueven tan deprisa como los coches circulando por la autopista. ¿Y ahora también quieres que escriba sobre ello? —la voz de Jim fue haciéndose más alta a cada frase que pronunciaba.

Le sugerí un programa personalizado como experimento, y al oírlo su rebelión interior se calmó enseguida. Le dije que dedicara tres cuartas partes de la sesión de meditación a meditar andando y una cuarta parte a meditar sentado. Me había enterado de que, como tenía que meditar, Jim no podía hacer *jogging* como tenía por costumbre por la mañana durante treinta minutos antes de ducharse. Acordamos que seguiría haciendo *jogging* y que éste le serviría como parte de la meditación. Repasamos cómo podía practicar deporte de manera consciente, concentrándose en la respiración, dejando que los pensamientos que surgieran en su mente se disiparan como las nubes de un día estival. Después de hacer *jogging* siendo consciente de ello, meditaría sentado durante cinco minutos, prolongando la sesión cinco minutos más sólo si lo deseaba, y a continuación escribiría su diario de meditación durante cinco minutos, o si lo prefería también podía grabar su experiencia meditativa en una grabadora. Jim pareció estar satisfecho con la sugerencia. El volcán se calmó. Durante la semana siguiente hablamos del experimento e hicimos cambios para perfeccionarlo.

Una semana después, Jim llegó antes de tiempo a clase en lugar de entrar corriendo como de costumbre y sentarse cuando hacía ya varios minutos que habíamos empezado. Tenía los hombros más relajados y respiraba de una manera más lenta y profunda. Cuando los otros alumnos le saludaron, él les sonrió.

Mientras estábamos hablando de los Sabios Pasos que podíamos dar, Jim levantó la mano y dijo:

—Me encanta hacer *jogging* siendo consciente de ello. Cada mañana espero con ansias este momento. En lugar de pensar en el día que tengo por delante, me dedico a contar mi respiración mientras inhalo y exhalo. Cuando algún pensamiento se desliza en mi mente, digo en voz alta: «Espera a hacerlo cuando acabe». Pero no lo digo con dureza. Después me siento durante cinco minutos y descanso en el banco de un parque que hay cerca de mi casa e inspiro y espiro de manera consciente. Mis pensamientos ya no van a galope como caballos salvajes. Por lo visto, me sumerjo en la verde paz del parque. Y entonces grabo mi experiencia. —Jim se metió la mano en el bolsillo, sacó una pequeña grabadora y la sostuvo victorioso por encima de su cabeza. La clase le vitoreó.

Evelyn le dijo:

—Jim, esta semana te ves distinto. Pareces estar más tranquilo.

—Sí —respondió Jim—, mis compañeros de trabajo y mi mujer también me lo han dicho, y mis hijos me han pedido que juegue un poco con ellos a baloncesto antes de cenar en lugar de gritarles para que recojan los juguetes y hagan los deberes —y añadió en un tono de voz más bajo, con el rostro apagado—: supongo que soy un cascarrabias que está tan estresado como mi padre, aunque juré que nunca me estresaría como él.

—No seas tan duro contigo mismo, Jim —le sugerí—. Estás aprendiendo un ejercicio de sabiduría que te ayudará a vivir con más paz. Hace poco que has empezado y además lo estás haciendo fenomenal.

Al empezar a practicar la meditación nos toparemos con obstáculos, encontraremos soluciones para superarlos, aprenderemos más cosas sobre nuestros pensamientos y sensaciones, seremos más conscientes de las maravillas del momento presente, accederemos a la paz que hay en nuestro interior y conoceremos el mundo sagrado. Existen estudios documentados que relacionan la meditación con una disminución del estrés y con una mayor salud y paz interior.

## Unos Sabios Pasos

**PRACTICA LA MEDITACIÓN CON CONSTANCIA.** Para organizar las numerosas opciones que tienes relacionadas con la meditación, empieza a desarrollar tu práctica eligiendo una hora del día, un lugar y un método para meditar. Si no sabes meditar, empieza reservándote de cinco a veinte minutos por la mañana o por la noche, o en ambos momentos del día, para «sentarte en quietud sin hacer nada», como los maestros zen aconsejan. Para muchas personas meditar al levantarse por la mañana es una forma maravillosa de afrontar en un estado centrado y tranquilo el día que tienen por delante. Si vives en una casa con personas bulliciosas, plantéate levantarte media hora antes que ellas para disfrutar del silencio. Tu altar es un lugar perfecto ante el que meditar. Aparte de tus sesiones regulares de meditar sentado, meditar durante el día en los breves descansos que tienes en la oficina, el coche o incluso en el cuarto de baño, puede ser sumamente renovador. Estés donde estés, en cualquier momento, elige un método de meditación. Cuenta o sigue tu respiración mientras inhalas y exhalas. Elige un *mantra* o una palabra en la que concentrarte, como *paz, amor* u *Om,* el sonido de la armonía universal. O medita con música.

**ESCRIBE UN DIARIO DE LAS MEDITACIONES.** Llevar un diario de tus experiencias meditativas en silencio puede serte muy útil. Hazlo después de haber meditado en silencio. Recuerda que, aunque creas tener unas grandes percepciones interiores que explorar, es mejor permanecer en quietud y escribirlas en el diario después de meditar. Al principio a la mente no le gusta la disciplina y quizás intente hacerte saltar con engaños el valioso tiempo que pasas meditando en silencio. Al terminar la sesión puedes anotar el nerviosismo, las emociones, el aburrimiento y la impaciencia que has sentido y también las percepciones y los descubrimientos que has hecho sobre ti. Escribir un diario de tus meditaciones es una buena forma de fortalecer la disciplina de tu práctica. También puedes incluir en él fotografías, *collages* y dibujos que ilustren e inspiren tu viaje meditativo.

**DA UN PASEO SIENDO CONSCIENTE.** Quizás estés sentado ante un escritorio, un ordenador o en el asiento del conductor la mayor parte del día. Sal al aire libre y date el gusto de meditar andando un poco como una de tus meditaciones diarias. Al caminar de manera consciente, concéntrate en el momento presente. Si estás al aire libre advierte el brillo del sol sobre la nieve recién caída, la forma de las nubes o el color de la tierra por la que caminas. Observa tu respiración mientras inhalas y exhalas y el aire entrando por tus fosas nasales. Acuérdate de ser consciente de tu tendencia mental a pensar en todo aquello que has de hacer, en los problemas por resolver o a preocuparte por lo ocurrido en el pasado. Con suavidad, aunque con firmeza, vuelve al momento presente, donde se encuentra la paz.

# 3

## EL ISLAMISMO:
## *entrégate a la oración*

*Hay una forma de limpiarlo todo*
*y de eliminar la herrumbre.*
*Lo que purifica el corazón*
*es la invocación de Alá.*

EL CORÁN

Antes de convertirme en pastora no mantenía una relación demasiado formal con la oración. Mi familia iba a la sinagoga en las festividades más sagradas. En esta clase de celebraciones religiosas leíamos libros de plegarias, lo cual puede considerarse como rezar. Pero para mí se parecía más a leer que la experiencia espiritual que más tarde acabaría relacionando con las plegarias.

El fin de mi matrimonio me catapultó a la experiencia de la oración. Fue una época difícil para mí. Mientras enseñaba en la Universidad de Wisconsin, me concedieron en el verano dos meses libres para participar en un seminario en la Universidad de California en Riverside. Como siempre había deseado vivir en California, pensé que pasar el verano allí tenía la ventaja adicional de permitirme explorar las probabilidades de vivir y enseñar en California. Mi esposo y yo decidimos que mi hijastra, que tenía entonces doce años, me acompañaría, ya que no había nadie que pudiera ocuparse de ella mientras mi marido trabajaba.

Nuestro matrimonio se resintió, por decirlo de la forma más ligera, mientras intentábamos liberarnos de los hábitos de alcoholismo y de codependencia en los que estábamos atrapados. Yo había empezado mi propio viaje de aprender a dejar de controlar la vida de los demás y a dejar de consumir alcohol y drogas, lo cual me dejaba a veces perpleja. «¿Cómo podía ser alcohólica y seguir funcionando para sacarme un doctorado en filosofía? ¿Cómo era posible que mis intentos para ayudar a los seres queridos se hubieran acabado convirtiendo en una adicción?», me decía. En las reuniones de los doce pasos oí que el alcoholismo y la codependencia eran astutos y desconcertantes: al menos esto sí que lo veía.

Habían transcurrido tres semanas desde que me habían concedido aquellos dos meses y yo seguía sin tener noticias de mi marido. Lo último que me había dicho en el aeropuerto después de darnos un beso de despedida había sido: «Te quiero. Te llamaré pronto». Al cabo de casi cinco semanas ni me había dejado un solo mensaje en el teléfono, ni me había devuelto las llamadas, sólo había recibido avisos del banco por los talones sin fondos que mi marido había extendido de nuestra cuenta común, que se había quedado vacía. ¿Qué demonios le estaba pasando?

Contemplé los endebles muebles del apartamento de estudiante en el que vivíamos mi hijastra y yo. Me notaba el cuerpo entumecido, salvo por las punzadas de dolor en la vesícula biliar. Me sentía muy afectada, como si la base de mi vida se estuviera desmoronando, como si estuviera contemplando los escombros de mi deshecha vida a mis pies. De niña había experimentado el abandono y ahora de pronto volví a sentir que aquella oscura sensación me atenazaba, era como si volviera a ser una niña de siete años que se sentía sola, perdida y abandonada.

El estrés que me producía fue aumentando en las semanas siguientes: no había recibido ninguna llamada de mi marido, me habían enviado más avisos del banco, tenía la cabeza llena de pensamientos y mi vida se había hecho trizas. Sentía como si me estuviera cayendo en un profundo pozo. No podía controlar mis lágrimas, ni mi vida, ni a mi marido, ni tan siquiera mis pensamientos. No había en mí ningún pensamiento, razón o plan que pudiera librarme de aquella caída en picado.

Una noche tuve un sueño en el que una voz femenina me susurraba que mi marido se había ido a vivir con otra mujer y que mi matrimonio se había terminado. En el sueño me vi cayendo por un precipicio a cámara lenta; me desperté antes de estrellarme contra el suelo, con el corazón latiéndome con fuerza. Me daba miedo respirar. Pensé que si me quedaba quieta quizá no me afectaría la verdad de aquel sueño. Ahora al recordarlo me sorprende, pero cuando me ocurrió fui a despertar a mi hijastra y le conté lo que había soñado. La niña medio dormida intentó tranquilizarme diciendo: «¡Papá nunca haría una cosa parecida! No te preocupes, mamá. Vuelve a la cama».

Temblando aún, volví a meterme en la cama. Tenía los pies y las manos helados. Quería ponerme unos calcetines, pero el tocador, que se encontraba en el otro extremo de la habitación, parecía estar demasiado lejos. Al volver a apoyar la cabeza sobre el cojín oí la voz de la mujer con la que había soñado. Estaba rezando conmigo: «El señor es mi pastor, nada me falta...» No había oído esta oración desde que era niña. Recuerdo que mi padre me leía pasajes de la Biblia antes de dormirme. «Aunque pase por quebradas peligrosas, ningún mal temeré, porque tú estás conmigo...» Mi corazón se estaba calmando. Las palabras de la oración me relajaron como si fueran una nana. La voz y las imágenes del salmo me tranquilizaron, sentí que de algún modo me apoyaban. La oración sonó una y otra vez en mi mente como si fuera un disco rayado. Descubrí que si podía sumergirme en la oración y entregarme a sus imágenes, mi miedo desaparecería. «En prados de hierba fresca, me hace reposar...» Mientras me tendía sentí la fresca hierba pegada bajo mis brazos y muslos. «Me conduce hacia fuentes tranquilas...» Me sentí transportada a un profundo lago azul, podía oír el croar de las ranas, aspirar el olor a peces, percibir la quietud de sus aguas y sentir una agradable paz. «Y repone mis fuerzas...» Algo estaba ocurriendo. La oración me estaba cambiando. Era como si estuviera recibiendo una transfusión: mi sangre enferma estaba siendo reemplazada por una sangre vital llena de oxígeno y de nutrientes. «Perfumas con aceite mi cabeza...» Empecé a sentirme mejor. Mientras seguía dirigiéndome hacia los verdes pastos y las tranquilas aguas, un ser angelical vertió aceite sobre mi pelo. Esto fue lo último que percibí antes de dormirme.

Por la mañana me pregunté cómo pude acordarme siquiera de las palabras del salmo. Habían pasado treinta años o más desde la última vez que las había oído. Sentí que mi cuerpo se sumergía en una profunda verdad que me producía una gran paz. «¡Oh, Dios mío, no estoy sola!», pensé.

Las oraciones se convirtieron en la única tierra firme por la que podía moverme. Y una y otra vez, cuando creía que ya no podía seguir avanzando, cuando mis fuerzas me abandonaban, cuando sentía el dolor de mi corazón roto, las plegarias me sacaron, como una escalera de oro, de la oscura noche de mi alma.

¿De qué forma sería distinta nuestra vida si nos dedicáramos a rezar cinco veces al día como los musulmanes? El islamismo nos recuerda que debemos cultivar una vida de oración. La oración es una forma de recordar que estamos conectados a una presencia infinita: tanto si la llamamos Dios, Alá, compasión o amor. La cita con la que se inicia este capítulo se refiere a la oración que purifica el corazón. Invocar a Dios, la oración, nos permite volver a la pureza que hay en nuestro interior mientras recordamos la conexión que mantenemos con Dios. A lo largo del día podemos renovarnos en las fuentes tranquilas del espíritu; la oración limpia la herrumbre y el polvo de la vida cotidiana que nos endurece el corazón.

La palabra *islam* procede de *salam,* que significa principalmente «paz» y de forma secundaria «entrega». Al combinar estos dos significados de islam, la connotación es que esta paz surge al entregarnos a una vida dedicada a Dios, *Alá.* Los que practican el islamismo se llaman musulmanes. Su texto sagrado, el Corán, es el libro sagrado del islamismo que contiene las revelaciones de Dios al profeta Mahoma.

## Los principios esenciales: el islamismo

**LA NATURALEZA DE LA DEIDAD.** Los musulmanes creen que hay un Dios, Alá, y que Mahoma es su mensajero. Dios es caritativo, bondadoso, sabio y compasivo. Entregarse a Dios es esencial para la fe.

**LA RELACIÓN PERSONAL CON LA DIVINIDAD.** Los musulmanes mantienen una estrecha relación con Dios en cada parte de su vida. Las cinco oraciones que deben recitar al día hace que la conexión que mantienen con Alá siga viva y vívida en su mente, su corazón y su alma. Dedican de cinco a diez minutos a las oraciones que recitan.

**EL CULTO.** Los musulmanes rinden culto en las mezquitas. Tienen una celebración religiosa el viernes al mediodía, el *jummah,* presidida por un líder religioso laico, el *imán,* que lee versículos del Corán.

**LAS CREENCIAS ÉTICAS.** La conducta ética se describe en los cinco pilares del islamismo, que sirve de base a esta tradición espiritual:

LOS CINCO PILARES DEL ISLAMISMO

1. El primer pilar es la unidad de Dios, *shahadah,* expresada en el inicio del Corán. «No hay más dios que Alá y Mahoma es su profeta.»
2. El segundo pilar, *salat,* es la oración canónica. Los musulmanes rezan cinco veces al día: al levantarse por la mañana, al mediodía, a media tarde, al atardecer y por la noche. Antes de recitar las oraciones, los musulmanes realizan unas abluciones rituales. Las oraciones les toman de cinco a diez minutos. Los movimientos físicos del *salat* simbolizan la sumisión del creyente a Dios.
3. El tercer pilar es la caridad, *zakat.* Los musulmanes deben ayudar a los pobres y a los necesitados. Han de entregar el 12,5 por ciento o más de lo que ganan en calidad de limosnas y lo hacen sólo una vez al año en forma de impuestos. La mayor parte de lo que se recauda del *zakat* se destina a las mezquitas, los centros islámicos o las organizaciones benéficas.

4. El cuarto pilar es el ayuno durante el mes del *ramadán,* el mes sagrado del calendario islámico. Desde que sale el primer rayo de sol hasta que el sol se pone los musulmanes no pueden introducirse en la boca comida, bebida ni humo, y en este espacio de tiempo tampoco pueden estar sexualmente activos.
5. El quinto pilar del islamismo es el peregrinaje, *hajj.* Los musulmanes han de visitar La Meca, el lugar donde nació Mahoma, al menos una vez en la vida, si la salud y la economía se lo permite. El peregrinaje les ayuda a fortalecer el compromiso con Dios.

**EL ALMA Y LAS CREENCIAS SOBRE LA MUERTE.** Los musulmanes creen en una vida en el Más Allá. El Cielo es el lugar donde residirán cuando mueran si es que han realizado buenas acciones. Pero si no han llevado una buena vida, sólo les espera la condenación eterna.

## ¿Qué es la oración?

Entregarse a la oración añade una rica profundidad a nuestra labor espiritual diaria. Las oraciones se componen de palabras reverentes y de pensamientos dirigidos a una deidad, diosa u objeto de culto, o constituyen un ruego ferviente (llamado también petición) a una autoridad superior. Las oraciones también se utilizan como un vehículo de alabanza con el que reconocemos el poder y la munificencia de la dimensión invisible con la que conectamos. Esta actitud de alabanza suele llevarnos a recitar oraciones de gratitud por las numerosas bendiciones que recibimos en la vida. No estamos solos, podemos acceder a una inteligencia, un amor y una compasión infinitos. Podemos utilizar las oraciones para obtener el apoyo y la guía que necesitamos en la vida cotidiana. Accedemos a esta dimensión a través de la oración.

La meditación y la oración pueden considerarse aspectos complementarios de la práctica espiritual que nos une a lo infinito: tanto si lo llamamos Dios, Alá, fuerza interior, sabiduría o bondad. Hay quien cree que la meditación es como escuchar a Dios y que en cambio la oración es como hablar con Él. La meditación es el aspecto receptivo de la contemplación y la quietud, mientras que la oración es la forma activa de hacer una petición sagrada o de crear una realidad al concentrarnos en pensamientos positivos.

La experiencia de la oración conlleva un cambio en la conciencia, se parece a sintonizar con una determinada emisora de radio. Yo a veces les digo en broma a mis alumnos que rezar es como sintonizar con la emisora KDIOS, pero en realidad hay una cierta verdad en ello, porque la oración es sintonizar con una determinada frecuencia, con una emisora favorita que nos ofrece una hermosa música. Sentimos que la melodía que retransmite nos eleva el espíritu, que los arreglos musicales nos producen un cambio en nuestro interior. Rezar es experimentar un cambio de perspectiva: de un problema a una solución, de una sensación corriente a una de extraordinario asombro o aprecio.

## El poder de la entrega

Entregarse no es fácil. Al menos no lo fue para mí. Yo era como una escaladora que un día resbaló mientras escalaba. Sujetándose a la rama de un árbol, quedó colgando a cientos de metros de altura sobre un abismo. Levantando la cabeza hacia el cielo, gritó: «¡Dios, si estás aquí, necesito tu ayuda! ¿Qué debo hacer?» La voz le respondió: «¡Suéltate!» La mujer cerró los ojos y tras reflexionar un momento preguntó: «¿Hay alguien más aquí?»

La idea de entregarnos evoca en nosotros imágenes de derrota, rendición y pérdida de poder. Al ego no le gusta. Y sin embargo en el desarrollo espiritual la entrega nos permite acceder a un campo más amplio. Renunciamos a nuestro sentido del yo para acceder al Yo infinito. La oración nos ayuda a recordar este yo inconmensurable mientras nos concentramos en la infinita presencia de Dios. Al hacerlo, dejamos de fijarnos en las situaciones cotidianas y en los problemas que nos absorben la energía para ser conscientes de Dios: Aquel que es caritativo, compasivo y misericordioso.

El énfasis del islamismo en la entrega o la sumisión procede de la vida de Mahoma, tal como Huston Smith lo describe en *Las religiones del mundo.* El viaje espiritual de Mahoma, que nació en La Meca en el 570 aproximadamente, empezó con la entrega. Sus padres murieron cuando él era pequeño. Su tío lo crió y lo trató con afecto. Se dice que los ángeles de Dios abrieron el corazón de Mahoma y lo llenaron de luz. Al haber perdido a sus padres a tan temprana edad, conocía el sufrimiento y siempre estaba dispuesto a ayudar a los pobres o a los necesitados. Cuando se convirtió en adulto, conoció a Khadja, su futura mujer, una rica viuda quince años mayor que él con la que se acabaría casando y conviviendo el resto de su vida. Después de casarse Mahoma se pasó quince años preparando su ministerio.

Mahoma solía ir a la cueva de una montaña en las afueras de La Meca a meditar y buscar la sabiduría en la soledad. Una noche, llamada la Noche del Poder, mientras Mahoma estaba tendido en el suelo de la cueva oyó que un ángel le decía: «¡Proclama!» Mahoma protestó diciendo que él no era quién para proclamar la verdad, pero el ángel prosiguió: «Proclama que tu Señor es maravilloso y bondadoso, / que te enseña por medio del cálamo / aquello que los demás ignoran al estar ciegos». Esto ocurrió tres veces, hasta que al final Mahoma se entregó a las palabras de Dios. Al salir del estado de trance, sintió que las palabras de aquel ángel habían penetrado en su alma. Al volver a casa le contó a Khadja lo que le había ocurrido en la cueva. «¿Estoy loco o soy un profeta?», se preguntaba Mahoma. Al principio su esposa dudaba de él, pero como Mahoma seguía contándole la misma historia acabó creyéndosela y se convirtió en su primera seguidora.

Mahoma oyó la voz del ángel Gabriel en repetidas ocasiones y la orden era siempre la misma: «¡Proclama!» Mahoma siguió entregando su vida al servicio de las palabras de Dios. Proclamó la verdad escribiendo las palabras que Dios le reveló durante veintitrés años. La belleza de la prosa arábica que aparece en el Corán ha sido siempre motivo de desconcierto para los especialistas en el tema. ¿Cómo era posible que un hombre como Mahoma, que apenas tenía cultura, pudiera escribir en un lenguaje tan poético y expresivo? Los musulmanes creen que escribió las palabras que Dios le reveló. Los discípulos de Mahoma dijeron que siempre que escribía entraba en una especie de trance, como si alguien le dictara las palabras. Los escritos del Corán y las palabras escritas sobre el ejemplo de la vida de Mahoma en la *Sunna* (una recopilación de las palabras y las obras de Mahoma) constituyen la base de la vida islámica.

## Cómo rezar

Una de las primeras preguntas que debes hacerte es: «¿Qué significa la oración para mí?» En el islamismo hay oraciones que son obligatorias. Puedes recitar las oraciones de una tradición que te atraiga o pronunciar oraciones espontáneas. Lo más importante es cultivar una relación con Dios, con Alá, o con la cualidad del amor o la sabiduría en el caso de no sentir afinidad con el poder superior de una tradición espiritual. Además te aconsejo que consideres en qué momento del día vas a rezar, cómo vas a calmar tu mente antes de hacerlo, los distintos métodos para rezar y cómo puedes unir todos estos elementos en la práctica de la oración.

**RESÉRVATE UN RATO PARA REZAR.** Tanto si te inspiras en la dedicación musulmana a la oración, rezando cinco veces al día, como si usas un sistema que te funcione para tu estilo de vida, necesitas reservarte un tiempo para rezar. Sea cual sea el momento en que decidas hacerlo —por la mañana al levantarte, a últimas horas de la tarde después del trabajo, o antes de ir a la cama—, es mejor que reces siempre a la misma hora. Este método te ayudará a crear una base que te apoyará y sustentará a lo largo del día. Si lo deseas, puedes ampliar la sesión de meditación rezando también en ella. Recuerda que tu altar te ofrece un espacio sagrado para meditar y orar.

**CÓMO ELEGIR LAS ORACIONES.** Existe un gran repertorio de oraciones para elegir. Puedes recitar las oraciones prescritas de tu tradición o las de alguna otra. Recitar una plegaria de agradecimiento antes de comer o bendecir con una oración las ocasiones especiales, como los cumpleaños, las graduaciones, los nacimientos y los fallecimientos. O ser espontáneo y recitar las oraciones creadas por ti.

Si no has recitado nunca una oración de tu propia cosecha, lo primero que debes hacer es relajarte. No existe una sola forma de rezar, ni tampoco un modo incorrecto de hacerlo. Si necesitas recibir un poco de ayuda para crear tu propia oración, rellena los siguientes espacios en blanco de la forma que desees:

*Dios, el infinito, o el amor es*____________________________.
*Creo que es posible*____________________________________.
*Concédeme que yo o los demás*____________________________.
*Te doy las gracias por*__________________________________.

Para reforzar la oración elige la palabra o la frase con la que la terminarás, como «Amén», «Bendito seas» o «Así sea». Un ejemplo de una oración completa sería:

*Dios es una presencia infinita de poder y paz.*
*Creo que puedo recibir su ayuda para que mi dolor de garganta y resfriado se curen.*
*Señor, concédeme una salud radiante.*
*Te doy las gracias por mi buena salud.*
*Que así sea.*

**PRUEBA DISTINTOS MÉTODOS.** Prueba diversas formas de rezar: en voz alta, en silencio, leyendo las oraciones, recitando una plegaria solo o en grupo, turnándote con tu pareja al recitarla, recitando distintas oraciones en voz alta en grupo o creando una sala de oración. También puedes recitar una oración cantando. Yo canto en cualquier momento del día un hermoso cántico hindú que aprendí. Cantar la oración me conecta con un gozo y una armonía muy renovadoras, y no sólo lo canto cuando me siento cansada o sin energía, sino también como una música interior de fondo al hacer cualquier actividad. He descubierto que aprenderme de memoria una o dos de mis oraciones favoritas es muy útil porque así puedo recitar *El Señor es mi pastor,* por ejemplo, siempre que necesito sentir los calmantes efectos que me produce.

La oración es una forma de comunicarnos con Dios. Él no sólo puede responder a nuestras oraciones con una curación o el éxito en alguna empresa, sino que también podemos recibir respuestas directas de la fuente de inteligencia infinita que Él es. Para practicar esta clase de oración debes relajarte y entrar en un estado receptivo a la sabiduría. Si pruebas esta forma de orar —que consiste en recibir una guía espiritual de Dios—, resérvate un rato de tranquilidad e imagina un paraje natural que te guste. Sumergirte en ese escenario te ayudará a relajarte. Concéntrate a continuación en el centro del corazón. En ese estado de relajación, haz una pregunta y espera la respuesta. Pregunta lo que desees y anota luego en una libreta la guía espiritual que recibas para poder más tarde recordarla. Te aconsejo que también vuelvas a leer las respuestas que recibas a modo de guía espiritual. El contenido ha de tener sentido para ti y brillar como gemas de la verdad.

**EL MOVIMIENTO Y LA ORACIÓN.** Los movimientos del Salat te animan a explorar la oración integrada en el cuerpo. En *How I Pray: People of Different Religions Share with Us That Most Sacred and Intimate Act of Faith,* editado por Jim Castelli, leí la inspiradora historia de un hombre que recitaba sus oraciones matinales en voz alta mientras corría en la cinta. Palmer, el marido de mi compañera de oraciones, la reverenda Janet Garvey-Stangvik, aprovecha los cuarenta y cinco minutos que dedica por la mañana a hacer *footing* para rezar por los miembros de su familia, los amigos, los vecinos y los estudiantes a los que enseñaba cuando era profesor.

Al intentar aprender los movimientos del Salat, me quedé impresionada al ver lo poderosa que la oración se volvía cuando mi cuerpo también participaba en ella. La experiencia fue parecida a la que tuve cuando vivía en el Centro Christine y participé en el *zikr*, la danza musulmana dedicada al Amado.

---

### *El zikr del sábado por la noche*

Los sábados por la noche nos reuníamos en la sala de meditación del Christine Center for Meditation para participar en un zikr, una danza extática sufí. La primera a la que asistí fue al terminar un retiro de dos semanas. Durante catorce días habíamos estado traspasando nuestros propios límites al tener que meditar durante largos espacios de tiempo, acostarnos tarde y levantarnos pronto. Aquel sábado por la noche la última cosa que yo quería hacer era estar con el grupo. Me hubiera encantado poder volver a mi ermita y ponerme a leer cualquier libro que no fuera de temas espirituales. Se lo comenté a Ron, la persona que dirigía el retiro, pero él me respondió: «Ven al zikr. No te arrepentirás. ¡Créeme!», y luego se fue antes de que me diera tiempo a responderle.

Diez minutos más tarde entré en la sala de meditación haciendo un gran esfuerzo, me sentía como si llevara un pedrusco de cincuenta kilos encima del pecho. El grupo ya se había sentado en el suelo formando un círculo y Ron estaba hablando en medio de él de los sufíes. Nos explicó que al morir Mahoma, al cabo de uno o dos siglos unos cuantos musulmanes que se habían sentido atraídos por las enseñanzas espirituales del Corán, empezaron a vestirse con ropa de lana de baja calidad para protestar por las prendas de seda y satén de los sultanes y califas. «Sufí» procede de la palabra *suf*, que significa lana. La pasión de los sufíes era sentir a Dios en el momento presente. Los sufíes siempre han tenido fama de reunirse en el tiempo libre para cantar, bailar, orar y girar sumidos en éxtasis por el amor que sienten por Dios, el Amado, lo cual son unas formas de culto.

Ron, tras hacer esta presentación sentado con las piernas cruzadas en medio de un círculo de veinte personas, se puso en pie y extendió los brazos como si fueran las alas de una imponente garza real azul preparándose para volar. Empezó a dar vueltas como los derviches turcos que habíamos visto en las películas. Citó un pasaje del libro *Rumi: Fragments, Ecstasies*, y nos invitó a entrar en el estado de éxtasis en el que Rumi se sumía al unirse con el Amado:

> Salimos girando
> de la nada,
> dispersando las estrellas
> como si fueran polvo.
> Las estrellas formaron un círculo
> y bailamos en medio de ellas.

Ron tomó de la mano a Deborah, que llevaba un caftán blanco adornado con ribetes dorados, y le hizo un gesto para que se pusiera en pie y cogiera a su vez de la mano a la persona que estaba sentada a su lado. Cuando la mano que yo tenía a mi lado me cogió la mía, enrojecí de rabia. «¿Quién ha dicho que quiera bailar? ¿Es que no cuenta lo que yo quiero hacer?», pensé furiosa como un semental salvaje encabritándose. «¡Me niego a fundirme con Rumi! ¡Me niego a meditar sentada! ¡Me niego a seguir mi respiración! ¡No pienso dejar que me pongan la brida!», me dije a mí misma.

De repente me vi a mí misma corcoveando, preparada para atacar, desafiando a cualquiera que se atreviera a llevarme la contraria. Me había topado con la disciplina que exigía el retiro de meditación. Me costaba mucho aceptarla por completo. Estaba protestando con un acto de rebeldía, dejándome llevar por una pataleta infantil. «Pero ¿qué estoy haciendo? —pensé de pronto—. Lo único que voy a conseguir es perderme esta nueva experiencia. Mi necesidad de tenerlo todo controlado me está perjudicando. ¿No será mi reacción una treta del ego para salirse con la suya?» Sintiéndome exhausta y derrotada, dejé de resistirme.

Le cogí la mano a la mujer que me la había ofrecido. Me resultó al principio tan pesada como una piedra. Mi cuerpo estaba rígido, como si hubiera permanecido en una misma postura durante mucho tiempo. Pero poco a poco la pesadez que sentía fue desapareciendo, al igual que mi resistencia, como si hubiera recibido una transfusión de sangre y una bocanada de oxígeno. Al levantarme para unirme a los demás sentí que estaba presente, un regalo de la gracia divina que me permitió aclimatarme al campo energético del zikr.

Ahora ya estábamos todos de pie girando por la sala con Ron como una bandada de pájaros ocupando sus respectivos lugares en la formación. Nuestros cuerpos se movían como si se dejaran llevar por el instinto, mientras cantábamos los nombres de Dios en árabe: «*A humdulila, a humdulila*». «Alabado sea el bendito amor de Dios.» Observé mi cuerpo moviéndose sin ningún esfuerzo, como si lo hiciera por sí solo. Sabía que estaba bailando, pero ¿dónde se encontraba mi «yo»? El cuerpo, al haberse liberado de la carga de mi propia resistencia, se movía al son de los cantos, cerca de los cuerpos de los demás, que ahora se habían entrelazado formando un estrecho círculo. Nos pusimos a bailar más deprisa, saboreando los nombres de Dios como si supieran a miel. *Alá, Akbar*, Dios es el más grande, la barrera que se levantaba entre mí, los demás y la danza, desapareció al entregarme a Dios, como si unas manos invisibles que no eran las mías la hubieran apartado.

Cuando me preparaba para irme, mis ojos se cruzaron con los de Ron y nos sonreímos con complicidad sin necesidad de intercambiar una sola palabra. Mientras me dirigía a mi cabaña sentí como si mi cuerpo flotara, llevaba al Amado en el corazón como una melodía sonando en él.

---

## Las oraciones a lo largo del día

Desde que te levantas por la mañana hasta que te acuestas por la noche tienes muchas oportunidades para entrar en contacto con la dimensión espiritual de las armonías divinas por medio de la oración. Cuando yo me detengo para rezar, es como si mi experiencia se enriqueciera con una melodía de gracia divina. La oración siempre me conecta con una frecuencia divina que me permite sintonizar con la paz, el amor y la sabiduría. Al hacerlo, disminuye al instante el estrés que me produce el montón de llamadas que he de devolver en tan poco tiempo o el gran esfuerzo que me exigen mis metas. La oración me da un respiro al conectarme con la eternidad y me eleva a la solución que hay más allá del problema. Relajada y recuperada, me siento renovada por el alimento que la oración me ofrece para afrontar los retos de mi vida. Me acuerdo de que estoy unida a lo infinito. Si afrontas un reto, al acordarte de rezar a lo largo del día, valorarás más aún la dedicación musulmana que lo hace cinco veces diarias.

**LA LLAMADA A LA ORACIÓN.** En la cultura islámica la llamada a la oración la realiza de una forma muy hermosa el *muzzein, q*ue llama a la oración a los musulmanes desde el balcón del minarete de una mezquita. A los musulmanes esta llamada no sólo les invita a orar sino también a conectar con Dios. Constituye un gran apoyo para la práctica de la oración.

Muchos de nosotros al proceder de distintas tradiciones no tenemos el apoyo diario que nos invita a rezar cinco veces al día, ni el apoyo de la comunidad para interrumpir lo que estamos haciendo para rezar. Sin embargo, podemos cultivar una llamada interior a la oración. Cuando adviertas que estás cansado o de mal humor, recurre a la oración. Para acordarte de rezar también puedes apoyarte en tu propia tradición espiritual: bendiciendo la mesa o yendo a misa el domingo, o si perteneces a la tradición judía, celebrando el viernes por la noche la cena sabática.

**ORACIÓN DEL ALBA.** En un bello libro titulado *Illuminated Prayer: The Five-Times Prayer of the Sufis,* Coleman Barks y Michael Green describen la sincronización de las cinco oraciones diarias musulmanas y la rotación del sol desde que sale hasta que se pone. Los musulmanes empiezan el día recitando una hora antes del alba una oración, el *Fajar,* cuando el mundo cotidiano aún está durmiendo. En este tranquilo y silencioso momento del día podemos oír fácilmente nuestra respiración. Los sufíes dicen que Dios está más cerca de nosotros que incluso nuestra respiración. Al rezar a esta temprana hora, es fácil sentir la presencia de Dios.

A muchas personas que no son musulmanas también les gusta meditar y orar al alba para conectar con su santuario interior. Mi amiga Sandy sale cada día a dar un paseo por la playa y aprovecha esos momentos para rezar. Hace su práctica matutina devocional de las seis a las diez de la mañana. La reverenda Janet no reza al amanecer, sino varias horas más tarde, después de pasear por la playa y nadar por la mañana.

**ORACIÓN DEL MEDIODÍA.** La oración del mediodía, el *Zuhr,* se realiza después de que el sol ha alcanzado su cénit en el cielo. La luz del sol ilumina el día. Es el momento de mayor fuerza, creatividad y quizá también el momento en el que somos menos conscientes de la conexión que mantenemos con Dios. La oración del mediodía, al recordarnos que debemos mirar en nuestro interior y rezar, nos permite recordar la pasión que sentimos por Dios.

**ORACIÓN DE LA TARDE.** La oración de la tarde, el *Asr,* tiene lugar cuando el sol está a mitad de camino hacia el horizonte, alrededor de las tres de la tarde. Es el momento de relajarse y de ser consciente de que los objetos proyectan una sombra. Hay una disminución de la intensidad del cuerpo emocional. Es un buen momento para volver a conectar con el poder y la presencia de Dios. A mí me encanta rezar a esta hora, porque a menudo ya he gastado mucha energía y me siento un poco cansada. En lugar de tomarme un café o una coca-cola baja en calorías, cierro la puerta del despacho durante varios minutos para poder sentarme un poco en quietud. Sólo con que lo haga durante algunos minutos ya me siento mucho más relajada. En el bolso siempre llevo un librito con mis oraciones preferidas. Paso las páginas poco a poco y las leo lentamente una a una para impregnarme de su belleza. Incluso leerlas durante cinco o diez minutos es muy renovador.

**ORACIÓN DE LA PUESTA DEL SOL.** La oración del crepúsculo, el *Magrib,* se recita cuando el sol se pone por el horizonte. Los colores del día se van apagando para adquirir una vibración más serena. Rezar a esta hora te conecta con la realidad inmutable, aunque los pensamientos y las sensaciones que hayas experimentado a lo largo del día te hayan agitado.

**ORACIÓN DE LA NOCHE.** La oración nocturna, el *Isha,* se realiza por la noche, una hora después de oscurecer. El cielo aterciopelado muestra las estrellas a modo de joyas. La oscuridad es como la muerte. Al recurrir a la oración comprendes que Dios es lo único que es real.

---

### *Cartas de amor dirigidas a Dios*

La reverenda Janet describe una época en la que se sintió como si su vida espiritual estuviera bajo un maleficio. Tenía la sensación de que la meditación y las oraciones no la llevaban a ninguna parte y su ritual matinal de práctica espiritual no satisfacía su alma. «Como necesitaba mantener una relación más personal con Dios, empecé a escribirle cartas de amor», dice Janet. Llenó cuadernos enteros de cartas de amor dirigidas a Dios. «Querido Dios, esta es la flor de loto que hoy te ofrezco. Guíame en todo cuanto haga, diga y sea. Eres el compañero de juegos más divertido y maravilloso. Estaré preparada para nuestro baile de hoy. Te quiero. Janet.» La oración de Janet parecía una flor de loto, cuyo centro era Dios. Los pétalos contenían todo aquello que ella le ofrecía a Dios para que la ayudara: rezaba por su familia, por una buena salud y por la vida de su Iglesia. Tenía otra oración loto destinada a las cosas que quería alcanzar: seguir una dieta sana, ser receptiva con su marido y con su perro y decir la verdad. Al final del día repasaba la lista para ver si había cumplido con su parte del contrato que había hecho con Dios, corrigiendo algunas conductas si era necesario. Tal como ella lo explica: «Para mí rezar implica que tanto Dios como yo desempeñamos un papel en la oración. Mantenemos esta aventura amorosa en nuestro corazón».

El año anterior, mientras Janet pasaba por una época difícil de su vida, su marido enfermó. Ella se negó a oír el diagnóstico. Los médicos descubrieron que Palmer tenía un cáncer de riñón y que le tenían que extirpar los dos órganos. A la mañana siguiente Janet le rezó a Dios pidiéndole que curara a su marido y que les ayudara a tener los recursos económicos necesarios para pagar la asistencia médica. Y luego siguió persistiendo en sus oraciones y ocupándose de las responsabilidades de su vida cotidiana, como ir a visitar a su esposo al hospital y hacer las diligencias necesarias para su operación.

Dos semanas más tarde una mujer llamada Linda con un marcado acento sureño la llamó por teléfono:

—¿Es usted la señora Stangvik?

—Sí —respondió Jane.

—La llamo para decirle que el gobierno quiere entregarle una suma de dinero. ¿Cómo desea que se la enviemos? Si llama al número que voy a darle, esta oficina le enviará el talón. Mucha gente no conoce esta clase de ayudas, por eso la he llamado.

Janet se quedó perpleja. La cifra que iban a mandarle, dos mil dólares, le serviría para pagar la operación de Palmer. Siguió las instrucciones de Linda, pero mientras esperaba que llegara el dinero, empezó a dudar de si sería verdad. «Quizá mis amigas me han tomado el pelo y son ellas las que han reunido el dinero para la operación de mi marido», pensó. Pero la llamada era real y recibió el talón. Llena de gratitud hacia Dios por haber escuchado sus plegarias, Janet pagó con aquel dinero los gastos de la operación. También le escribió a Linda una nota de agradecimiento e incluyó un generoso talón de doscientos dólares.

Al cabo de varias semanas Janet recibió un paquete. Dentro había una nota de Linda: «Querida Janet, muchas gracias por tu cariñosa nota y tu generoso regalo. En todos los años que he estado trabajando para el gobierno, nadie me ha enviado nunca una nota de agradecimiento ni me ha mandado un céntimo. Te lo agradezco muchísimo. He pensado que el pequeño regalo que te mando sería perfecto para ti».

Al abrir la caja y hurgar entre los pedacitos de espuma, Janet descubrió un objeto envuelto en un pañuelo blanco de papel. Parecía una de esas placas con el nombre que tienen a veces los ejecutivos sobre el escritorio. En la sólida base negra del objeto decorativo, figuraban unas elegantes letras grabadas sobre una banda de plástico acrílico: «La oración hace que las cosas cambien».

A la mañana siguiente Janet le escribió una breve carta de amor a Dios: «Querido Dios, muchas gracias por todo lo que haces en mi vida. Estoy segura de que haberme concedido lo que te he pedido es como si hubieras contestado mi carta de amor. Te quiero. Janet».

## Los retos y el progreso en el camino

Kristin fue la primera en levantar la mano, sus ojos azules le brillaban por el ejercicio para adquirir sabiduría que había hecho la semana anterior al dedicarse a rezar.

«Me encanta rezar varias veces al día. Si no medito al amanecer (he de admitir que no he tenido tanto éxito en ello como me hubiera gustado), rezo con mis hijos mientras los llevo en coche al colegio. El otro día, durante el trayecto, me olvidé de rezar con ellos porque ya lo había hecho al amanecer. Enseguida me lo recordaron y rezamos juntos en familia. Fue una experiencia maravillosa. Aunque me guste estar en mi propio santuario con mi esterilla para rezar, incluso una breve oración durante el día me da una sensación de paz y de conexión con Dios, una especie de perspectiva sobre el ajetreado día que estoy llevando. Me ayuda a realizar las actividades de la vida cotidiana sin perder la calma, lo cual me hace sentir más centrada».

Margie intervino: «Pero ¿cómo consigues acordarte de rezar? Mi mayor problema es ver que son las cuatro de la tarde y que me he olvidado de rezar al mediodía. Los días van pasando y acabo olvidándome de lo que es prioritario. Temo que nunca seré lo bastante disciplinada como para rezar con regularidad, a pesar de que cuando lo hago me siento mucho mejor. Al menos rezo por la mañana antes de ir al trabajo y por la noche antes de acostarme. No está mal, ¿no te parece?»

Miré a Margie y le respondí sonriendo: «Tú no eres la única que se olvida de rezar y que se sumerge en las actividades del día. ¿No os parece? Si estáis de acuerdo conmigo, levantad la mano». Muchos alumnos la levantaron.

Paula, que llevaba una blusa a cuadros con botones y unos pantalones anchos azul marino, cogió el bolígrafo —que siempre dejaba perpendicular a la gran carpeta negra con tres anillas en la que guardaba sus notas y tareas— y lo agitó como si fuera una batuta mientras decía: «Yo he decidido rezar antes de las comidas, porque no suelo olvidarme de comer», la clase se echó a reír al conocer su afición por la comida, nos la había comentado en distintas ocasiones. A medida que el curso había ido avanzando también nos había ofrecido varias delicias culinarias procedentes de distintas tradiciones. «Rezo antes del desayuno, la comida y la cena, y también por la mañana al levantarme y por la noche al acostarme, o sea que rezo las cinco veces que nos has pedido. Me acuerdo de hacerlo la mayor parte de los días», prosiguió Paula con sus ojos azules muy abiertos.

Walt se reclinó lentamente contra la silla. Sus largas piernas, su desmadejado cuerpo y el color de su tez me recordaron a un león desesperezándose. «Si no utilizo las oraciones que prescribe el islam, ¿significa que no estoy respetando a esta tradición?», me preguntó mirándome con una expresión seria, esperando oír mi respuesta.

«Es una buena pregunta, Walt», le respondí. «Yo creo que la tradición islámica del Salat se da sobre todo en el contexto del islamismo, que obliga a los musulmanes a rezar de la forma prescrita cinco veces al día. Sin embargo, puedes inspirarte en ese ejercicio para adquirir sabiduría y adaptarlo a tu vida recitando oraciones de tu propia tradición o de otras, o simplemente pronunciando oraciones espontáneas. Lo más importante que puedes usar del islam es el deseo de rezar cinco veces al día para conectar con tu manantial espiritual y con una presencia infinita superior. Lo cual puede aportarte un enorme equilibrio en tu vida. Es como un ancla que te mantiene conectado con tu yo espiritual. Al rezar a lo largo del día no permites que la lista de cosas que debes hacer o tu ocupada vida te hagan olvidar que eres tanto un ser físico como un ser espiritual.

«Me encanta su respuesta, reverenda Sage. Es muy buena».

«Pues a mí mis oraciones portátiles me han resultado de lo más prácticas», terció Evelyn. «Se las mostraré». Evelyn sacó de su bolso un pequeño álbum encuadernado en tela roja con unos dibujos entretejidos parecidos a los de las alfombrillas que los musulmanes usan al rezar que yo había visto en fotografías. «En él llevo las oraciones que más me gustan: la oración de san Francisco de Asís, el salmo veintitrés, el *Shahadah* de la tradición islámica, una oración de la compasión de la tradición budista y el *Shema* del judaísmo. Y cuando siento el deseo de hacerlo, en los momentos que me dedico a rezar, abro la libretita y dejo que mis ojos se posen en una oración, la leo lentamente y después cierro los ojos para que todo mi cuerpo se impregne de ella. Algunas veces mientras rezo me muevo tal como hemos aprendido a hacerlo de la tradición islámica y otras me muevo a mi manera. Esta semana incluso he dado un paseo por la playa recitando en voz alta mis oraciones. Es una práctica maravillosa, y cuando la llevo a cabo, me siento mucho mejor. Me sorprende que no haya conseguido hacerla cada día. Esta semana sólo he logrado rezar las cinco veces diarias dos días. ¡La disciplina que muestran los musulmanes al rezar las cinco oraciones diarias prescritas me parece admirable!»

Jane habló con su intensidad habitual: «Al buscar en Internet he encontrado una página web que te indica el momento exacto en el que debes rezar según la tradición islámica, vivas donde vivas. ¿Te imaginas miles de millones de musulmanes rezando por todo el mundo? Me vino a la cabeza la imagen de millones de musulmanes rezando en distintas latitudes y longitudes del globo como si fueran una de aquellas oleadas que se ven en los partidos de fútbol, salvo que en esta ocasión era una oleada de oraciones. La imagen de un montón de personas rezando a lo largo del día, a una hora determinada, siguiendo el recorrido del sol, es muy poderosa. Y también muy conmovedora».

«Sí, es una imagen muy poderosa. Gracias por hacer que nos fijemos en ella», le dije.

Susana me sorprendió al levantar la mano, porque era una alumna muy silenciosa, que prefería no hablar en público. Llevaba una blusa a juego con una falda blanca adornada con florecitas de color rosa y violeta.

«Mis oraciones son muy sencillas», dijo. «He descubierto la forma de rezar cinco veces al día. Simplemente recito una oración de agradecimiento. Al igual que Paula, he estado utilizando la hora de las comidas para rezar. No estoy acostumbrada a bendecir la mesa. Al despertarme por la mañana, antes de comer y al acostarme, digo: "Gracias, Señor, por..." y entonces le doy las gracias por algo. Mis oraciones de gratitud son prácticas y además me suben el ánimo. Es correcto decir oraciones de gratitud, ¿verdad?» Los alumnos respondieron a su pregunta asintiendo con la cabeza y sonriéndole.

## *La visita a la mezquita un viernes*

Un viernes llevé a seis de mis alumnos de la clase del Camino de la Sabiduría a una mezquita para que asistieran al culto del mediodía. Me preguntaba si estaríamos preparados para esta experiencia islámica. La noche anterior los alumnos habían mantenido una acalorada discusión sobre el papel de las mujeres en el islamismo. ¿Estaban oprimidas? ¿La forma en que se veían obligadas a vestir era un signo de subyugación? Como nuestra intención era que la clase fuera un foro para todo tipo de ideas, dejamos que los alumnos se expresaran con total libertad. Como grupo habíamos decidido que cada uno respetaríamos las ideas de los demás y que no daríamos ningún consejo. También acordamos limpiar nuestro corazón de cualquier prejuicio que generara ira, odio y resentimientos. Renee, una joven veinteañera que iba sin maquillar y que llevaba unas elegantes gafas con una montura negra que hacía juego con su pelo y sus ojos, era muy escéptica sobre la idea de usar el islamismo como una inspiración para rezar.

—No puedo respetar una tradición que no respeta a las mujeres —nos dijo.

Renee me hizo recordar cuando yo era joven y el judaísmo no me acababa de convencer por la misma razón.

—Renee, te comprendo perfectamente. Recuerdo haberle preguntado a mi abuela cómo se sentía al tener que sentarse en la parte trasera de la sinagoga, separada de los hombres. Pero me quedé sorprendida al ver que a ella no le importaba. Para mi abuela sentarse en la *shul* (sinagoga) para rendir culto a Dios era una profunda experiencia espiritual. No entendía mi frustración. Los valores de la generación a la que pertenecemos hacen que veamos el mundo con una visión distinta de la de las otras generaciones.

—De todos modos, esto no quiere decir que las mujeres reciban un trato correcto —respondió Renee con los brazos cruzados sobre el pecho. Terminamos la clase formando un círculo y rezando a la luz de las velas. Aunque al rezar se calmó la acalorada discusión que habíamos mantenido, yo me preguntaba si los alumnos estarían preparados para la visita del día siguiente. Un montón de preguntas se agolparon en mi cabeza: «Después de la acalorada discusión, ¿no será demasiado pronto para ir a la mezquita? ¿Sería mejor hacerlo más tarde para tener tiempo de resolver nuestras discrepancias? Me alegro de que vayamos a asistir a un culto religioso. ¿Nos ayudarán las oraciones islámicas en el proceso curativo que hemos iniciado?» Me dije a mí misma que si la visita le creaba a cualquier alumno un conflicto emocional, le aconsejaría que trabajara con los temas de la lista que habíamos empezado a crear en clase. Si al leer esta historia experimentas algún conflicto emocional, te aconsejo que consultes la misma lista del apéndice I, «Herramienta 2: descubre tus ideas sobre otras tradiciones espirituales».

Al entrar en la mezquita una voluminosa mujer vestida de blanco con el largo y holgado atuendo musulmán nos dio la bienvenida. Se acercó para darnos un abrazo a todos.

—¡Os doy la bienvenida! No importa que seáis cristianos, judíos o hindúes, aquí todo el mundo es bienvenido a participar en nuestras oraciones —nos dijo.

Este recibimiento era muy distinto de los estereotipos de los que habíamos estado hablando la noche anterior. Incluso la alumna que más se oponía al islamismo se relajó al ver la calidez de aquella mujer. Nuestra guía nos acompañó a las cinco mujeres a un recinto separado, mientras los dos hombres de nuestro grupo se dirigían a la sala principal de la mezquita.

—¿No le importa no poder estar en la sala principal? —le preguntó Renee, volviendo a sacar el polémico tema del que habíamos estado hablando la noche anterior sobre que los hombres y las mujeres no se prosternaban ni rezaban juntos.

—En absoluto —le respondió la mujer musulmana—. Las mujeres preferimos gozar de privacidad. No queremos que los hombres nos miren el trasero mientras rezamos.

Nuestra guía, acompañándonos a una habitación alfombrada, nos dio unos pañuelos para que nos cubriéramos la cabeza y nos invitó a desplegar la alfombrilla en cualquier espacio libre que encontráramos entre las aproximadamente quince mujeres que había repartidas en distintos puntos de la estancia. Todas nos sonrieron con calidez al vernos entrar.

Mientras observaba a nuestra guía, le oí recitar: «*Allahu Akbar*» (¡Dios es el más grande!) con tanto gozo que me sumergí más aún en la gran gratitud que sentía por aquel santuario de Dios en que la habitación se había transformado gracias a los gestos y movimientos llenos de devoción. Juntas, mis alumnas y yo nos unimos al pequeño grupo de mujeres musulmanas que se estaban inclinando, prosternando y pronunciando la frase «*Allahu Akbar*» (¡Dios es el más grande!). A pesar de nuestras distintas tradiciones, la grandeza de Dios nos unía a todas.

Al terminar el Salat la habitación se quedó impregnada de una gozosa y serena energía. Contemplé cómo las mujeres musulmanas se cogían de la mano las unas a las otras y se miraban a los ojos. Una de ellas dijo a otra mientras se abrazaban: *«Asalaam aleikum»* (¡Que la paz de Dios sea contigo!). Y su compañera le contestó: *«Aleikum salaam»* (¡Que la paz de Dios también sea contigo!).

A continuación todas ellas se abrazaron. Vi que mis alumnas eran acogidas calurosamente por unas musulmanas cubiertas de la cabeza a los pies y vestidas con ropa de varios tonos, en su mayoría de color tierra, como el beige, el dorado y el marrón. Yo sé que al unirme a aquellas mujeres musulmanas en el Salat la idea que yo tenía de ellas cambió. Renee, sentada a mi lado, hizo los movimientos que acompañaban a las oraciones, pero tenía el ceño fruncido y sus movimientos no eran relajados, sino tensos. Nuestra guía, que percibió que Renee no se encontraba a gusto, se acercó a ella y le dijo:

—¿Hay alguna pregunta que quiera hacernos? ¿Algo que la preocupe?

A Renee se le relajaron los hombros en el acto. Las palabras le salieron de la boca como unas prisioneras que acabaran de ser liberadas.

—Tengo un problema con el islamismo, porque creo que los hombres controlan a las mujeres. Por ejemplo, ¿por qué vestís de esta manera, cubiertas de la cabeza a los pies? ¿Lo hacéis porque queréis?

—Pues yo encuentro que nuestra forma de vestir es muy liberadora.

—¿Ah, sí? ¿Por qué?

—En primer lugar porque la modestia es una virtud que se elogia en nuestros textos sagrados. La gran ventaja de vestir con humildad es que los demás te aprecian por lo que eres en lugar de juzgarte basándose en si eres bella o no.

Renee se quedó perpleja. Nunca se le había ocurrido verlo de ese modo.

—¿Acaso a las mujeres de vuestra cultura no os molesta que os consideren mujeres objeto? —le preguntó la mujer musulmana.

Renee se sonrojó. Cuando era joven, odiaba los piropos que le echaban los hombres al ir por el centro de Los Ángeles. Odiaba cómo los hombres de negocios se le quedaban mirando los pechos cuando ella hacía algún comentario en una reunión de ventas.

—En nuestra cultura, la ropa que llevamos nos permite trabajar en el mundo de los negocios rodeadas de una atmósfera de respeto.

Los ojos de Renee y de la mujer musulmana se encontraron. Se sonrieron la una a la otra. Cada una había dado un pequeño paso adentrándose en el mundo de la otra para empezar a conocerlo.

*—Asalaam aleikum* (¡Que la paz de Dios sea contigo!) —le dijo la mujer musulmana extendiendo los brazos. Renee aceptó el abrazo.

—¡Que la paz de Dios también sea contigo! —le respondió Renee.

Estoy segura de que haber rezado juntas en la mezquita me ha ayudado a mí y a mis alumnos a darnos cuenta de que no se puede comprender la cultura de otra persona si la ves con la mirada de tus propios valores. La comunicación tiende un puente entre los distintos mundos.

El ejercicio para adquirir sabiduría de la oración nos ayuda a conectar con frecuencias divinas que podemos trasvasar a nuestra vida en forma de respuestas curativas a las preguntas y a los dilemas de la vida y de nuevas opiniones con relación a la existencia que están en armonía con lo infinito. La disciplina de hacernos un hueco en nuestra ajetreada vida para rezar nos permite mantener una relación personal con Dios y comunicar nuestras percepciones, necesidades y visiones más profundas. Al entregarnos a la oración, nuestro campo de poder se abre mientras colaboramos en la creación con las fuerzas universales. Tanto si eliges oraciones prescritas, espontáneas o afirmativas, u oraciones para bendecir la mesa o de alabanza, lo más importante es que estás rezando. Siempre que rezas, tanto si lo haces una, cinco o más veces al día, estás recibiendo los numerosos regalos que la oración te ofrece.

---

## Unos Sabios Pasos

**HAZTE UNA LIBRETITA DE ORACIONES.** Probablemente tengas algunas oraciones preferidas de tu infancia o de otras épocas sagradas de tu vida. Crear una libretita de oraciones para que te inspire a lo largo del día es una actividad deliciosa. Además de tus oraciones preferidas, puedes incluir oraciones de textos sagrados de diversas tradiciones espirituales, como del Antiguo y el Nuevo Testamento, el Corán, el *Tao Te Ching*, la *Bhagavad-gita* y otros que te atraigan. De esta forma puedes utilizar tu colección personalizada de oraciones antes de las comidas, cuando estés en una sala de espera o en cualquier momento en el que desees recibir la elevada vibración de las oraciones.

**INTENTA REZAR CINCO VECES AL DÍA.** Inspirándote en la tradición islámica, trata de rezar cinco veces al día. No es tan difícil como parece. Si recitas una oración al despertar, otra antes de desayunar, comer y cenar, y otra al irte a la cama, te resultará más fácil rezar cinco veces al día. Puedes recitar las que más te gusten: las oraciones que te sabes de memoria, las plegarias de tu libretita o los rezos que pronuncias de manera espontánea en agradecimiento por la vida. En un momento del día en el que decidas rezar, puedes decir por ejemplo esta sencilla oración: «¡Gracias, Señor, por este día!»

**COMBINA LA ORACIÓN CON EL MOVIMIENTO.** Muchas tradiciones combinan las oraciones con el movimiento. Prueba esta forma de recitar una oración bailando, girando el cuerpo o moviendo las manos. Al participar el cuerpo en ello, el efecto de la oración aumenta, con lo que ésta encarna con más fuerza aún la práctica espiritual.

Intenta hacer los siguientes gestos con las manos como un trampolín para rezar moviendo el cuerpo. Puedes hacerlo en casa o al aire libre, de cara al sol. Extiende las manos hacia el cielo y di en voz alta: «Me abro al resplandor del Espíritu que hay en mi interior y a mi alrededor». Cruza ahora las manos sobre el corazón, con las palmas hacia abajo. «Soy una unidad con este resplandor.» Une las manos, con las palmas y los dedos tocándose, como si estuvieras dando una palmada, y lleva los índices a tus labios. «Confío en que el resplandor del Espíritu me ilumina el camino con sabiduría, paz y amor.» Deja caer a continuación los brazos a los lados, con las manos abiertas y las palmas hacia fuera. «Doy gracias por los numerosos regalos que el Espíritu me ofrece en mi vida.» Dobla los codos y traza pequeños círculos con las muñecas. «Me relajo y me suelto, estas palabras son unas semillas que caen sobre una fértil tierra. Así sea. Amén.»

Combina la oración con alguna clase de ejercicio físico, como caminar o hacer yoga, o con clases de movimiento consciente, para ver si esta experiencia te gusta. También puedes visitar una mezquita y participar en las oraciones que se recitan en ella los viernes al mediodía. O puedes unirte a una sesión de danza sufí si en la zona donde vives hay algún centro que realice esta clase de actividad.

# 4

## EL CRISTIANISMO:
## *perdónate a ti mismo y perdona a los demás*

ORACIÓN DE SAN FRANCISCO DE ASÍS

*Señor, hazme un instrumento de tu paz.*
*Donde haya odio, siembre yo amor,*
*donde haya injuria, perdón...*
*Porque dando se recibe,*
*perdonando se es perdonado*
*y muriendo se nace a la vida eterna.*

Mientras me acercaba al momento de la tramitación de mi divorcio, sabía que sería mejor para mi salud, mi corazón y mi alma perdonar al que pronto sería mi ex marido. Pero ¿por dónde podía empezar? Al principio ni siquiera sabía que estaba enfadada y resentida. Como en mi familia no había habido demasiado espacio para expresar la ira, había desarrollado automáticamente el hábito de negarla y de intentar ignorarla comiendo con exceso o bebiendo. En esa época me estaba recuperando de mi adicción al alcohol y estaba aprendiendo a aplicar los principios de Alcohólicos Anónimos, uno de ellos era hacer una lista de las personas a las que yo debía perdonar y otra de las que yo deseaba que me perdonaran. Este ejercicio me ayudó a ver el resentimiento que sentía por el trato injusto que había recibido en mi matrimonio y en otras circunstancias de la vida. Quería liberarme de él, pero no sabía cómo hacerlo. Mientras meditaba y observaba dentro de mí, le recé a Dios para que me ayudara a conseguirlo.

La primera vez que pensé en perdonar a Tony, me vinieron a la cabeza una serie de acontecimientos que me habían parecido casi imperdonables en el momento en que habían ocurrido: infidelidad, abandono, irresponsabilidad económica. Asistía a las reuniones de Alcohólicos Anónimos casi a diario para que me ayudaran a superar aquella crisis. En ellas recibí amor, apoyo y el consejo de que me desprendiera de las ideas que me había hecho de mi marido y que volviera a concentrarme en mí. Lo cual era mucho más fácil de decir que de hacer. «¿Acaso él no se acordaba de que cuando estábamos casados se fue a vivir con otra mujer?», pensé. Estaba manteniendo un tira y afloja con el ponzoñoso juez de mi interior y, me girara hacia donde me girara, yo era la que tenía todas las de perder. Cuanto más indignada me sentía con mi marido, más me dolía la vesícula.

En una de las reuniones de los doce pasos a las que asistía, me dijeron que debía admitir que no podía controlar la situación en la que me encontraba y que un poder superior me ayudaría a recuperar la cordura si yo me abría a él. «¿Cómo conseguiría hacerlo?», pensé.

El resto de aquel verano lo pasé sumida en un caos emocional. Mientras hacía los preparativos para que mi hijastra volara a Kentucky para pasar una temporada con su familia, mientras yo consultaba con abogados especializados en divorcios, la mayor parte del tiempo me sentía en un estado de *shock* y de embotamiento. Les conté al director del seminario de California, al jefe del Departamento de Filosofía de Wisconsin y a mi familia de Nueva York y de Milwaukee lo que había ocurrido.

Mi estado físico empeoró. Aunque mi mente estuviera demasiado embotada como para sentir dolor, mi cuerpo sí que lo sentía. Los médicos me dijeron que tenían que extirparme la vejiga, pues tenía cálculos. «¿Acaso el resentimiento que sentía se había solidificado en mi cuerpo?», pensé. Sabía que emocionalmente no podría soportar el trauma adicional que suponía la operación quirúrgica y las seis semanas de recuperación. Fue la gota que colmó el vaso. Había llegado al límite. Estaba dispuesta a hacer todo lo necesario para curarme, aunque significara tener que perdonar a alguien que me había hecho muchísimo daño.

La noche antes de divorciarme de mi marido medité a la luz de una vela. Al abrir los ojos después de meditar, vi en el tocador, sobre una pila de papeles que había dejado allí para revisar, una hoja verde. El folleto, titulado «Lista de personas para perdonar», formaba parte del material que recibía cada mes de la escritora Catherine Ponder, una seguidora del Nuevo Pensamiento. Hacía mucho tiempo que estaba intentando responder a las preguntas que contenía el folleto. Ahora parecía el momento ideal para hacerlo. Seguí las instrucciones que contenía: escribí una lista de las personas y las situaciones a las que debía perdonar y me sumergí en el amor y el perdón deseando lo mejor del mundo a las personas que figuraban en ella.

En medio de la penumbra, sentada frente a la vela que iluminaba mi habitación, visualicé el rostro de Tony. Abrí mi corazón y dejé que la corriente del amor universal fluyera hacia mi corazón y luego saliera de él hacia el de mi marido y volviera a mí, como las mareas del mar. Le deseé a Tony todo lo mejor y esperé que fuera muy feliz en la vida. Dejé que el amor se llevara todos los desechos del resentimiento que yo sentía en mi cuerpo como partículas endurecidas y en la actitud que tenía hacia mi marido.

Quería ser libre y dejé que el amor me ayudara a serlo. Después de la meditación sentí que mi cuerpo se había relajado. Mi corazón estaba en paz.

A la mañana siguiente al ver a Tony en la sala en la que iba a tener lugar el divorcio, me sentí liberada de mi anterior actitud de indignación y condena y, acercándome a él, le di un abrazo. El dudó por un instante, como si esperara ver salir de mis ojos dagas de rabia clavándose en él, porque le había ocurrido en muchas ocasiones. Pero, en lugar de ello, lo había recibido con el amor que la gracia divina nos había concedido como un regalo.

En aquella milésima de segundo —aún recuerdo cómo se suavizó la expresión de sus ojos azules—, los dos nos acordamos del amor que nos había unido, el amor que habíamos compartido en nuestro matrimonio y que ahora nos permitía separarnos en paz. Tony me devolvió el abrazo.

¿Acaso había alguna otra forma de afrontar aquella situación? En mis meditaciones había comprendido que Tony había actuado lo mejor que había podido. No era una mala persona. Al tener que dejarle para irme a la Universidad de California, él había pasado por una situación difícil. No tenía un trabajo estable y aquel verano, mientras yo estuve en California, habíamos dejado la casa que habíamos alquilado para recortar gastos. Tony había intentado simplemente sobrevivir, por eso se había visto obligado a extender talones y a buscar un lugar para vivir. Mis maestros de Alcohólicos Anónimos me habían dicho que tenía que dejar que mi marido resolviera sus propios problemas. Pero para él fue un gran salto aprender a apañárselas solo. Había actuado lo mejor que había podido, teniendo en cuenta que también estaba pasando por una crisis. Al observar a mi marido con una mirada compasiva, lo vi de distinta forma. ¿Tal vez en el fondo no había nada que perdonar?

También empecé a ver mi matrimonio con Tony como un momento decisivo en mi vida que me había ayudado a salvar la distancia, que como máximo debía de ser de palmo y medio, que había del intelecto al corazón. Aquella crisis me había hecho aprender muchas cosas. Encontré una vía directa para conectar espiritualmente con Dios. Antes de que mi matrimonio se rompiera tenía una experiencia intelectual de Dios, pero ahora lo sentía como una presencia espiritual dentro de mí, a mi alrededor, y a través de mí. En aquella época descubrí el Christine Center for Meditation y la experiencia que viví en él fue una de las más importantes de toda mi vida. Gracias a Dios también había dejado atrás una relación sentimental que no nos funcionaba a ninguno de los dos. La crisis nos había liberado. La tragedia de mi vida se convirtió en la pasadera que me llevó a la liberación. Siempre me sentiré muy agradecida a Tony por ello. Aquel día nos divorciamos de mutuo acuerdo y nos despedimos de forma amistosa. Yo estaba preparada para seguir con mi vida.

La oración atribuida a san Francisco de Asís del inicio del capítulo contiene un método para vivir sabiamente. Al expresarnos en el mundo como un vehículo de amor, paz y perdón, recibimos, por extraño que sea, más de lo que damos. Aprendemos el arte de perdonar a los demás.

Una de las enseñanzas más importantes del cristianismo es la de perdonar. El cristianismo es una religión fundada por los discípulos de Jesús. Aunque los tres grupos principales del cristianismo —los católicos romanos, los protestantes y los ortodoxos— tengan distintas creencias, todos consideran que Jesús es la base de su religión.

## Los principios esenciales: el cristianismo

**LA NATURALEZA DE LA DEIDAD.** Dios es una deidad omnipotente y trascendente. En el cristianismo se cree que en Dios hay tres personas: el Padre, el Hijo y el Espíritu Santo. Jesús es la segunda persona de la Trinidad.

**LA RELACIÓN PERSONAL CON LA DEIDAD.** Los cristianos entran en contacto con Dios por medio de la oración y reciben el perdón por sus pecados a través del sacrificio de Jesús, el hijo divino de Dios. Jesús es un ejemplo de la encarnación de Dios en la tierra: del Dios hecho hombre. Jesús representa el encuentro entre lo humano y lo divino, tal como se refleja en el símbolo de la cruz.

**EL CULTO.** Los cristianos celebran el culto en las iglesias con una persona que lo conduce llamada sacerdote, ministro o pastor. El bautismo, la oración y la lectura de pasajes bíblicos son algunas de las actividades religiosas que se celebran en las iglesias.

**LAS CREENCIAS ÉTICAS.** Las enseñanzas de Jesús se basan en el amor. El mensaje de Jesús es sobre todo que debemos ser bondadosos en nuestra vida en la tierra. Aceptar a Jesús en nuestra vida es comprometernos a ser una presencia bondadosa en el mundo y a perdonar las ofensas de los demás. La relación personal con Cristo es el camino que lleva a la redención.

**EL ALMA Y LAS CREENCIAS SOBRE LA MUERTE.** Los cristianos creen que el alma es inmortal y que experimentarán la vida eterna en el cielo o en el infierno. El cielo es un lugar lleno de bendiciones, el infierno, en cambio, es donde se sufre el castigo eterno. Creer en Jesucristo garantiza a los cristianos que al morir irán al cielo.

## ¿Qué es el perdón?

Les guardamos rencor a las personas que nos han hecho daño o que han traicionado la confianza que habíamos depositado en ellas. Al juzgar una determinada acción como errónea, hiriente o injustificada, nos enojamos o nos sentimos heridos. Quizá no podamos olvidarnos de la experiencia. Nuestra ira inicial se transforma en resentimiento al recordar lo que nos han hecho una y otra vez. Y acabamos llenos de resentimiento hacia la otra persona. Quizás esta actitud nos parezca justificada, pero al final vemos que el resentimiento nos está haciendo daño. Es más fácil ver en otro aquello que no siempre podemos ver en nosotros mismos. Quizá conozcas en tu vida a una persona que está muy resentida con otra. Al oír los comentarios negativos que suelta una y otra vez, ves que la nube oscura de su negatividad hace que sea una persona tóxica tanto para sí misma como para los demás. La ira irresuelta que se oculta detrás del resentimiento puede degenerar en el interior y acabar provocando enfermedades, depresión y adicción. Al contemplar el mundo con una mirada llena de ira, no vemos las cosas tal como son y nuestra visión del mundo se contamina, haciendo que no nos fijemos en algo que de contemplarlo con una mirada clara nos parecería positivo.

Las enseñanzas de Jesús sobre el perdón pasan por perdonarnos a nosotros mismos y perdonar a los demás una y otra vez para desprendernos del resentimiento y los juicios negativos que albergamos en nuestro corazón. Guardarle rencor a alguien nos impide alcanzar nuestro propósito en esta vida, que es amarnos los unos a los otros. Perdonar una ofensa significa renunciar a la ira o perdonar a los demás. Este proceso implica reflexión, conocerse a uno mismo y madurez. La enseñanza de Jesús de perdonar a los que lo crucificaron diciendo «Padre, perdónales, porque no saben lo que hacen» nos revela las posibilidades que tenemos al perdonar lo imperdonable.

## El poder del amor

Jesús fue muy claro con relación al poder del amor, la enseñanza esencial de su ministerio: «Un precepto nuevo os doy: que os améis los unos a los otros como yo os he amado, así también amaos mutuamente». No puedes amar a los demás y guardarles rencor al mismo tiempo. El amor del que estoy hablando no es un amor romántico, sino un amor espiritual que ve a los demás con la mirada de la compasión. El amor produce una calidad de vida que es mucho más gozosa y saludable que una vida llena de resentimiento e ira.

Amar no es juzgar ni condenar a otro. Jesús utiliza en la Biblia una parábola para responder a la pregunta: «¿Quiénes somos para juzgar a otra persona?» En la historia, Jesús se acerca a una multitud que se había reunido alrededor de una mujer a la que habían sorprendido en un acto de adulterio, un delito que en la antigüedad se castigaba apedreando a la mujer adúltera hasta la muerte. La airada muchedumbre estaba dispuesta a matarla a pedradas por su conducta sexual. Jesús estaba enseñando cerca del lugar y los fariseos (una antigua secta judía que se distinguía por su estricta observancia de los ritos y de las ceremonias prescritas por la ley tradicional y escrita) le preguntaron qué pensaba de la mujer adúltera. Jesús retó a la multitud diciendo: «El que de vosotros esté sin pecado, que le arroje la primera piedra.» Todos los que se habían congregado alrededor de aquella mujer se fueron uno a uno, nadie pudo afirmar no haberse equivocado o pecado nunca. Hasta que sólo quedaron la mujer y Jesús. Él le preguntó entonces: «Mujer, ¿dónde están? ¿Nadie te ha condenado?» Y ella le respondió: «Nadie, Señor». Jesús le dijo: «Ni yo te condeno tampoco; vete y no peques más».

Al igual que la mujer de la historia, nosotros también podemos haber vivido la experiencia de recibir amor y perdón en lugar de reprobación, incluso al haber cometido una falta. Tal como lo corrobora Emmet Fox: «No hay ninguna dificultad que el amor no pueda vencer».

Mientras escribía este capítulo, me acordé de una ocasión en la que siendo aún una niña recibí el regalo de la compasión.

---

### *El indulto navideño*

Cuando tenía siete años, le robé a mi madre unas monedas del monedero para comprar caramelos. Ocurrió en los años cincuenta, en Brooklyn, en época navideña. Al volver a casa de la escuela, pasé por delante de una tienda de golosinas en la que vendían unos deliciosos Papá Noel de chocolate. Una semana después de haber estado hurgando a primeras horas de la mañana en el bolso de mi madre mientras ésta dormía, ella me preguntó si le había cogido dinero. Al quedarme en silencio y boquiabierta, descubrió que era culpable. «¡Espera a que tu padre vuelva a casa y verás!», me dijo amenazadoramente. «¡Y ahora vete a tu habitación!»

Mientras me iba a la habitación no entendía por qué mi madre tenía los ojos empañados y le temblaba la voz. Aunque luego al pasarme todo el día sufriendo, en vilo y llena de miedo, me olvidé de ello, porque tenía otras cosas en las que pensar. El nudo que sentía en el estómago era tan grande que parecía llegarme a la garganta. Me había metido en un buen lío, probablemente el peor de mi corta vida.

Cuando mi padre volvió a casa, mi madre lo llamó para que fuera a verla al dormitorio y pude oír fragmentos de la conversación que mantenían. «... no entiendo por qué me ha cogido dinero del monedero... Se merece recibir un castigo».

Yo permanecí acurrucada en mi dormitorio, como una prisionera a la que hubieran condenado, sufriendo mi castigo muchas veces. ¿Recibiría una zurra de mi padre? «Me va a doler más a mí que a ti, hija» ¿O me mandaría a la cama después de cenar? «Te vas a quedar una semana sin ver la tele, señorita.» Cuando mi padre entró en la habitación, yo estaba llorando. Me preguntó por qué lloraba, y me desahogué confesándole mis remordimientos, y después me sentí muy aliviada. No sabía por qué le había cogido aquel dinero a mi madre, pero comprendí que estaba mal hecho.

Mi padre me escuchó con el rostro un poco apagado y pálido por las muchas horas que había estado trabajando fuera de casa. Miré sus ojos marrones, eran tan cálidos como el chocolate fundido. Me habló con más dulzura de la que a mi madre le hubiera gustado. «Lo que has hecho está mal y quiero que le pidas perdón a tu madre. Pero no te voy a castigar. Son las fiestas navideñas, unos días para amar y perdonar.» La vergüenza que me embargaba se disolvió en su bondad.

Me sentí como si me hubieran hecho un regalo. Era mejor que mis vacaciones favoritas: nadar en Florida en diciembre, durante las fiestas, librándome por unos días del glacial frío de Nueva York. Sentí que el amor de mi padre me rodeaba como unos brazos invisibles en los que podía descansar y sentirme segura. Mi padre me seguía queriendo aunque me hubiera portado mal. Podía cometer un error, ser perdonada y empezar otra vez haciendo borrón y cuenta nueva. Nunca más volví a coger dinero del monedero de mi madre.

---

## Preparándote para perdonar

Perdonar a alguien no significa tolerar una conducta inaceptable. Ni tampoco que tengas que hacerte amigo del que te ha hecho algo. El perdón implica una elección. Eliges hacer unas actividades constructivas en tu vida cotidiana en lugar de tener una actitud destructiva con relación a las injusticias y dificultades que crees haber experimentado en el pasado. Al prepararte para perdonar a alguien, es una buena idea considerar la verdad sobre cómo esto va a afectarte.

**EL PERDÓN TE LIBERA.** La necesidad de perdonar surge al juzgarte o criticarte a ti mismo o al juzgar o criticar a otra persona. Sin esta clase de censura no sentirías la necesidad de perdonar a alguien. A diario necesitas perdonar tanto a personas como a determinadas situaciones que tienen lugar. Quizá pienses que tu hermana es una egoísta porque te ha cogido un jersey sin pedírtelo. O tal vez quedaste con una amiga al salir del trabajo, pero luego te olvidaste de la cita y ahora piensas que eres una inútil. Ves que quieres que la gente, tú misma y las circunstancias seáis distintos de como sois. El resentimiento, la ira y la indignación que sientes se van endureciendo en tu interior. Y al final eres tú quien se queda con los desechos de la censura y no las personas a las que juzgas. Quizá creas que perdonar a alguien significa liberar a esa persona de su mala acción, pero en realidad eres tú el que te liberas de la carga de hostilidad o resentimiento que llevas en el corazón.

**EL PERDÓN ES UN PROCESO.** Al escuchar las enseñanzas de sabiduría de Jesús, se deduce que el perdón comporta un proceso que debe realizarse una y otra vez. San Pedro, mientras conversa con Jesús, le pregunta: «Señor, ¿cuántas veces he de perdonar a mi hermano si peca contra mí? ¿Hasta siete veces?» Y Jesús le responde: «No digo yo hasta siete veces, sino hasta setenta veces siete».

A menudo hay que perdonar varias veces a alguien para perdonarlo por completo. Las capas de resentimiento van desapareciendo poco a poco, con lo que vemos la situación con más claridad, y a veces descubrimos nuevas cosas para perdonar. Es mejor tomarnos todo el tiempo que nos haga falta para hacer este proceso.

La enseñanza de setenta veces siete también nos indica que para conservar limpio el corazón debemos perdonar una y otra vez a los demás y perdonarnos a nosotros mismos. En la vida cotidiana ocurren continuamente pequeños incidentes que debemos perdonar: unas palabras crueles pronunciadas en un arrebato de ira, rencor, promesas rotas, pequeñas y grandes mentiras. Al final del día podemos repasar las actividades y las relaciones que hemos mantenido y limpiarnos el corazón perdonando a los demás y perdonándonos a nosotros mismos.

**PERDONAR REQUIERE ESTAR DISPUESTO A HACERLO.** No todo el mundo está listo para perdonar, aunque desee hacerlo. Si no estás preparado para perdonar a alguien, acéptalo. A veces algunas situaciones nos han hecho tanto daño —la pérdida de un ser querido en un accidente o a causa de un acto violento— que necesitamos un periodo más largo para curarnos. No es bueno forzar el proceso de perdonar a alguien o torturarte por no estar aún preparado para hacerlo. Al mismo tiempo ten en cuenta que el perdón tiene el enorme potencial de curar el dolor que sientes y de liberarte.

**EL PERDÓN REQUIERE TENER VALOR.** El camino del perdón implica afrontar la propia ira, vergüenza y el sentimiento de haber sido traicionado. Esta autorreflexión es dolorosa, pero vale la pena hacértela, porque ser sincero contigo mismo te permite curarte emocionalmente. Todas las etapas del proceso del perdón requieren tener el valor para curarte.

## Cómo perdonar

Aunque aceptes que perdonar a alguien es una buena idea, quizá no sepas por dónde empezar. Para ayudarte a hacerlo, te ofrezco estos consejos de probada eficacia sugeridos por el programa de doce pasos de Alcohólicos Anónimos y por otros expertos en perdonar.

**AFRONTA TU IRA.** Estar dispuesto a afrontar tu ira y el daño que alguien te ha hecho no es fácil. Aceptar que estás enojado puede ser doloroso. Es tentador enterrar la ira que sientes en el inconsciente y fingir que no existe, quitarle importancia o intentar racionalizarla. Sin embargo, para ser capaz de perdonar a alguien debes reconocer que algo ha ocurrido, que has sufrido y que cuando perdones a la persona que te ha hecho daño te liberarás.

Me sorprende que no me hubiera dado cuenta de lo furiosa que estaba con el que era mi marido antes de separarnos. Estaba enojada porque me había prometido trabajar y compartir las responsabilidades económicas conmigo y no lo hizo. Estaba enojada porque me prometió serme fiel y no lo fue. Estaba enojada porque nuestro matrimonio había fracasado. Estaba enojada porque mi ira era más profunda que la relación que manteníamos y porque, después de reflexionar mucho y de hacer una larga terapia, seguía aún necesitando trabajar más con mi ira. Estaba enojada porque había evitado afrontar mi ira comiendo y trabajando en exceso, y consumiendo drogas y alcohol. Estaba enojada porque la ira que sentía estaba afectando negativamente a mi salud y destrozándome la vesícula biliar. ¿Acaso la vesícula biliar no está relacionada con la «bilis»? Estaba enojada por resistirme a mantener una nueva relación sentimental.

Aunque mucha gente no sepa afrontar la ira y otras emociones que experimenta, es una habilidad que todos podemos adquirir. Yo tardé muchos años en aprender a sentir mi ira. Tómate el tiempo que te haga falta para descubrir este proceso y, sobre todo, intenta aprender de los que van delante de ti en el camino de afrontar la ira.

**RECIBE APOYO.** Afrontar tus sentimientos y empezar el proceso de perdonar a alguien es una labor difícil que no tienes por qué hacer solo. Te aconsejo que busques apoyo en alguien experimentado y formado en el proceso de perdonar, como un terapeuta profesional, un miembro de la iglesia o un padrino o una madrina del programa de los doce pasos. Es útil escribir una lista de tus sentimientos, compartirla con el compañero en el que confíes en el viaje del perdón y dejar que el poder superior en el que crees sea testimonio de la verdad sobre tus sentimientos y experiencias. Tener a un compañero como testigo y guía es un gran regalo que te ofreces. Al contarte la verdad a ti mismo y contársela a otro, experimentarás el significado de la frase de la Biblia: «Y la verdad os liberará».

**DECIDE A QUIÉN VAS A PERDONAR.** Un ejercicio que pongo en clase les ayuda a los alumnos a identificar a las personas a las que necesitan perdonar. En una meditación dirigida, les invito a mirar en su interior y a imaginar que su corazón es un pasillo por el que las personas de su vida pueden caminar seguras, porque se sienten rodeadas de amor. Es una adaptación de un ejercicio de meditación inspirado por el doctor Michael Bernard Beckwith que utilizamos en la Conferencia de las Revelaciones cuando yo formaba parte del equipo que colaboró en organizarla. Les digo a mis alumnos: «Advertid quién es el que se queda plantado en el umbral de vuestro corazón porque le da miedo entrar en él al temer ser objeto de vuestra censura y críticas». A las personas a quienes les da miedo entrar en los pasillos de vuestro corazón son las que debéis incluir en la lista de las que debéis perdonar. En esta meditación dirigida, cuando ves a alguien que tiene miedo de entrar en el pasillo de tu corazón, te resulta sorprendente. Por primera vez te das cuenta de que censuras a otros en tu mente. Incluso puedes descubrir que esos resentimientos te impiden ser libre.

**PERDÓNATE A TI MISMO.** A veces al hacer la meditación de los pasillos del corazón, los alumnos de las clases del Camino de la Sabiduría se ven a sí mismos plantados en el umbral de su propio corazón porque les da miedo entrar en él. Siempre es interesante ver, aunque no siempre sea fácil aceptarlo, que nosotros cometemos el mismo fallo que los demás. A menudo los acusamos de aquello que no toleramos en nosotros mismos. Quizás al resultarnos demasiado doloroso asumir nuestras malas acciones, las negamos y las proyectamos en los demás.

Jesús vio esta tendencia nuestra a proyectar las propias faltas en los demás cuando retó a la multitud que quería apedrear a la mujer por adulterio. Pero nadie le arrojó ninguna piedra, porque vieron que ellos tampoco estaban libres de culpa. Mirar en nuestro interior y admitir los defectos que tenemos no suele resultar fácil. Nos resulta mucho más fácil censurar a otro. Y, sin embargo, a la larga es mucho más liberador observar nuestras propias acciones con sinceridad, aceptar nuestras faltas y perdonarnos también por ellas.

**PIDE QUE TE PERDONEN.** Tal como sugieren los doce pasos de Alcohólicos Anónimos, nuestros inventarios morales quizá revelen que nos arrepentimos de algunas cosas. Parte del proceso de perdonar incluye admitir que hemos obrado mal y pedir humildemente a la otra persona que nos perdone. No podemos controlar las reacciones de los demás, pero sí podemos controlar aquello que está en nuestras manos: asumir nuestras acciones, admitir nuestras faltas, pedir a los demás que nos perdonen y perdonarnos a nosotros mismos.

---

### *El regalo del perdón*

Abagail, una mujer esbelta y atractiva, de pelo negro, que hacía poco que había cumplido los cuarenta, descubrió que había acusado falsamente a un vecino, un querido amigo de la familia, de haber abusado sexualmente de ella cuando era una adolescente. A los veinte años siguió una terapia. En una de las sesiones se sometió a hipnoterapia y recordó algunas escenas que creyó eran recuerdos del vecino abusando sexualmente de ella. Ante la insistencia del terapeuta, le contó a su familia que el señor Shuttle la había manoseado cuando ella hacía de canguro de sus hijos. Quince años más tarde, al progresar en su viaje transformador, comprendió que lo que había creído ser unos recuerdos eran en realidad unas imágenes metafóricas de su propia sexualidad de adolescente que estaba aflorando. Ahora que ya se encontraba en los cuarenta estaba convencida de que sus acusaciones habían sido falsas.

Abagail sintió un terrible remordimiento porque, a causa de sus acusaciones, la comunidad había hecho el vacío a la familia Shuttle, se había roto la amistad que ésta mantenía con sus padres y los Shuttle se habían visto obligados a mudarse a otro lugar. A Abagail le resultaba doloroso admitir su error, pero sabía que tenía que decir la verdad y pedirles perdón.

Encontró la dirección de la familia Shuttle, que seguía viviendo cerca, aunque en otra ciudad. Abagail concertó una cita con ellos y les pidió humildemente perdón. Les explicó cómo había comprendido que había cometido un error y que sentía muchísimo que su mentira les hubiera causado tanto dolor.

Para su sorpresa, el señor y la señora Shuttle la escucharon con una gran ternura. Le dijeron que el incidente había ocurrido hacía mucho tiempo, y que en aquella época era muy joven y que debía de haber sido una temporada muy dolorosa para ella.

A Abagail se le empañaron los ojos de emoción. «Su compasión me ayudó a perdonarme a mí misma. Nunca olvidaré lo valioso que fue para mí el regalo de su perdón. Creo que lo que abrió la puerta de su corazón fue la gran humildad que demostré y mi deseo de admitir que me había equivocado. El amor que recibí de ellos me cambió.»

---

**ACTÚA COMO SI FUERA A OCURRIR.** En el proceso de perdonar a alguien, a veces se da una especie de bucle. Queremos perdonar a la persona que nos ha hecho daño, pero no es un proceso emocional sino intelectual. Yo sabía que era una buena idea perdonar al que pronto se convertiría en mi ex marido, pero no sabía cómo hacerlo. Sentí que debía lanzarme al proceso y confiar en que algo iba a ocurrir.

Lyra, una educadora, asesora y enfermera, asiste a los pacientes del hospital en su proceso curativo ayudándoles a practicar el arte del perdón. «Les digo a los pacientes que empiecen el proceso de perdonar a alguien, aunque al principio no sientan el deseo de hacerlo. A menudo, decir "Te perdono_________________ por__________________________", hace que se lancen al proceso y que acaben perdonando realmente a la otra persona».

Lyra describió cómo hizo una meditación del perdón antes de ir a una reunión laboral que podía ser muy difícil para ella por un conflicto que había tenido con dos administradores. Al eliminar los problemas mentales, emocionales y espirituales que tenía con relación al conflicto, perdonar a los administradores por el incidente ocurrido y desearles que alcanzaran la paz interior y que fueran muy felices en la vida eliminó la posibilidad de que en la reunión hubiera algún conflicto, aunque no manifestara formalmente el deseo de perdonarles. «Al entrar en la sala de juntas, yo ya era una persona distinta. Estoy segura de que los dos administradores notaron que les había perdonado incluso antes de que yo abriera la boca. Pudimos comunicarnos con más facilidad y respeto que en el pasado. Creo que el que yo los perdonara allanó el camino para este cambio.»

**IMAGINA QUE UN RÍO DE AMOR TE LIMPIA.** Una poderosa forma de terminar la meditación de los pasillos en el corazón es visualizando un inconmensurable río de amor. Yo les digo a mis alumnos y a mis pacientes que imaginen que su corazón está conectado con un manantial universal de amor. Y que este río de amor fluye de una fuente universal a su corazón, y de su corazón al de la persona a la que desean perdonar. En el proceso les animo a imaginar que el río de amor se lleva los desechos de la ira, los resentimientos y las críticas, dejando sólo amor a su paso.

**CONTÉMPLALO TODO CON LA MIRADA DE LA COMPASIÓN.** Durante el proceso de perdonar a alguien, el hechizo de nuestro propio egocentrismo se desvanece y podemos ver la historia a través de los ojos de otro personaje distinto del que estábamos representando. Nuestro propio sufrimiento hace que de pronto brote la compasión de nuestro corazón. Yo presencié cómo Joan, una de mis pacientes, deshacía los nudos de autocensura y arrepentimiento que tenía en su corazón.

---

### *El dolor del arrepentimiento*

Después de haberse jubilado, Joan tenía más tiempo para reflexionar sobre su vida. Era una de mis pacientes y estaba haciendo la lista de las personas a las que debía perdonar. Una mañana me confesó que estaba avergonzada por haber manejado un asunto de forma muy insensible. Al criticarse a sí misma constantemente y recordar el error que había cometido una y otra vez, acabó sintiéndose muy mal. Me dijo:

—Casi no he tenido valor para contártelo. Me siento avergonzada.

Joan creía haber cometido un error con el patrimonio de su marido Frank. Aunque había seguido sus instrucciones invirtiendo el dinero del patrimonio en la adquisición de una propiedad, Joan se sentía culpable por no haber dado parte de ese dinero a su suegra, que ahora ya había muerto. Sentía unos terribles remordimientos por haberla tratado de una forma tan insensible.

Mientras seguíamos conversando, le dije que sus autocríticas eran una clase de castigo que se estaba infligiendo a sí misma:

—Joan, en lugar de castigarte, podrías perdonarte.

—Pero ¿cómo? —exclamó llorando. Le dije que se relajara y que mirara en su interior.

—Imagina que estás conectada con el corazón de Dios. Imagina que un río de amor fluye del corazón de Dios al tuyo.

Intenta sentir que este amor limpia todos tus remordimientos, autocríticas y censura. Que te purifica con su fuerza.

Después de haberse estado bañando durante varios minutos en el río de un amor incondicional, Joan se sintió liberada, como si se hubiera quitado un gran peso de encima: el de sus propios remordimientos.

Una de las cosas que a Joan más le preocupaban era cómo podía ser perdonada por alguien que ya había fallecido. ¿Cómo podía sentir que su suegra le perdonaba sin haberlo oído de sus labios?

—El proceso del perdón puede tener lugar aunque la persona que debe perdonarte no esté presente —le dije a Joan—. Sigue esta semana trabajando con el perdón. Haz el siguiente ejercicio: imagina que estás ante tu suegra y que el río de amor fluye entre vosotras mientras repites: «Martha me ha perdonado por completo. Me desea todo lo mejor en la vida». Siente que te perdona. Deja que el amor en el que os habéis sumergido limpie tus remordimientos.

La semana siguiente Joan me dijo que, al haberse liberado del peso de sus constantes autocríticas, su vida era muy distinta.

---

Cualquier persona que pruebe esta sencilla visualización dirigida puede obtener grandes resultados. Después de reconocer el dolor emocional, el arrepentimiento o la vergüenza que hay dentro de ti, admite que lo sientes ante otra persona en la que confíes y ante Dios. Tienes que estar dispuesto a reparar el daño que has hecho. Cierra los ojos. Deja que el río universal del amor se lleve los residuos de tus resentimientos y autocensura.

## Los retos y el progreso en el camino

Un martes por la noche, mientras daba la clase del Camino de la Sabiduría, Sylvia, una mujer de casi cincuenta años, fue la primera en hablar del ejercicio del perdón para adquirir sabiduría. Estaba sentada en el extremo más alejado del aula, el jersey azul claro que llevaba hacía resaltar sus ojos azules. «No he hecho una lista de las personas y las instituciones a las que debía perdonar, porque he pensado que esta lista me agobiaría tanto que era mejor dejarlo correr». En lugar de ello había intentado perdonar a una persona: a su marido, que la había abandonado.

«Empecé calculando la fórmula que Jesús nos dio de setenta veces siete. Si un día tiene veinticuatro horas y estoy despierta durante unas catorce horas, entonces tendré que decir "te perdono" cinco veces cada hora durante las catorce horas en las que estoy despierta, durante siete días. Aunque no lo he conseguido. Pero mientras meditaba, he pensado: "Harold, te perdono por haberme abandonado. Ahora te deseo que seas muy feliz en la vida". Antes sólo le decía en mi interior: "Te perdono, Harold, por haberme abandonado; te perdono, Harold, por haberme abandonado". Pero ahora de algún modo he cambiado, porque me digo: "Te perdono, Harold, por haberme abandonado. Deseo que los dos seamos muy felices en la vida"».

Cuando Sylvia vio a su marido a finales de aquella semana, advirtió que su trabajo con el perdón había hecho que fuera menos reactiva y que estuviera más serena. «Aunque me dijo que quería divorciarse de mí, fui capaz de escucharle, expresarle mis sentimientos y decirle también lo que quería. Antes, en cambio, me ponía a la defensiva y enseguida perdía los estribos.»

Aquella noche Sylvia se despertó llorando. Acababa de descubrir que Harold hacía mucho tiempo que la había abandonado emocionalmente, antes de decirle incluso que quería separarse de ella. «En aquel instante me di cuenta. Por eso a él le resultaba fácil divorciarse de mí.» Sylvia se dedicó a profundizar su trabajo con el perdón: «Al decir en mi interior: "Te perdono, Harold, por haberme abandonado emocionalmente. Te deseo que seas muy feliz en la vida", también estoy consiguiendo dejar de apegarme a él emocionalmente».

Le dije a Sylvia que su trabajo con el perdón estaba dando en la diana. El proceso del perdón genera descubrimientos y nuevos puntos de vista. «Me alegro mucho de que hayas seguido con el proceso de perdonarle», le dije.

Margie fue la siguiente en hablar. Su rizado pelo pelirrojo acentuaba la forma en que su tez enrojecía al revelar los detalles íntimos de su experiencia: «Yo también sentí lo mismo que Sylvia. De todos los trabajos que nos has puesto en clase, éste es el que más me ha intimidado. ¿Por qué? Sé que, al no haber trabajado con el proceso de perdonar a alguien, nunca he podido disfrutar por completo de la vida ni liberarme de los pensamientos que me limitaban. Pero ahora, al perdonarme a mí misma, siento un gran alivio. Siempre que me descubro criticándome, dejo de hacerlo y me digo: "Me perdono por creer que no valgo lo suficiente. Acepto todo lo bueno que la vida me ofrece". Estas palabras son como un bálsamo para las heridas que yo misma me inflijo. Cuanto más veo el daño que me estaba haciendo, más necesito perdonarme».

Kristin, una alumna que siempre se mostraba muy alegre, estaba ahora apagada. Sus ojos tenían una expresión sombría, como el color que refleja el mar cuando el cielo está encapotado.

«Perdonarme a mí misma es lo que más me ha costado. Cuando hicimos la meditación del pasillo del corazón, me quedé asombrada al verme a mí misma plantada en la entrada. Por primera vez he visto lo mal que uno se siente al criticarse constantemente. Mi corazón se ha abierto al ver a aquella mujer plantada en el umbral de mi corazón por temor a entrar en él. Observé cómo se encogía de miedo, intentando evitar los numerosos latigazos que le herían en el corazón y en el alma. Era la primera vez que veía el efecto que yo estaba causando en mi propia autoestima».

Kristin dijo que durante aquella semana había estado reflexionando mucho en por qué era tan dura consigo misma y que, aunque este ejercicio le hubiera costado de hacer, la había ayudado a decidir cambiar.

«No seas tan dura contigo misma», le dije a Kristin mirándole a los ojos. Ella, agradecida, asintió con la cabeza.

«Lo que más me asombró», dijo, «fue que sin darme cuenta siquiera había interiorizado la dura y crítica voz de mi madre que me decía siempre que lo hacía todo mal, y también comprendí que ella se criticaba a sí misma con la misma dureza».

«Puedes dejar de transmitir este hábito, Kristin, si lo transformas tratándote de otra forma por medio del amor y el perdón, así no les pasarás el mismo mensaje a tus hijos».

«Sí, me siento agradecida no sólo por haber logrado tratarme con más amor, sino también por transmitirles esta actitud a mis hijos».

Margie exclamó interviniendo en la conversación: «¡Oh, Dios mío, Kristin, yo también hago lo mismo! Y aunque sepa que estamos intentando cambiar este hábito, me tranquiliza saber que no soy la única. Creo que lo que más me avergüenza es esa tendencia mía a juzgarme y censurarme».

Liticia, una joven de ojos oscuros y con rizos negros al estilo de los rastafaris enmarcando su hermoso rostro, dijo sin poder contenerse más: «Yo aún tengo problemas para perdonar al padre del hijo que llevo en mi seno. Cuando creo que he conseguido hacerlo, vuelvo a juzgarlo, a dudar y a sentir miedo y rabia. Estos sentimientos son lo opuesto al perdón, ¿no crees? Lo que sobre todo deseo es limpiar mi mente de pensamientos negativos».

Mi corazón se abrió al oírla. «Comprendo lo que quieres decir, Liticia. Os recuerdo de nuevo que el proceso del perdón es un viaje lleno de percepciones y sensaciones. No creáis que estáis haciendo mal el ejercicio, lo que ocurre es que estáis experimentando parte de la transformación y la purificación que comporta el proceso de perdonar a alguien. No hay nada malo en tener sentimientos, lo único que debéis hacer es no quedar ancladas en ellos. Dejad que surjan en vuestra mente, sentidlos, y luego dejadlos ir». Nuestras miradas se encontraron, todas comprendieron lo que les estaba intentando decir.

El proceso del perdón saca a la luz muchas cosas, como las ideas que nos hacemos de los demás, aceptar a las personas tal como son, advertir nuestra inclinación a apegarnos a una ira que nos parece justificada y estar dispuestos a desprendernos de ella. Podemos concentrarnos en el dolor y el resentimiento, los cuales nos separan de los demás, o en el amor y la comprensión, que nos conectan con todo. Ahora podemos comprender por qué Jesús dijo setenta veces siete. El proceso de perdonar requiere estar dispuesto a hacerlo, tener paciencia y un montón de práctica.

Kristin fue la última en hablar. «La libertad y la liviandad que sientes al perdonar a alguien son regalos maravillosos. Ahora tengo la cabeza clara y estoy más relajada. Tengo toneladas de energía. Me doy cuenta de que a menudo no hay nada que perdonar. La gente es como es, tiene sus defectos y sus virtudes».

---

### *La historia de Janet*

Eran ya las siete de la tarde y la reverenda Janet seguía trabajando ante su escritorio en la pequeña iglesia de Napa. Estaba absorta planeando el oficio religioso del domingo y organizando la semana siguiente. Pero de pronto se quedó asombrada cuando la puerta de su despacho pintado de color malva claro que daba a la calle se abrió de par en par: un hombre corpulento estaba plantado ante ella jadeando trabajosamente.

—¡Necesito hablar con alguien ahora mismo!

La reverenda Janet se puso en pie y antes de darse cuenta de lo que estaba haciendo, le soltó al desconocido:

—Dé la vuelta y entre por la entrada principal, le abriré la puerta.

—No quería asustarla —dijo el desconocido mientras salía del despacho y volvía a la oscura calle para entrar por la puerta principal.

La reverenda Janet buscó la llave de la entrada apresuradamente, las manos le temblaban y el cuerpo se le llenó de adrenalina. Al recordar las palabras del desconocido «No quería asustarla», se sintió lo bastante segura como para abrirle la puerta.

—He de decírselo a alguien para librarme de la sensación de culpabilidad que tengo. Hace algunos meses le robé el monedero a una mujer en esta iglesia.

Janet recordó de pronto lo molesto que había sido tener

que llamar a las compañías de tarjetas de crédito para que cancelaran las tarjetas robadas.

—Ese monedero era mío y tiene suerte de que lo fuera, porque desde que descubrí que me lo habían quitado he estado rezando por usted cada día. He estado rezando para que se conociera a sí mismo y se amara tanto como Dios le ama. Para que tuviera la suficiente dignidad como para no coger algo que no era suyo.

Mientras la reverenda Janet seguía hablando con el desconocido, dándole consejos espirituales que fluían de ella como un poderoso río, presenció cómo los dos se sumergían en el curativo proceso del perdón. Los ojos del desconocido se suavizaron. Su cuerpo se relajó. La dura expresión de su rostro se volvió más porosa, como una cortina tejida con puntos anchos que dejara pasar la luz del alba.

Y entonces Janet descubrió algo asombroso: en realidad, a quien estaba perdonando no era al desconocido que le había quitado el monedero, sino a sí misma por todas las cosas que había hecho y que se había recriminado. Sintió que el río del amor de Dios la envolvía y la limpiaba de todas las críticas que se había hecho.

Al principio, al oír a aquel desconocido llamando a su puerta se asustó, pero ahora su fe había aumentado. Sabía que la mano de Dios la estaba protegiendo y manteniendo a salvo. «Al perdonar a aquel desconocido, me perdoné a mí misma», dijo ella al hablar de la experiencia.

---

Aceptar la invitación de perdonar a alguien te permitirá liberarte de tus pensamientos negativos al generar percepciones, sentimientos y cambios de actitud muy positivos. Recuerda sobre todo que cuando perdonas a alguien te liberas. Tal como Catherine Ponder escribe: «Perdonar a alguien es un agradable acto interior que te permite "abandonar" las emociones negativas y eliminar todo aquello que te impide sentirte bien».

## Unos Sabios Pasos

**VISUALIZA A ALGUIEN CAMINANDO POR LOS PASILLOS DE TU CORAZÓN.** Una forma sencilla y eficaz de descubrir quién necesita que lo perdones es mirar dentro de ti y dejar que tu sabiduría interior te guíe. Puedes grabar estas instrucciones para escucharlas o, si lo prefieres, leerlas en silencio.

- Cierra los ojos, concéntrate en tu interior y respira profundamente varias veces.
- Imagina que en tu corazón hay pasillos por los que pasan las personas que hay en tu vida.
- Deja que aparezcan en la entrada de tu corazón las personas que quieran estar en él. Confía en el proceso. Las que aparecen ante él son las que tu sabiduría interior quiere ver.
- Invita a las que están esperando en el umbral de tu corazón a entrar en él. Fíjate en las que entran sin sentirse seguras ni rodeadas de amor y aceptación.
- Fíjate también en los conocidos a los que les da miedo entrar en tu corazón porque temen convertirse en víctimas de tu censura y tus críticas.
- Cuando estés listo, vuelve al momento presente y abre poco a poco los ojos.

- Esta visualización te muestra los lugares de tu corazón en los que albergas resentimiento, donde juzgas y censuras a los demás. Al perdonar, liberas ese espacio de tu corazón para poder llenarlo de amor.

**HAZ UNA LISTA DE LAS PERSONAS A LAS QUE DESEAS PERDONAR Y ELIGE UNA PARA TRABAJAR CON ELLA.** Para empezar a trabajar con el perdón, escribe una lista de las personas de tu vida a las que deseas perdonar y las circunstancias que hicieron que les guardaras rencor. Las personas que has descubierto que temen entrar en los pasillos de tu corazón son unas buenas candidatas para figurar en la lista. Date un tiempo para afrontar los sentimientos que esta persona a la que decides perdonar te ha producido y las circunstancias que crearon tu problema con ella.

**DEDICA QUINCE O TREINTA MINUTOS AL DÍA A PERDONAR A ALGUIEN.** Durante una o dos semanas concéntrate en perdonar a los demás y en perdonarte a ti mismo. Elige a una persona de tu lista e imagina que está frente a ti. Imagina un río de amor que fluye de tu corazón al suyo. Dile a esa persona: «Te perdono por completo por haber______________________. Y te deseo todo lo mejor en la vida. Dejo de guardarte rencor y de culparte. Y también me desprendo de mis críticas, censura y recriminaciones. Te perdono por completo». Sigue haciéndolo hasta que sientas que tus palabras no se contradicen con tus pensamientos. Cuando estés listo, elige a otra persona de la lista.

# 5

## EL JUDAÍSMO: *resérvate un tiempo para el día de descanso*

*Cuando te abstengas de pisotear el sábado*
*y de ocuparte en tus negocios en mi día santo,*
*y llames al sábado delicioso,*
*y venerable al día (santo) de Yavé,*
*y le honres no haciendo tus viajes,*
*ni arreglando tu negocio ni hablando de él,*
*entonces te gozarás en Yavé,*
*y te haré remontar sobre las alturas de la tierra.*

ISAÍAS 58, 13-14

Las repercusiones del divorcio me hicieron reflexionar sobre mi familia. La calidez y el amor que se respiraba en la casa de mi abuela contrastaba profundamente con el ambiente del hogar que yo acababa de abandonar. Después de valorar muy poco el judaísmo, la tradición espiritual en la que yo había crecido cobró vida en mí al recordar a mi abuela Esther y el ritual de encender las velas del viernes por la tarde.

Era una mujer robusta que apenas medía metro cincuenta de altura, con el pelo plateado y unos ojos oscuros de color avellana. Durante los veranos yo visitaba a mi abuela en Long Beach (Nueva York). El viernes significaba hacer limpieza: limpiar el cuarto de baño, pasar la aspiradora por la casa y limpiar la araña del techo con vinagre y agua hasta que brillaba tanto que se reflejaba en la mesa de madera recién pulida que había debajo. Yo no le daba importancia a aquel ritual, en cambio a mi abuela le apasionaba.

Después de pasarse la mayor parte del día limpiando y cocinando, al ponerse el sol mi abuela me llamaba para que la ayudara a encender las velas del *sabbat.* Era su forma de celebrarlo mientras otros judíos iban a la sinagoga para asistir a la celebración religiosa. En aquella época yo sólo tenía ocho años, pero sabía que ese gesto era todo un honor sagrado. Al estirar el brazo para encender la última vela, mi abuela me acompañaba la mano con la suya para que las encendiéramos juntas. Las llamas amarillas parpadeaban reflejándose en sus ojos. En esos momentos del crepúsculo del sabbat, mi abuela, con la cabeza cubierta con un gorrito de puntilla en forma de tapete, pronunciaba unas pocas palabras en hebreo. Pero lo que más recuerdo de ese sagrado momento es el silencio, el dulce silencio de la presencia de Dios que se respiraba alrededor de las velas del sabbat.

Poco después de encender las velas oía el ruido de la cerradura de la puerta de la entrada. Era mi abuelo que volvía de la sinagoga con mis tíos, mis tías y mis primos. En el diminuto vestíbulo del apartamento situado junto al mar, nos abrazábamos los unos a los otros. Los ecos de «*Shabbat shalom*», «*Shabbat shalom*» (La paz sea contigo en el sabbat) se oían por encima del sonido de los besos en las mejillas. Entonces mi abuela nos llamaba para que fuéramos a cenar. Por el camino yo aspiraba el aroma del pollo, el arroz y las judías, y el ligero olor a amoníaco, el producto con el que había limpiado la casa.

Mi abuelo se quedaba de pie ante la mesa, junto a mi abuela, que sostenía una jofaina con agua caliente y un paño blanco sobre el brazo, y entonces se lavaba las manos antes de bendecir el vino y el *challah*, el pan dorado tradicional trenzado que sólo unas horas antes había visto a mi abuela meter en el horno. Los ojos marrón oscuro de mi abuelo sonreían. Su calva cabeza brillaba bajo la reluciente araña. Después levantaba su copa para brindar con el vino y el resto de la familia lo imitábamos, mientras contemplábamos el banquete sefardí compuesto de una deliciosa comida: calabacines rellenos, tomates, pepinos, arroz, judías, ensalada, pollo y remolacha de un intenso color violeta en aceite, vinagre y ajo.

«En este sabbat me gustaría decir una oración», decía mi abuelo mientras levantaba la copa de vino para hacer el brindis. ¡Que la familia esté siempre unida!» Todo el mundo esperaba también el brindis de mi abuela, ella lo pronunciaba en ladino, el dialecto que hablaban los judíos de España. «¡Salud, amor, dinero y tiempo para gozarlos!» era su frase favorita para la ocasión. Mi abuelo entrechocaba entonces su copa con la de mi abuela. «*L'Chaim*», repetíamos todos entrechocando también las copas. «*L'Chaim*», «*L'Chaim*» (¡Por la vida!).

De adulta no empecé a celebrar el sabbat hasta que recordé cómo mi abuela me enseñó a encender las velas para celebrar ese día. Pero ahora lo celebro cada semana, esta cálida práctica me lleva a mi hogar.

Aunque tu trabajo te guste, te aconsejo que te reserves un tiempo para descansar, renovarte, estar con los amigos y la familia y apreciar las cosas buenas que te ofrece la vida y la conexión que mantienes con Dios. Ésta es la sabiduría del día de descanso. El gozoso sabbat te permite disfrutar más de la vida y sentirte más cerca de Dios, lo cual te lleva no sólo a la satisfacción del alma, sino a alcanzar los objetivos que te has marcado. Si aprendes a sentirte satisfecho sin necesidad de estar ocupado, encontrando la forma de celebrar las relaciones que mantienes con los demás y de contemplar tu vida espiritual, te sentirás contento. Aquello que encuentras al reservarte con regularidad un tiempo para entrar en contacto con Dios es tan valioso que hace que tu vida sea de la mejor calidad, como si cabalgaras por «las alturas de la tierra».

El judaísmo se originó en Jerusalén (conocido también como Palestina) y en Oriente Próximo (hacia el 1800 a. C.). A Abraham, Isaac y Jacob se les atribuye haber fundado lo que actualmente se conoce como el judaísmo, aunque las palabras «judío» y «judaísmo» sólo se utilizaron tres siglos después del tiempo en que vivieron. Se les considera los antepasados físicos y espirituales del judaísmo y sus descendientes se conocen como judíos. El judaísmo es la más antigua de las principales religiones monoteístas. El cristianismo y el islamismo se desarrollaron del judaísmo.

## Los principios esenciales: el judaísmo

**LA NATURALEZA DE LA DEIDAD.** Los judíos creen en un único Dios eterno, creador del cielo y de la tierra, omnipotente, omnisciente y omnipresente. Aunque la Biblia hable de Dios aplicándole el género masculino, la naturaleza de la deidad trasciende el género masculino y femenino. En realidad, se considera que cualquier nombre limita lo infinito, ya que no puede hablarse de ello por medio de descripciones finitas.

LA RELACIÓN PERSONAL CON LA DEIDAD. Cada individuo puede mantener una relación íntima y personal con Dios. Los judíos creen haber hecho una alianza especial, o un pacto sagrado, con Dios que procede de los acuerdos a los que Dios llegó con Abraham. Según la Biblia, Dios prometió bendecir y proteger a los descendientes de Abraham, el pueblo judío, si le veneraban y le eran fieles. Dios renovó este pacto con Isaac, hijo de Abraham, y con Jacob, hijo de Isaac, llamado también Israel. Por esta razón, los descendientes de Jacob se llaman israelitas. Dios los llamó «el pueblo elegido». Significa que asumieron unas responsabilidades especiales como, por ejemplo, construir una sociedad justa y equitativa, y servir sólo a Dios. Los judíos creen que Dios les enviará un Mesías, «el ungido», para salvarlos. Muchos de ellos creen que el Mesías se manifestará como un gobernante justo que los unirá y los conducirá de la forma que lo hace Dios. Otros lo interpretan como una época mesiánica, un tiempo en el que los judíos serán guiados por Dios para que vivan juntos cooperando los unos con los otros en paz y justicia.

EL CULTO. Los judíos celebran el culto en las sinagogas, llamadas también templos. A los líderes y maestros religiosos se les da el nombre de «rabinos». Un cantor es el que canta o interpreta los cánticos de las ceremonias religiosas y también puede dirigir un coro. Las oraciones se dirigen directamente a Dios sin ningún intermediario; la oración comunitaria es la base de la práctica judía. Llevar una buena vida con la familia, los amigos y los vecinos es otra forma de practicar la religión.

LAS CREENCIAS ÉTICAS. El judaísmo enseña que los creyentes sirven a Dios estudiando las Sagradas Escrituras y viviendo de acuerdo con las prácticas rituales y las leyes éticas que se enseñan en la Biblia. Dios dio a los israelitas los Diez Mandamientos y otras leyes a través de Moisés, considerado el profeta más importante, para mostrar a los judíos cómo llevar una buena vida y agruparse en una comunidad.

LOS DIEZ MANDAMIENTOS

1. Yo soy el Señor, tu Dios. No tendrás otros dioses delante de ti.
2. No harás para ti escultura, ni semejanza alguna de lo que está arriba en el cielo, ni de lo que está abajo en la tierra, ni de lo que está en las aguas debajo de la tierra...
3. No pronunciarás el nombre del Señor, tu Dios, en vano.
4. Acuérdate del día del sábado para santificarlo.
5. Honrarás a tu padre y a tu madre.
6. No matarás.
7. No cometerás adulterio.
8. No robarás.
9. No prestarás falso testimonio contra tu prójimo.
10. No codiciarás la casa de tu prójimo, ni su mujer, ni su siervo, ni su sierva, ni su asno, ni cosa alguna que sea de tu prójimo.

**EL ALMA Y LAS CREENCIAS SOBRE LA MUERTE.** Los cuatro movimientos del judaísmo —ortodoxo, conservador, reformista y humanista secular— disienten ligeramente en este tema. Pero todos creen en la inmortalidad del alma, que regresa a Dios, o al universo, después de la muerte. La inmortalidad también está presente cuando mantenemos vivo en nuestro corazón el recuerdo de un ser querido que ha fallecido. Algunos judíos aceptan la creencia de que existe una vida física en el Más Allá y, en cambio, otros la rechazan.

## ¿Qué es el sabbat?

El sabbat es un periodo de veinticuatro horas en el que uno descansa, reflexiona y conecta con Dios una vez a la semana. Es una de las observancias judías más conocidas. Celebrar el sabbat nos ayuda a recordar la importancia de reservar un tiempo para restablecernos, renovarnos y descansar de la rutina diaria del trabajo. *Sabbat* significa en hebreo «cesar» o «descansar». El fuerte aspecto espiritual asociado al sabbat satisface nuestro anhelo de Dios. Tal como los salmistas escriben de forma encantadora: «Como busca la cierva corrientes de agua, así mi alma te busca a ti, Dios mío». El sabbat se convierte en un tiempo para la reflexión espiritual y el contacto con Dios. Al dejar de trabajar, se abre un gran espacio en nuestro interior. Libres de las ajetreadas e interminables listas de cosas que tenemos que hacer, somos conscientes de los sencillos y valiosos momentos que pasamos por alto cuando vivimos demasiado deprisa. Al dejar de trabajar, entramos en otro nivel de conciencia que advierte, por ejemplo, los dibujos de corazoncitos y arco iris de nuestro hijo de cinco años que cuelgan de la nevera o cómo nuestra pareja nos ha sorprendido yendo a recoger la ropa a la tintorería en una semana muy ocupada.

En el judaísmo se cree que durante el sabbat recibimos un alma extra, *neshemah yeterah.* Este alma del sabbat nos permite tener una perspectiva más amplia de nuestra vida. El sabbat refleja la historia del Génesis. Dios creó el cielo y la tierra y al séptimo día descansó y apreció su creación. El alma del sabbat nos da la oportunidad de agradecer y apreciar las maravillas que hay en nuestra vida. Semejante actividad nos llena de una profunda satisfacción por la bondad de la creación de Dios en nuestra vida.

La práctica del sabbat y el regalo del alma extra de este día sagrado nos permiten ser conscientes de la milagrosa magnificencia de la propia vida. Cuando nos tomamos el tiempo para detenernos, apreciamos este regalo divino en las actividades cotidianas: al encender las velas, al compartir con los seres queridos la comida del sabbat, al contemplar la belleza de los cirros en medio de un cielo de color azul lavanda cuando salimos a pasear en ese día, al abrazarnos nuestro amante. El sabbat nos permite ver los regalos que nos ofrece la vida en todas partes. El rabino Abraham Heschel dijo con un gran acierto: «La misma existencia es una bendición, la propia vida es un acto sagrado».

El sabbat es también un tiempo para disfrutar. La cena tradicional del viernes por la noche con los amigos y la familia anima a los presentes a disfrutar de los placeres de las relaciones con los demás y de la deliciosa comida. El sabbat también nos permite gozar de nuestras actividades preferidas: pasear por el campo, hacer el amor, disfrutar de las comidas o encender las velas.

## El inicio del sabbat

El sabbat entra en los hogares judíos como un invitado de honor, como una novia, como una reverenciada reina. Los místicos medievales decían: «Ven, amada, al encuentro de la novia. Demos la bienvenida al rostro del sabbat». Son las primeras estrofas del poema titulado *Lekhah Dodi,* que los cabalistas de Safed cantaban mientras se reunían en un campo antes del anochecer para encontrarse con la novia del sabbat. Esta canción la siguen cantando hoy día en sus casas cada semana los judíos de todas partes del mundo. Siguiendo en la misma línea, Abraham Heschel, un rabino del siglo XX, exclamó: «El sabbat es una novia y su celebración es como una boda».

El sabbat judío tradicional empieza el viernes por la noche, cuando se pone el sol, y termina el sábado por la noche, a la misma hora. Los que trabajan fuera de casa comienzan a prepararse a las tres o a las cuatro de la tarde para poder volver a casa, darse una ducha y estar listos para empezar el ritual del viernes por la noche. En el judaísmo el hogar es tan importante como la misma sinagoga, es el lugar donde la espiritualidad se vive y transmite a las generaciones futuras. En el hogar, los miembros de la familia u otras personas designadas para ello limpian la casa y ponen la mesa cubriéndola con el mejor mantel de lino y la mejor vajilla de porcelana que tienen. Todos los miembros de la familia se engalanan para compartir la festiva cena del sabbat con la familia y los amigos. Al anochecer o poco después, empiezan el sabbat con una bendición y encendiendo las velas. Éstas iluminan literalmente la casa y crean una tangible demarcación entre la semana laboral y el día dedicado al culto divino. Este ritual marca el inicio oficial del sabbat. La familia se dirige entonces a la sinagoga para celebrar un breve oficio religioso y luego vuelve a casa para disfrutar de la cena.

Antes de cenar, se bendice el vino con una oración *(kiddush)*, santificando el sabbat. Y antes de comer, se bendice también un pan especial preparado para ese día —dos barras de *challah*, un pan dulce trenzado hecho con huevos—, se celebra el ritual de lavarse las manos y se recita otra oración *(motzi)*. Muchas familias toman una copa de vino especial llena hasta el borde que representa la dicha y abundantes bendiciones. La oración que se recita para bendecir el vino guarda relación con la historia de la creación y con la liberación del pueblo judío de la esclavitud, que son los temas importantes del sabbat. Las dos barras de pan especial llamado challah recuerdan el maná que Dios les envió del cielo durante los cuarenta días en los que los judíos anduvieron por el desierto. Antes de que la familia y los invitados disfruten de la cena del sabbat, que está para chuparse los dedos, los niños también reciben una bendición especial.

Después de cenar, la familia y los invitados se pasan el resto de la noche rezando, conversando y estudiando la Torá, o haciendo otras actividades relajantes, que para muchas familias no incluye mirar la televisión ni usar el ordenador.

**UN SANTUARIO EN EL TIEMPO.** El sabbat se convirtió en una cuerda de salvamento para los judíos exiliados cuando en el año 70 las tropas romanas que invadieron Jerusalén destruyeron el templo. Mientras los judíos estaban en el exilio, el sabbat les sirvió a modo de templo, aunque anduvieran por el desierto. Al llegar el sábado los judíos se detenían y rendían culto en ese día sagrado. El santuario no era un templo físico, sino un santuario en el tiempo, como el rabino Abraham Heschel lo describe. El ritual del sabbat acompañaba a los judíos en medio de las adversidades y se convirtió en un oasis en medio de la sequía del exilio y de los imprevisibles retos de la vida.

Para los que aplicamos la sabiduría del sabbat en nuestra vida moderna, esta observancia crea un santuario en el tiempo, como les ocurría a los judíos de la antigüedad. Pasar nuestros días trabajando sin cesar puede exiliarnos de nosotros mismos, de los amigos, de la familia y de Dios. Quizá sigamos esperando que un día lleguemos a alcanzar el equilibrio interior, pero ese momento nunca llega, y mientras tanto nos encontramos con un montón de cosas por hacer. Era lo que le pasaba a mi prima Fran, hasta que ella y su familia empezaron a practicar el sabbat.

---

### *La acogedora atmósfera del sabbat*

Durante muchos años mi prima Fran vivió exiliada del judaísmo, pero reclamaba su herencia judía estudiando de lleno las enseñanzas formales. Transformó su descontento por no haber recibido una educación judía en su infancia en la persecución activa de su herencia judía. Asistía a un templo en Minneapolis, el lugar donde ella vivía, y se inscribió en la escuela hebrea con otras mujeres adultas que se estaban preparando para el *bat mitzvah*, un rito de pasaje para las niñas que normalmente se realiza a los trece años. A través de sus estudios aprendió el significado de las tradiciones judías, como el sabbat, que ahora observaba con regularidad con su familia.

Cuando le pregunté por qué lo hacía, me respondió: «Lo hago sobre todo para saber más cosas y participar en el viaje del judaísmo de mi infancia. También recuerdo que la abuela no participaba en las ceremonias religiosas, pero desempeñaba en el fondo un papel importante. Quiero labrarme una nueva dirección como mujer, dar un nuevo rumbo a mi vida, tener voz y ser más visible en el templo».

Fran y Bernie, como muchas otras parejas que viven en las afueras, trabajan fuera de casa y acompañan con el coche a sus hijos a las actividades extraescolares, como el fútbol, los ensayos para las obras de teatro del colegio y las clases de tenis. Fran es una mujer delgada de pelo negro que ya ha cumplido los cuarenta, y Bernie, un hombre alto y en buena forma, de pelo entrecano y ojos azules. Por su trabajo de terapeutas, sus vidas siempre han estado muy llenas y ocupadas, ya que han tenido que hacer malabarismos para criar a sus hijos, progresar en la práctica privada de su profesión y crecer espiritualmente.

Aunque desearan mucho tener tiempo para meditar, relajarse y disfrutar de los frutos de su trabajo, estos objetivos parecían escurrirse de sus manos año tras año. Al tardar una hora en desplazarse para ir al trabajo, tener una jornada de cuarenta horas semanales, y tener que ocuparse de dos consultas privadas y de la casa, apenas les quedaba tiempo para bajar el ritmo y disfrutar de tranquilidad.

Cuando Fran empezó a estudiar el judaísmo, se comprometió a celebrar el sabbat con su familia. Cada viernes por la noche todos hacían un hueco en su agenda para disfrutar de la cena del sabbat, y éste se convirtió en un faro en medio de un mar de actividad.

El viernes por la noche se convirtió en un tiempo para intercambiar ideas en el que todos, como parte de la familia, bajaban el ritmo y reflexionaban juntos sobre la semana. Al tener Fran una agenda muy apretada y muchas obligaciones diarias, las cenas del sabbat ya no tenían por qué ser tan aparatosas como las de las generaciones anteriores. Las galletitas saladas para celíacos podían reemplazar al challah, y el mosto podía sustituir al vino. Mientras yo conversaba con Fran, ella estuvo recordando el año anterior: «Bernie lloró la muerte de su madre. Yo tuve una larga gripe. Jeremiah cumplió diez años y Jessica empezó a prepararse para el *bat mitzvah*. Y a pesar de todos estos contratiempos y actividad, seguimos reuniéndonos los viernes por la noche para celebrar la cena del sabbat. Algunas veces nos sentimos muy cerca los unos de los otros, y otras, en cambio, estamos más refunfuñones. Pero nos reunimos cada semana. La regularidad del sabbat es muy reconfortante.

---

## El día del sabbat

Las actividades tradicionales judías del sabbat pueden consistir en ir el sábado al oficio religioso de la sinagoga, que empieza alrededor de las nueve de la mañana y termina al mediodía. Después la familia vuelve a recitar el *kiddush*, la oración para bendecir el vino que se pronuncia al levantar las copas, y disfruta de otra comida festiva. Por la tarde, uno sale a pasear o se dedica a charlar con la familia, jugar a las damas, cantar canciones, estar en contacto con la naturaleza, meditar, rezar u otra clase de actividad relajante. Las siestas son muy habituales en el sabbat. También hay la tradición de compartir una tercera comida antes de finalizar el sabbat, que suele consistir en una cena ligera a última hora de la tarde.

**LA LIBERTAD POR MEDIO DE LAS RESTRICCIONES.** La lista de actividades que no pueden hacerse en el sabbat les sirve de guía a los que observan el ritual. No se puede llevar dinero encima, hablar por teléfono, tejer, coser, escribir, conducir, cocinar, limpiar, ni hacer ninguna otra clase de trabajo. Pero es importante observar que estas aparentes restricciones están concebidas para darnos libertad. Estas reglas son para crear un espacio que nos permita saborear la vida. Evitar trabajar se convierte en una disciplina espiritual. El sabbat, visto desde la perspectiva de las prohibiciones, puede parecer muy limitador, pero es todo lo contrario, ya que al liberarnos de nuestro trabajo habitual, nos permite experimentar una libertad interior de la que no siempre gozamos. Nos recuerda que somos libres de hacer otras cosas que no sea trabajar. Para los judíos recordar este hecho está relacionado con la historia de su esclavitud en Egipto, y el sabbat es para ellos un símbolo de libertad. Y sin embargo en un sentido más amplio, el sabbat nos libera de las responsabilidades diarias, fechas límite, obligaciones, acreedores y las listas de cosas que tenemos por hacer, y nos recuerda que no somos esclavos de ninguna de estas actividades, ni siquiera de nuestro propio deseo de triunfar en la vida.

---

### *Sin atender el teléfono*

En un documental de la BBC que les mostré a mis alumnos, titulado *The Long Search*, Ronald Eyres, el narrador, entrevista a un rabino que finge estar celebrando el sabbat, aunque en realidad fuera un martes, ya que no pueden entrevistarlo en esta fiesta porque entonces estaría, como rabino, trabajando, lo cual está prohibido en el sabbat. El narrador le preguntaba al rabino si le importaría no atender una llamada telefónica en el sabbat. El rabino le respondió: «No, el sabbat me recuerda que soy libre. A veces nos volvemos esclavos del teléfono y respondemos a las llamadas como por un reflejo condicionado. El teléfono suena y nosotros lo cogemos automáticamente. Incluso mientras estamos conversando con un miembro de la familia, si alguien nos llama, al ponernos al teléfono podemos descubrir que no es más que un *nudnik* (un pelmazo o un pesado) al que ni siquiera conocemos y que intenta vendernos algo que no necesitamos. En el sabbat me alegro de desconectar el teléfono y liberarme del hipnótico influjo del mundo terrenal. El sabbat nos recuerda que somos libres y que no tenemos por qué responder a cada llamada del mundo exterior».

---

**EL EQUILIBRIO ENTRE EL TRABAJO Y EL DESCANSO.** Para mí y para muchos de mis alumnos, lo más conmovedor del sabbat es que nos ayuda a equilibrar el trabajo con el descanso. En el mar existe el flujo y el reflujo. El sol sale y se pone. Las fases de la luna crecen y decrecen. Las estaciones giran en primavera y verano alrededor de los ciclos del renacimiento y la floración, y en otoño e invierno, en torno a la hibernación y la inactividad. Al celebrar el sabbat, se da un equilibrio natural entre el trabajo y el descanso que puede perderse en nuestra cultura. A diferencia de los ritmos naturales de descanso de los ciclos de la naturaleza, la cultura contemporánea refleja un mundo que valora la productividad a toda máquina. Vivimos en una cultura que fomenta el trabajo continuo: desde las tiendas y los supermercados que están abiertos las veinticuatro horas del día, hasta los mensajes, los faxes y los e-mails que podemos mandar a cualquier hora del día o de la noche. Tal vez nos preguntemos: «¿Por qué tenemos que equilibrar estas actividades? Si trabajamos cinco días a la semana de forma productiva y rentable, ¿por qué no trabajar dos días más para aumentar la productividad y los beneficios?»

Del mismo modo que si cultivamos la tierra año tras año ésta acaba agotándose, si nosotros trabajamos en exceso, nuestra energía también se agota. A mis alumnos les puse un ejercicio en el que les preguntaba cómo sabían cuándo habían perdido el equilibrio interior. Las respuestas no se hicieron esperar:

«Estoy irritable con mi pareja», «Veo mi vida con pesimismo», «Dejo de hacer ejercicio», «Me siento abrumado». En cambio, al preguntarles: «¿Cómo sabéis cuándo gozáis de equilibrio interior?», advertí que me contaban unas experiencias mucho más positivas: «Siento como si todo mi cuerpo estuviera cantando», «Mi vida me encanta», «Me siento lleno de energía», «Sé cuál es mi objetivo en la vida». Al igual que la tierra, cuando nos permitimos estar en barbecho y nos tomamos nuestro día de descanso, les damos a la mente, al cuerpo y al alma una oportunidad para restablecerse. Cuando estamos en equilibrio, nuestra alma canta.

---

### *Dándote permiso para detenerte*

En un retiro que dirigí en la Casa de María, en Santa Barbara, presenté el sabbat como una práctica espiritual esencial. Los asistentes, que se estaban formando como pastores, eran cincuenta hombres y mujeres afroamericanos, caucásicos y asiáticos, la mayoría de ellos entre los cuarenta y los cincuenta años. Los pastores, al igual que cualquier otro profesional al servicio de los demás, también pierden el equilibrio interior, ya que al pasar tanto tiempo ayudando al prójimo pueden olvidarse de sí mismos. Esto les ocurre a personas de todas las profesiones y condiciones sociales. Incluso les pasa a las que no trabajan, pero que acaban agotándose al hacer un montón de actividades.

Un viernes por la noche, durante el retiro, les presenté el sabbat mostrándoles el candelabro de plata de mi abuela y compartiendo con ellos los recuerdos de mi niñez en relación con el sabbat. Les dije que al celebrar esta fiesta, gozaba cada semana de un mayor equilibrio y plenitud interior. Nos sentamos en círculo alrededor de un altar cubierto con un mantel blanco de encaje, iluminado con unas treinta velas votivas. El altar estaba lleno de orquídeas magenta y lirios blancos en forma de estrella, y en medio se alzaba el candelabro de plata de mi abuela.

Le pedí a un miembro de cada uno de los cuatro grupos que se habían formado que se acercaran al altar, encendieran una vela y dijeran una cualidad que les gustara experimentar en el sabbat. Uno a uno se fueron acercando al altar, encendieron las velas y dijeron en voz alta las cualidades: belleza, paz, amor, alegría. Les dije a los grupos que aquel fin de semana celebraríamos el sabbat y les animé a descansar, relajarse, estar en comunión con Dios y evitar trabajar y estudiar. Un alumno me preguntó levantando la mano: «¿Me está pidiendo que no haga nada?» La clase se echó a reír. «Exactamente», le respondí, «y además que, de paso, disfrutes».

A la mañana siguiente en el desayuno advertí que Jamal, un estudiante afroamericano con pelo blanco combinado con un bigote entrecano y una barbita de chivo, y un diente de delante ribeteado de oro que destacaba en su blanca dentadura, me sonrió de oreja a oreja al pasar yo por su lado. «¿Cómo te va, Jamal?», le pregunté. «¡De maravillas!» exclamó sonriendo, entrelazando los dedos detrás de la cabeza. «¡Tengo permiso para no hacer nada!» Y no era el único que estaba de tan buen humor. Mientras desayunaban, todos los alumnos charlaron animadamente unos con otros, riendo y disfrutando de aquel rato. En la sala, reinaba una atmósfera relajada. Muchos alumnos dijeron que hacía años que no se sentían tan libres. El sabbat les estaba permitiendo descansar del ajetreo de sus vidas y ser simplemente ellos mismos.

Al reunirnos de nuevo después de la tarde del sabbat, los alumnos volvieron a formar pequeños grupos y compartieron entre ellos lo que más les había gustado del día santo. Después un representante de cada grupo se dirigió al centro del aula, cerca del altar cubierto de velas y flores frescas, para expresar qué es lo que más le había gustado de la celebración a su grupo. Marianne, una bella asiática de cuerpo menudo nacida en Estados Unidos, se acercó con pasos ligeros al altar y dijo: «Nuestro grupo lo ha resumido en una palabra: ¡la siesta!» Todo el mundo se echó a reír mientras ella volvía a su asiento.

Cheryl, una ágil afroamericana que se movía como una bailarina, con el pelo de color miel trenzado al estilo de los rastafaris, dijo que lo que le había encantado había sido poder hacer cada momento lo que le apetecía: «Es sorprendente que viva con cada minuto contado y programado. ¡Disfrutar de tiempo libre es maravilloso!»

Leonard, que había subido a pie las montañas de Santa Barbara, dijo: «Me ha encantado mover el esqueleto. Me lo he pasado fenomenal contemplando el bosque de árboles y pinos y la preciosa vista del océano extendiéndose a mis pies, pero me sorprendí al ver que aún me seguía preocupando por mi trabajo de clase. Tuve que ser muy duro conmigo mismo para no dejar que esta clase de pensamientos me vinieran a la cabeza».

Al final del retiro les di a los asistentes un último trabajo: hacer una actividad que expresara los placeres del sabbat. Karina, una alumna que vestía siempre con gran elegancia y que iba maquillada, me envió un e-mail el domingo por la noche después del retiro.

«Al terminar el retiro, me fui directa a un *spa*. Cuando me metí en el *jacuzzi* lleno de agua caliente, me relajé profundamente.

Me sentí cerca de mí misma, cerca de Dios. Estar rodeada de agua caliente me recordó el cálido apoyo de mis amigas, mi familia y de Dios. Al celebrar el sabbat me estaba apoyando a mí misma. Después de tomar una larga ducha con agua caliente y de estar un rato envuelta en toallas, estaba preparada para vestirme. De camino a casa, no dejé de pensar que había sido el trabajo de clase más maravilloso que un profesor me había puesto.»

---

**EL FINAL DEL SABBAT.** El ritual que marca el final del sabbat se llama *havdalah* (significa «división»). Se realiza después del atardecer, el sábado por la noche, cuando en el cielo se pueden ver tres estrellas. Normalmente se celebra al cabo de cuarenta y cinco minutos o de una hora de ponerse el sol, con lo que el sabbat se transforma en un día de veinticinco horas tan delicioso que nadie quiere que se acabe. Es el momento en el que la familia se reúne para compartir las experiencias positivas que les esperan la próxima semana.

En el havdalah nos desprendemos del alma del sabbat y deseamos que la dulzura y la santidad del día permanezcan con nosotros durante la nueva semana. Tomamos una copa de vino, aspiramos el aroma de una caja llena de especias, encendemos la vela trenzada del havdalah y cantamos o recitamos oraciones de bendición. Estas oraciones hablan de los polos opuestos de lo sagrado y lo cotidiano, de la luz y la oscuridad, del séptimo día de descanso y de los seis días laborales. La vela trenzada del havdalah simboliza estas divisiones. A continuación bendecimos el vino con una oración, un símbolo de alegría, para santificar el momento, y aspiramos el aroma de las especies para llevar el dulce aroma del sabbat a la nueva semana que nos espera y ocuparnos de nuestras responsabilidades con calma. Y luego nos contemplamos las uñas con las palmas hacia arriba y las manos ligeramente cerradas en un puño. La llama de la vela proyecta unas sombras en los dedos y hace que la luz se distinga de la oscuridad.

Muchas comunidades judías alargan el final del sabbat hasta la noche con una celebración especial, el *Melaveh Malkah,* que significa «acompañando a la reina del sabbat». El final del sabbat, que se imagina simbólicamente como una reina (y una novia), se despide con oraciones de bendición, canciones y una deliciosa comida.

---

### *Apagando la llama*

Joshua, un atractivo hombre de cincuenta y pocos años, de constitución atlética que llevaba una vida muy sana, me habló del recuerdo que guardaba del havdalah. Trabajaba como abogado en Chicago y me dijo que tenía una vida demasiado ocupada como para practicar el judaísmo tal como hacía de niño. Pero recordó los sabbats de su infancia y me confesó que el havdalah era su parte preferida. Mientras compartía conmigo sus recuerdos de cuando tenía siete años y vivía en las afueras de Chicago, sus ojos marrones se le iluminaron al tiempo que esbozaba una dulce sonrisa y revivía sus recuerdos.

«Al anochecer, un poco más tarde de la hora en que nos acostábamos, probablemente a las ocho, nos llamaban a mi hermana pequeña y a mí al estudio. Mi madre y mi padre ya estaban en él alrededor de una mesa cubierta con un mantel de color rojo vivo. Las copas de plata para el vino, la caja de especias del havdalah que hacía juego con ellas y la vela trenzada de color amarillo y rojo, danzaban en la habitación mientras cantábamos canciones hebreas. Entonces mi padre bendecía el vino y nos pasaba la caja de especias a cada uno para que pudiéramos aspirar el dulce aroma de la canela, la nuez moscada y el clavo. A veces me preguntaba cómo podían haber metido manzanas al horno en aquella cajita tan pequeña, porque las especias despedían el mismo aroma. Pero antes de que pudiera averiguarlo mi padre encendía la vela del havdalah y bendecía la llama recitando otra oración, que indicaba que la luz del sabbat se extinguía para dar paso a la nueva semana escolar y laboral. Y entonces ocurría lo mejor de todo. Mi padre se sacaba del bolsillo una botellita que contenía un líquido claro, parecía agua pero en realidad era vodka, y vertía un chorrito sobre la vela del havdalah. Mi hermana y yo siempre nos echábamos a reír al ver la llama chisporrotear como si se tratara de unos fuegos artificiales. Aún puedo sentir los brazos de mi madre alrededor de mis hombros mientras ella seguía cantando con mi padre. Después nos mirábamos las uñas intentando ver en ellas las sombras y la luz proyectadas por la llama de la vela. A veces, incluso cuando no las veía, yo afirmaba lo contrario. Y entonces cada uno de nosotros pronunciábamos un deseo para la nueva semana. A veces oía a mi madre decir por lo bajo: "Adiós, reina". La noche del sábado siempre me iba a la cama con una sonrisa».

Tras contarme la historia, Joshua se quedó callado. Yo también permanecí en silencio, esperando que prosiguiera.

«Es extraño que ya no celebre el sabbat sabiendo que de niño me gustaba tanto. Quizá le estoy dando demasiada importancia al trabajo», me confesó.

## Los retos y el progreso en el camino

Yo les digo a mis alumnos que les puede ser muy provechoso integrar la celebración del sabbat en sus ocupadas vidas, les animo a adquirir esta costumbre y a descubrir si les gusta y les beneficia. Cuando les pido que se reserven un tiempo para el sabbat, casi siempre me encuentro con expresiones y preguntas ansiosas: «¿He de hacer un hueco para tener veinticuatro horas libres?», «¿Y qué pasa si ya me he comprometido con mi amigo a estudiar con él el sábado?», «¡Pero si les prometí a mis hijos que les llevaría al cine!», «¿Y si mi jefe me pide que me quede a trabajar el viernes por la noche?», «Esta semana la tengo totalmente llena».

Yo animo a mis alumnos y a cualquier persona que esté leyendo este libro, a relajarse durante el tiempo del sabbat. Si veinticuatro horas te parecen demasiado, en ese caso empieza celebrando esta fiesta sólo por la tarde, por la mañana o por la noche. Un sabbat de varias horas de duración siempre es mejor que nada, y es más común de lo que crees empezar celebrando un sabbat de varias horas y conseguir al final alargarlo para que dure veinticuatro.

Aunque las actividades preferidas del sabbat sean hacer la siesta, salir a pasear, rezar, meditar y pasar un rato con la familia y los amigos, al adaptar el sabbat a tu vida cotidiana eres libre de hacer durante su celebración cualquier actividad que te nutra el alma y que te permita descansar de tu trabajo habitual.

Al principio, cuando te reserves un tiempo para el sabbat, quizá no veas con demasiada claridad cuáles son las actividades adecuadas que puedes hacer. Como regla general, yo aconsejo a mis alumnos que eviten actividadades como hacer cuentas, responder los e-mails o hablar por teléfono. Pero hay algunas excepciones. Evelyn nos contó en clase que hablar durante el sabbat por teléfono con sus hijas que vivían en otra ciudad, había sido una actividad maravillosa para ella, porque estaban siempre tan ocupadas que les quedaba muy poco tiempo para conversar a sus anchas. Las largas conversaciones que mantenían por teléfono les permitían pasar un tiempo juntas, ya que no podían compartir la cena tradicional del viernes por la noche.

Margie, una alumna que ya había cumplido los cincuenta y que estaba deseando volver a la universidad para hacer una carrera y convertirse en escritora, vino a clase con una expresión avergonzada y me confesó que se había pasado la tarde del sabbat leyendo un libro. Tenía remordimientos porque le daba miedo que leer un libro equivaliera a trabajar y que estuviera celebrando mal el sabbat. Al empezar a practicar el sabbat, es importante que no seas duro contigo mismo. Mucha gente me ha comentado que al principio se sentían culpables por no trabajar durante el día de culto divino, pero que a base de práctica les fue resultando más fácil.

Al hacerte un hueco en tu vida para el sabbat, date permiso para experimentar. Si descubres que una actividad te permite descansar y relajarte y que es distinta de tu trabajo habitual, significa que debes disfrutar de esta actividad durante el sabbat. No hay una forma equivocada de gozar de este tiempo. Los beneficiosos resultados que experimentarás serán innegables.

---

### *Una noche a la luz de las velas*

El martes por la noche Liticia entró a clase sonriendo, sus blancos y bonitos dientes resaltaban en contraste con su oscura piel. Su complexión menuda acentuaba su prominente barriga, se encontraba en el séptimo mes del embarazo. Mientras nos explicaba su experiencia, sentimos que nos sumergíamos en el espacio del sabbat. Liticia nos contó que el viernes por la noche al volver a casa, en lugar de poner la televisión como de costumbre, encendió varias velas en distintas habitaciones —en la sala de estar, el dormitorio y la cocina— y cenó a la luz de las velas. Como su hijo aquella noche estaba en casa de su padre —al haberse ella separado de su marido era algo habitual—, Liticia se ofreció a sí misma el regalo del silencio mientras meditaba a la luz de las velas y permanecía sentada en quietud.

Al recordar su meditación habló con más lentitud y cerró los ojos durante un instante:

«El rato en que permanecí en silencio me encantó. Normalmente, me dedico a hacer pequeñas tareas por la casa con el ruido de fondo del televisor. Por eso ayer por la noche me lo pasé tan bien al estar en silencio a la luz de las velas. Esta experiencia me ha alimentado el alma de una forma increíble».

El sabbat continuó para Liticia al día siguiente cuando Keith, su hijo de nueve años, volvió a casa. En lugar de ponerle películas o darle algún videojuego para que se entretuviera, le sugirió otra opción, porque durante el sabbat los miembros de una familia pueden dedicarse a conversar y a jugar juntos. Aunque su hijo al principio no quería cambiar la rutina de siempre a la que se había acostumbrado, acabó animándose cuando Liticia le sugirió jugar al Scrabble. Al cabo de poco ya estaban riendo y charlando y no dejaron de hacerlo en toda la tarde. Liticia nos contó que hacía mucho tiempo que los dos no disfrutaban tanto juntos. Después de ganarle al Scrabble, Keith le dijo:

«Me lo he pasado muy bien, mamá. ¿Podemos volver a jugar juntos el próximo sábado?»

Descansar, incluso de las actividades que te gustan, te permite retomarlas con una renovada pasión y una nueva visión. Al celebrar el sabbat en tu vida, obtienes muchos más dividendos de los que inviertes, ya que te permite descansar del trabajo y el estrés. Vuelves a ti mismo, a los amigos y a la familia, y tienes tiempo para apreciar todas las cosas buenas que hay en tu vida.

## Unos Sabios Pasos

**RESÉRVATE CADA SEMANA UN TIEMPO PARA EL SABBAT.** Puedes elegir el tiempo habitual del sabbat: del viernes por la noche al sábado a la misma hora o, si lo prefieres, otro periodo de veinticuatro horas. Y si te parece que es demasiado tiempo para ti, prueba con un espacio más corto y celebra el sabbat sólo durante la mañana, la tarde o por la noche. Quizá prefieras empezar con un periodo corto e irlo alargando hasta llegar a las veinticuatro horas. No tienes por qué celebrar el sabbat a la perfección. Al hacerte un hueco para él, ya te estás respetando al ofrecerte el regalo del descanso, el rejuvenecimiento y un rato relajante para alimentar el alma. Si te sientes culpable por no estar siendo productivo o te pone nervioso no mantener tu activo ritmo habitual, sé bueno contigo mismo, porque estás aprendiendo una práctica nueva que creo que te acabará entusiasmando y encantando.

**PRUEBA LAS ACTIVIDADES PREFERIDAS DEL SABBAT.** Dedica cada semana un tiempo para el sabbat, así podrás explorar nuevas actividades. Intenta hacer una siesta. Date un baño más largo de lo habitual a la luz de las velas. Medita. Reza. Invita a tus amigos a comer en tu casa durante el sabbat. Empápate de la belleza del entorno dando un paseo por la orilla del río, haciendo una excursión por la montaña o yendo en bicicleta por el campo. Deja de consultar los e-mails y de hacer las cuentas durante ese tiempo. Los recados que tienes que hacer también pueden esperar. Disfruta del tiempo del sabbat desconectando el teléfono y evitando conducir. Son algunas de las actividades que puedes hacer durante su celebración. Elige las que más te gusten. Ten en cuenta que el sabbat consiste más en ser que en hacer.

**ESCRIBE LAS COSAS BUENAS QUE LA VIDA TE OFRECE.** Mientras bajas el ritmo durante el sabbat, tienes tiempo para apreciar todas las cosas buenas que la vida te ofrece. Anota estos regalos o bendiciones que hay en tu vida: como los amigos y la familia, que te quieren y a los que a la vez tú quieres, la salud, o los descubrimientos interiores que has hecho a partir de una enfermedad. Advierte la belleza de la puesta del sol y los placeres de los cinco sentidos que te permiten experimentar el precioso regalo de la vida. El sabbat te da la oportunidad de reconocer la vida que has creado.

# 6

# LA ESPIRITUALIDAD DE LOS INDIOS AMERICANOS: *deja que la naturaleza sea tu maestra*

*¡Oh, Gran Espíritu, haz que camine en la belleza*
*y que mis ojos contemplen la puesta de sol roja y purpúrea.*
*Haz que mis manos respeten todo lo que has creado*
*y que mis oídos tengan la suficiente agudeza para escuchar*
*tu voz. Haz que aprenda las lecciones que has escondido*
*en cada hoja y cada roca.*

EXTRACTO DE UNA ORACIÓN DE LOS SIOUX

La cultura de los indios americanos nos enseña que el Espíritu vive en la naturaleza y que formamos parte de esta gran matriz de la vida de una manera muy estrecha. Tal como descubrí mientras navegaba en barco, una cosa es conocer estas enseñanzas, y otra muy distinta, experimentarlas.

Uno de los dilemas que tengo cuando navego es que, aunque me encante el mar, siempre acabo mareándome. Al sentir el movimiento del barco, intento zafarme de él, porque me horroriza sentir las desagradables náuseas y ver qué es lo que va a ocurrir a continuación.

Siempre que he salido a navegar me he sentido satisfecha siendo una simple espectadora. No veía que la aprensión que me producía navegar me impedía sentir por completo mi conexión con la naturaleza.

Una mañana del mes de septiembre, Sandy, mi compañera, que se había sacado el título de capitana, y yo, zarpamos hacia la isla Catalina, que se encuentra al sur, a treinta millas de Marina del Rey, en California. Aquel día mientras salíamos del puerto deportivo vi que el cielo estaba gris y encapotado, lo cual le daba al mar un encanto especial. Pero al cabo de cuarenta y cinco minutos, cuando ya nos encontrábamos fuera del rompeolas, nos descubrimos en medio de olas que nos zarandeaban con fuerza inusual.

«Maldición, tenemos mar de fondo», me dijo Sandy de pronto.

«¿Qué es mar de fondo?», le pregunté.

«Normalmente el viento y las olas vienen del noroeste. Pero cuando en el mar hay una tempestad, también vienen del sur. Y esas olas que llegan de direcciones contrarias chocan entonces entre ellas».

Intenté afianzar los pies mientras el barco se desplazaba con lentitud y fuerza hacia babor y luego hacia estribor, en un movimiento de vaivén.

«Si hubiera sabido que nos iba a ocurrir esto, me habría puesto un parche contra los mareos, pero ahora ya es demasiado tarde», dijo Sandy mientras revisaba varios indicadores del cuadro de mando del barco y yo me ocupaba temporalmente del timón.

El barco se inclinaba de un lado a otro, pero como me había puesto un parche detrás de la oreja, estaba protegida contra los mareos, en cambio Sandy cada vez tenía más mala cara.

«Sage, ocúpate tú del timón, ¿quieres? Mantén la brújula a ciento ochenta grados y ve directa a la isla. Voy abajo a echarme un poco.» Sandy desapareció sin esperar siquiera mi respuesta.

Al principio me sentí desconcertada, como si de repente me hubieran arrancado de mi cómoda posición de espectadora. Pero como sabía que no podía irme a dormir, ni siquiera me dio tiempo de protestar, enfadarme o asustarme. Estaba al mando del timón con mar de fondo y, para mi sorpresa, había una parte de mí que se ocupaba de la situación y que intuía qué era exactamente lo que debía hacer.

Mi rostro se cubrió de gotas de agua salada. Me sentía como si el océano y yo estuviéramos mejilla contra mejilla. En ese momento de intimidad, él se quitó el velo y yo pude contemplar su verdadero rostro por primera vez.

Las tranquilas aguas del puerto deportivo se habían convertido en alta mar en unas gigantescas olas de una fuerza descomunal. Agarrando el timón con fuerza entre mis manos, me concentré en el ritmo de girarlo hacia babor y después hacia estribor para mantener el barco estable mientras las olas del mar chocaban entre ellas.

Observé al océano extender su blando y flexible cuerpo, estirándolo desde los confines del rompeolas como si se estuviera quitando la faja y relajándose en la sala de estar. El viento creaba unas olas en la superficie del agua que parecían las ondulaciones del gigantesco vientre del océano. Estas olas, que zarandeaban el barco de diez toneladas como si fuera un barquito de juguete, hacían que la embarcación no fuera nada comparada con la inmensidad del mar. Durante las tres horas y media que duró el trayecto a la isla Catalina, estuve contemplando aquel inmenso espacio de tonos grises y azulados. El ritmo de las oscuras nubes moviéndose lentamente por el cielo me recordó el pausado sonido del saxofón en el jazz lento. La tenue luz del amanecer, que se extendía como una línea en el horizonte, sólo se quebraba cuando pasaba volando un esporádico y solitario mirlo.

De pronto, en medio de las agitadas aguas, a unos seis metros de distancia, a mi derecha, vi a dos delfines saltando sobre las olas. Arqueando sus cuerpos grises se sumergieron y volvieron a salir varias veces. Me imaginé a todas las criaturas marinas a salvo bajo la amplia falda del océano. Las húmedas focas, los enarcados delfines grises, las translúcidas medusas, los tiburones, las ballenas y los caballitos de mar; todos poseen el mismo color que el mar, porque los hijos se parecen a sus padres.

«¿Por qué me siento tan feliz rodeada de esta misteriosa extensión gris de olas, sintiendo la fría niebla en mi rostro, mientras las horas se me hacen eternas?» En aquel momento estuve muy cerca de algo: de una especie de gozo, de recuerdo primigenio de la madre, de la Madre Mar, de Dios hecho forma. Mientras yo me ocupaba del timón, el mar me rodeó los hombros con sus brazos y me apoyó como si fuera una madre ayudando a su hija a montar por primera vez en bicicleta. Oí su voz diciendo dentro de mí: «Me perteneces. El cielo, el sol, la luna y las criaturas que nadan en mis aguas y que vuelan por el cielo son tu familia».

La Madre Mar me enseñó que yo formaba parte del clan de la naturaleza. También aprendí que si lograba superar los miedos que me obligaban a ser una simple espectadora, no sólo participaría con más plenitud de la vida, sino que también podría sentir algo en mi interior mucho más poderoso de lo que jamás hubiera imaginado. Ver a la Madre Mar me permitió verme a mí misma.

El sabio precepto «Deja que la naturaleza sea tu maestra» de los indios americanos (llamados también las Primeras Naciones y los aborígenes) te permite recuperar el vínculo que mantienes con el mundo natural mientras sigues viviendo en el mundo tecnológico y moderno. Abrir los ojos a las numerosas maravillas de la naturaleza, despertar a la sabiduría de sus inmensos sistemas de vida, te recuerda que no sólo formas parte de esta matriz, sino que además puedes acceder a su cautivadora belleza y misterio. Este maravilloso regreso a casa, a tus raíces espirituales, es lo que te espera al aprender las lecciones de las que la naturaleza está impregnada. Mantener una conexión más profunda con la naturaleza también te inspira a hacerte responsable de aquello que tan valioso es para ti.

La espiritualidad de los indios americanos es una filosofía e incluso una forma de vivir. Según Marlins y Magina, en *How to Be a Perfect Stranger,* los indios americanos (que las leyes de Estados Unidos reconocieron como aborígenes o indígenas de Alaska) y las Primeras Naciones en Canadá están integrados aproximadamente por 2,4 millones de personas. La gran mayoría no se consideran americanos, ya que se identifican más con las comunidades de las Primeras Naciones, como por ejemplo las Primeras Naciones Peepeckisis, las Primeras Naciones Shawanaga o las Primeras Naciones Whata. En Estados Unidos, hay cinco grandes grupos tribales: los sioux, que incluye los lakota, los dakota y los nakota (que viven en las llanuras del norte); los cherokee (al norte de Carolina y en Oklahoma); los chippewa (al norte y en la región de los Grandes Lagos); los navajo (Arizona, Nuevo México y Utah), y los choctaw (Misisipí y Oklahoma). Su diversidad queda patente en las lenguas que hablan estas tribus. Por ejemplo, en esas regiones se hablan nueve lenguas principales, que están formadas por casi doscientos dialectos. Además, cada tribu tiene sus propias prácticas culturales y ceremonias espirituales. Por eso, hablar de ellas en términos generales podría inducir a error.

## Los principios esenciales: la espiritualidad de los indios americanos

**LA NATURALEZA DE LA DEIDAD.** Para los indios americanos, el mundo natural es sagrado y completo. Todo lo que tiene vida —el círculo sagrado o la trama de la vida— está inextricablemente imbuido del poder sagrado del Creador, el Gran Espíritu, una expresión de las fuerzas físicas de la naturaleza.

**LA RELACIÓN PERSONAL CON LA DEIDAD.** La espiritualidad de los indios americanos se basa sobre todo en las experiencias vividas a través de los rituales, las costumbres y las tradiciones. Cada individuo mantiene una relación directa con el Gran Espíritu. Esta relación también procede de la conexión que tienen con los distintos aspectos del mundo natural: las plantas, los animales, las rocas y los árboles, en los que reside el Gran Espíritu. Para ellos estos aspectos del mundo natural son maestros que les ofrecen los medios para poder comunicarse directamente con el Gran Espíritu.

**EL CULTO.** Muchas ceremonias y rituales de los indios americanos se celebran al aire libre, en lugares sagrados para una determinada tribu. Los indios americanos creen que hay ciertos parajes que son sagrados, y al celebrar su culto en ellos establecen una conexión con ese entorno natural. La expresión espiritual de los indios americanos consiste en experiencias personales y comunales. Las ceremonias pueden durar muchas horas y a veces se prolongan durante días. El culto de los indios americanos se compone de oraciones, baños de vapor, danzas, la ceremonia de la danza del sol, ceremonias estacionales y, sobre todo, ceremonias religiosas. Respetar cada ser vivo de la naturaleza es para ellos un acto de culto.

**LAS CREENCIAS ÉTICAS.** La espiritualidad de los indios americanos adjudica una personalidad a todos los seres vivos, aunque no pertenezcan al género humano. Tratar con respeto a los bípedos, a los cuadrúpedos, a los seres alados, a las criaturas que nadan por el agua o que reptan por el suelo, a la Madre Tierra y al Padre Cielo, lleva al equilibrio. Para los indios americanos es esencial llevar una vida equilibrada y vivir en armonía con el mundo. Uno debe ocuparse sobre todo de alimentar a la Madre Tierra y todos los aspectos del entorno natural, que son considerados sagrados.

**EL ALMA Y LAS CREENCIAS SOBRE LA MUERTE.** Muchos indios americanos creen que la vida sigue después de la muerte física del cuerpo, que los difuntos inician un viaje en el Más Allá. Los miembros de una familia ayudan a los seres queridos que han fallecido a realizar este viaje y a menudo hacen sacrificios para que esta transición les resulte más fácil. Para conseguirlo los familiares del difunto siguen directrices estrictas con relación a la comida, la bebida y las actividades que realizan.

## ¿Cómo puede ser nuestra maestra la naturaleza?

Toda la naturaleza es nuestra maestra, desde la hormiga que se arrastra por los polvorientos senderos, hasta el águila que vuela por el cielo despejado. El vínculo que nos une con la tierra —con los ríos que fluyen, los cerezos en flor, la inactividad de la tierra en invierno o la explosión de energía en primavera, en la que la vegetación se cubre de retoños— nos enseña sobre la vida y los cambios que tienen lugar tanto en el interior de cada uno como en el exterior. Es como una madre que transmite su sabiduría a los que no somos tan expertos como ella en el funcionamiento del mundo.

Este poema expresa cómo la tierra es nuestra maestra.

*Tierra, enséñame a permanecer en quietud*
*como la hierba que se aquieta con la luz.*
*Tierra, enséñame a sufrir*
*como las viejas piedras que sufren con los recuerdos.*
*Tierra, enséñame a ser humilde*
*como los capullos que brotan humildemente.*
*Tierra, enséñame a amar*
*como la madre que se ocupa de sus pequeños.*
*Tierra, enséñame a ser valiente*
*como los árboles que se alzan solos.*
*Tierra, enséñame mis limitaciones*
*como la hormiga que corretea por el suelo.*
*Tierra, enséñame a ser libre*
*como el águila que vuela por el cielo.*
*Tierra, enséñame a resignarme*
*como las hojas que caen en otoño.*
*Tierra, enséñame a regenerarme*
*como la semilla que brota en primavera.*
*Tierra, enséñame a olvidarme de mí mismo*
*como la nieve que al fundirse se olvida de su vida.*
*Tierra, enséñame a recordar la bondad*
*como los campos secos llorando al ver la lluvia.*

(UTE, NORTEAMÉRICA)

Al observar cada aspecto de la naturaleza —un árbol alzándose solo, una semilla brotando en primavera—, vemos la armonía y la sabiduría de sus ciclos. Al estar totalmente presentes, somos como el perro en el parque que oye un ruido y se concentra por completo en él para ser consciente de lo que está ocurriendo. Esta atención despierta nuestra intuición innata, la cual nos permite conocer qué es lo que la naturaleza nos está comunicando. La intuición es la facultad de conocer algo no sólo con la mente, sino también con el corazón, el cuerpo y el espíritu. A través de la intuición podemos acceder a los reinos del conocimiento. Para los indios americanos cualquier clase de comunicación con la naturaleza es conversar con el Gran Espíritu.

Cuando Miranda adquirió su nueva casa, rodeada de dos acres de terreno, no sabía que en él había treinta y siete árboles, pero sintió que debía comprarla. Ahora, al cabo de varios meses, paseando por los alrededores ha hecho un importante descubrimiento: «Haber comprado esta casa formaba parte de una profunda sincronización». Tal como me contó Miranda: «Los árboles están aquí para enseñarme a ser estable en mi interior con su forma de arraigar en el suelo, y yo estoy aquí para cuidar de ellos. Los árboles me han gustado desde que era niña y sé que necesitan mis cuidados. Me siento muy agradecida por poder asumir esta responsabilidad y seguir aprendiendo de su sabiduría».

A Sandy siempre le ha encantado el mar. Al haber crecido en el desierto, siempre quiso vivir cerca del agua. «El mar me recuerda que he de fluir con la vida y ser flexible. Sus aguas siempre están cambiando. Cada día reflejan un nuevo estado de ánimo. Sin embargo, tiene una constancia en la que puedes confiar, unos movimientos cíclicos en los que las mareas suben y bajan, según las fases de la luna. El mar me ayuda a celebrar los ciclos de los cambios que hay en mi vida y me recuerda que todo está siempre cambiando».

En los años cincuenta Ann Morrow Lindbergh se tomó un descanso de su apretada agenda como madre de cinco hijos y como escritora y se trasladó a la isla de Martha's Vineyard, frente a las costa de Massachusetts, para hacer un corto y renovador retiro junto al mar. En su libro *Regalo del mar,* escribe que vaciar la mente es como la playa arenosa que espera que el mar le revele un don manifestándose a su debido tiempo:

> El mar no recompensa a quienes se muestran demasiado ansiosos, demasiado codiciosos o demasiado impacientes. Ahondar en busca de tesoros demuestra no sólo codicia e impaciencia, sino también falta de fe. Paciencia, paciencia, paciencia es lo que nos enseña el mar. Paciencia y fe. Tendámonos vacíos, abiertos, indiferentes como la playa... a aguardar un regalo del mar.

La sabiduría de los indios americanos de dejar que la naturaleza sea nuestra maestra nos llega al corazón y nos hace ver la conexión que mantenemos con la vida que bulle en el mundo que nos rodea y de la que nuestra alma es consciente. Al vivir en el mundo moderno —entretejido de móviles, ciberespacio, radio, televisión y trabajos absorbentes que exigen nuestra atención durante muchas horas—, podemos alejarnos cada vez más de las maravillas de la nieve brillando bajo la luz de la luna o de las flores brotando en un cactus en medio del desierto, es decir, de las maravillas del Gran Espíritu que fluye en todo. Cada vez que me acuerdo de volver a entrar en contacto con la naturaleza, sea como sea, mi alma se renueva al volver a casa. Amar, respetar y cuidar la tierra es el legado sagrado que nos han dejado los indios americanos.

## Cómo cultivar la relación con la naturaleza

Mantener una relación con el mundo natural te permite equilibrar tu ajetreada vida con los regalos que te ofrece la naturaleza. En el pasado podíamos estar en contacto con la naturaleza al cruzar el bosque para ir a buscar agua, recoger frutos secos y bayas silvestres o cazar. Pero al vivir en un mundo industrializado tenemos que ir a buscar la naturaleza para poder conectar con ella. Aprende a cultivar una relación con la naturaleza del mismo modo que dedicarías tiempo y energía a cultivar otra relación.

EXPLORA LA SOLEDAD EN LA NATURALEZA. Cuando te reservas un tiempo para unirte con la armonía del mundo natural, te estás haciendo un maravilloso regalo. Tanto si paseas por la playa escuchando el sonido de las olas al romper en la orilla, como si sientes la serena sequedad del desierto y te maravillas de los suaves tonos rosados y púrpuras que adquiere lo que a primera vista te parecía una mera extensión de arena descolorida, necesitas estar en contacto con la naturaleza para sentirla. Puedes reservar la hora que tienes para almorzar o bien la tarde del domingo, o un fin de semana, o incluso una semana entera, para pasarlos en un entorno natural que te atraiga. Te beneficiarás de la aventura de contemplar simplemente lo que se manifiesta ante ti con una actitud abierta y receptiva.

Marcy trabaja en el departamento de *marketing* de una gran empresa. Su jornada laboral es larga, a veces trabaja más de cincuenta horas semanales. Pero vive a cinco minutos de la oficina y su casa está cerca de un parque. «Yo creo que lo que me mantiene cuerda es ir casa a la hora de comer y pasear un poco por el parque. No siempre es fácil desconectar del ritmo frenético de las fechas límite y de las llamadas telefónicas, pero cuando consigo hacerlo, me alegro de ello. En cuanto entro en el parque, los tonos verdes de la vegetación son un festín para mis ojos. Me relajo mientras la hierba me invita a entrar en otro paisaje. Al igual que una anfitriona, me dice: "Entra y relájate. Eres bienvenida". Al entrar en contacto con el blando cuerpo de la tierra siento que mi respiración se vuelve más profunda, como si hubiera estado reteniendo el aire sin darme cuenta. Al pasear, aunque sólo sea veinte o treinta minutos en medio de esta paz, algo cambia dentro de mí. Cuando entro en contacto con la naturaleza me olvido de la falsa ilusión de que los detalles del lugar donde trabajo es lo único que importa. Mi paseo por el parque me recuerda que hay otra realidad aparte del estresante mundo de la oficina. Me permite verlo todo con una cierta distancia y entonces puedo regresar a la oficina y hacer mi trabajo sin perder la calma.»

**UN RETIRO EN LA NATURALEZA.** Estar un poco más de tiempo a solas en contacto con la naturaleza, tres o cuatro días, o una semana, se parece a la búsqueda de la visión reveladora de los indios americanos. Durante miles de años los seres humanos nos hemos retirado en soledad en medio de la naturaleza para conocernos a nosotros mismos, con ayuda de las lecciones que ésta nos ofrece. En las culturas de los indios americanos, esta búsqueda se ha usado a menudo como un rito de pasaje a la adultez. La guía que reciben con la visión les ayuda a conocer el papel que van a desempeñar en sus tribus. Y más tarde, cuando deseen recibir una guía de los poderes del espíritu, pueden volver a buscar otra visión en medio de la naturaleza.

Para los indios la búsqueda de la visión ha sido una forma de practicar su espiritualidad, que está íntimamente ligada con la tierra por la que se desplazan, con el cielo que hay encima de sus cabezas y con todos los seres vivos que les rodean. Para ellos la vida es un continuo diálogo con el Gran Espíritu que les habla a través de cada amanecer y cada anochecer, a través de cada suave brisa nocturna.

La búsqueda de la visión de los indios americanos consiste normalmente en adentrarse solos en la selva llevando muy pocos objetos. En algunas tradiciones los jóvenes van desnudos y descalzos incluso en invierno. En otras, en cambio, les permiten llevar una manta y un poco de ropa.

Denise Linn, autora de *Quest: A Guide for Creating Your Own Vision Quest,* guía a los lectores para que durante tres o cuatro días vayan en busca de una visión equipados con un bloc para ir anotando su experiencia. También les propone distintos temas sobre los que escribir:

- Examina tu vida.
- Afronta tus antiguos miedos y despréndete de tus apegos.
- Conecta con el poder del espíritu que hay dentro de ti.
- Agradece las cosas buenas que te ofrece la vida.
- Pide una guía para saber cuál es tu propósito en la vida.

En la búsqueda de la visión que yo hice durante tres días y tres noches, no pude llevarme un bloc y un bolígrafo, ni comida, ni agua, ya que sólo me permitieron llevar una manta, que me puse alrededor de los hombros, un sonajero y la ropa que llevaba puesta. Y pese a esta aparente escasez de medios, fue la experiencia más satisfactoria de mi vida: por fin encontré mi hogar.

## *Bienvenida a casa*

Estudié los ritos de los indios americanos con una mujer chamán llamada Nube Danzante. Tenía un cabello rubio platino muy rizado que contrastaba con su bondadoso rostro. Era una profesora de educación especial a la que habían elegido para que enseñara la cultura de los apache mescalero. La conocí por medio de un contacto que tenía con el Rainbow Heart Lodge, en Riverside (California). Durante mi estancia en un centro de meditación de Wisconsin, ya había hecho una breve búsqueda de la visión, y me encantaban las enseñanzas chamánicas que me conectaban estrechamente con la naturaleza.

Guiándome por una voz interior que me incitaba a ir en busca de la visión con Nube Danzante como maestra, aunque para ello tuviera que hacer durante seis meses un estricto ayuno una vez a la semana y seguir un riguroso trabajo interior, elegí la fecha de la luna llena en agosto, durante las vacaciones.

En aquella época de mi vida deseaba conocer los propósitos de mi alma y estaba segura de que la visión que recibiría me permitiría ensamblar todos los fragmentos dispersos para descubrir el sentido de mi vida y llevarlo a cabo.

Hablé con Nube Danzante durante un retiro de un fin de semana en las montañas de San Bernardino. Conversamos rodeadas de altos pinos y de espesos bosques. El rebelde pelo rubio platino de Nube Danzante se alzaba sobre su cabeza.

«Será un duro viaje», me advirtió tranquilizándome con su dulce y afectuosa voz. Sus ojos azules irradiaban bondad, pero de la parte de la pupila en la que el azul se convertía en gris vi que también emanaban una inquebrantable fuerza.

«Sí, lo sé», le respondí. Me sorprendí al ver lo tranquila que yo estaba.

Después de haber ayunado uno o dos días a la semana durante seis meses, tomando sólo zumos de frutas y agua, antes de ir a la montaña tuve que hacer otro ayuno a base de líquidos durante dos semanas. Iba a estar tres días y tres noches en la montaña sin comida ni agua.

En la época en que me estuve preparando para la visión a veces me preguntaba si estaba en mis cabales, sobre todo en los días de ayuno, cuando me sentía cansada y hambrienta al final de una ocupada jornada. Al echarme en la cama para descansar, me ponía a pensar en mi viaje a la montaña. Lo que más miedo me daba eran las serpientes. Me las imaginaba reptando lentamente por mi círculo sagrado y mordiéndome mientras yo echaba una siesta, y entonces yo me moría con su veneno corriendo por mis venas. Otros alumnos confesaron que les daba miedo morir de frío por la noche o que un oso los destrozara. Nube Danzante escuchaba nuestros miedos mientras nosotros, sentados a su lado, nos imaginábamos unas historias horribles, y a veces, al oírlas, ella soltaba una risita.

Encontré el lugar donde debía quedarme dejándome guiar por una voz interior. Mientras subía por la montaña, divisé un pequeño claro rodeado de varios árboles. La tierra parecía darme la bienvenida en aquel lugar, sentí que el corazón se me abría de par en par como una puerta en un día de verano. Oí una voz serena y segura que me susurraba por dentro: «Éste es el sitio». Mis pies se detuvieron y me fijé en el lugar mientras contemplaba el contorno de las ramas y examinaba el suelo de la montaña. Rodeé el punto elegido con un círculo sagrado hecho con piedras, allí donde yo iba a pasar los tres días y las tres noches siguientes. Si durante aquel tiempo salía del círculo de poder, la ceremonia se interrumpiría y tendría que prepararme y ayunar de nuevo durante seis meses para ir otra vez en busca de la visión.

El primer día estuve observando a las hormigas, los pájaros, los grillos y las moscas de la montaña. Sabía que me estaban dejando convivir con ellos y fundirme con el ritmo natural, pensé que era una actitud muy generosa por su parte. Las hormigas siguieron construyendo laboriosamente el hormiguero, transportando comida y explorando el lugar. Las estuve observando durante horas, aprendiendo de su paciencia y tenacidad. Les di las gracias por ser mis maestras.

Los colibríes se acercaron y compartieron conmigo su alegría. Al verlos suspendidos en el aire frente a mí durante sus breves visitas, me sentí feliz. Sus aleteos y su delicada belleza hicieron que mi corazón se abriera, y cada vez que venían a verme, me sentía muy dichosa, solían venir después del amanecer y antes del anochecer, pero en ocasiones lo hacían en algún otro momento del día.

Al caer la noche podía tomarme un respiro del agobiante calor. «Gracias, noche. Gracias, nubes, por permitirme descansar del calor del sol.» Tuve suerte de que aquel mes de agosto no hiciera demasiado calor en las montañas de San Bernardino. Me sentí a gusto con los veintisiete y treinta y dos grados de calor que hizo en lugar de los treinta y ocho que me temía. Sin embargo, por más calor que hiciera durante el día, agradecía el frío aire de la noche cuando, envolviéndome con la manta, gozaba del calor que me proporcionaba.

Me encantaba observar el paso del día a la noche. Disfrutaba viendo cómo la luz del cielo se apagaba mientras el mundo animal se silenciaba y aquietaba poco a poco preparándome para el sueño. Era como si la luz del día jugara al escondite con la noche. El canto de los pájaros desaparecía para dar paso al de los grillos.

La primera noche, mientras estaba en la cima de la montaña envuelta en la oscuridad, salí de pronto de mis meditaciones al oír a un animal acercándose al perímetro de mi círculo sagrado. Mi círculo interior, rodeado de rocas sagradas, tenía unos tres metros de diámetro. Pero el círculo exterior de mi campo energético se extendía a unos quince metros más allá del círculo interior.

Sólo oí unos pasos y sentí la presencia de una criatura que no tenía idea de lo que podía ser. El corazón me latía con fuerza mientras me imaginaba que era un oso o un coyote. Parecía un animal más pequeño que un oso, pero no estaba segura de ello. Sabía que si dejaba que mi miedo aumentara le estaría proclamando a aquella presencia mi vulnerabilidad.

Cogí el sonajero y lo agité con fuerza exclamando en voz alta: «Formo parte del Gran Espíritu de la vida. Nadie puede entrar en mi círculo sagrado de poder. Estoy aquí en paz. ¡Y ahora vete!» Seguí agitando el sonajero y canté unas canciones de poder que salieron de mis labios de manera espontánea. Estuve hablando en una lengua antigua de los indios americanos que brotó de mi subconsciente. Seguí rezando.

Mientras sentía una fuerza interior surgiendo en mí, dejé de tener miedo y el sonido de los pasos se desvaneció en la oscuridad. Le di las gracias al Gran Espíritu. Reconocí que vivía en un universo seguro y afectuoso. Al dormirme en los brazos de la Madre Tierra, oí que ella me decía: «Bienvenida a casa, hija mía».

**EL VALOR SAGRADO DE LA NATURALEZA.** Los indios americanos consideran que cada parte de la naturaleza está viva, animada por el Gran Espíritu. Por eso, para ellos, todos los elementos de la naturaleza, desde la hormiga más pequeña hasta el lobo más grande, son regalos sagrados de la vida que forman parte de una familia en la que cada uno de sus miembros son invalorables. Los cuadrúpedos, los seres alados y los que nadan —así como las rocas, la tierra, los árboles y las flores— son miembros de la familia de la que los bípedos, los seres humanos, formamos también parte.

Desempeñar un papel menos dominante quizá sea un reto para nuestra visión del mundo en la que nos consideramos como el centro del universo. Desde este punto de vista, la naturaleza es un recurso inanimado que hay que explotar, conquistar o poseer. Pero al tener esta actitud hacia la naturaleza, nos divorciamos, separamos y desconectamos del mundo que nos rodea, alienándonos de ella, ya que la vemos como algo inferior que podemos usar para nuestro propio provecho. En cambio, al ver la naturaleza como sagrada, nos damos cuenta de nuestras propias creencias y de las de nuestra cultura.

Para considerarla sagrada debemos cambiar por completo de actitud, ver que estamos conectados a la tierra, al cielo y a la luna, que formamos parte de la misma familia. En cuanto a la Madre Tierra, intentamos caminar por ella con cuidado porque la queremos. Si la Madre Tierra sufre algún daño, nos da mucha pena y nos apresuramos a ayudarla cuando lo necesita. Al considerar el mundo natural sagrado, lo queremos y respetamos, y ello nos lleva a cambiar nuestro modo de comportarnos.

Quizá nos descubramos entonces sacando con cuidado una araña de la cocina y dejándola en el jardín de la parte de atrás, igual que May hace en *La vida secreta de las abejas,* un relato infantil de Sue Monk Kidd, al construir una pequeña senda con trocitos de malvavisco y galletas integrales para persuadir a una cucaracha a irse de su casa en lugar de matarla.

Los indios americanos siempre han dado las gracias a la tierra por sus cosechas y al búfalo por sacrificar su vida para que la tribu pueda vivir. Donald, masajista terapéutico de Louisville, en Kentucky, es vegetariano y cree que sacrificar a los animales para el consumo es una falta de respeto hacia ellos. Por eso ha elegido no comer carne blanca, carne roja ni pescado, lo cual es su forma de considerar que la naturaleza es sagrada. Betty, una madre de tres hijos que vive en Wisconsin, ha creado una oración para bendecir la mesa en la que cada miembro de la familia pronuncia una frase de agradecimiento dirigida a una parte distinta de la comida: al huerto por producir las verduras, a la lluvia por alimentar los cultivos y a las vacas por fertilizar la cosecha. A sus hijos les encanta descubrir nuevas formas de dar gracias por todo lo que nos ofrece la naturaleza, y además esta actitud fortalece el vínculo que les une con la tierra.

Sandy enseña a los que participan en aniversarios y bodas a no celebrarlos con globos. «Cuando los globos se deshinchan y caen en el mar o cerca de la playa, los pájaros se los tragan al confundirlos con comida y se mueren.»

CONVIÉRTETE EN UN ESTUDIANTE. Abrirte a un maestro significa que deseas aprender y que crees que el maestro tiene algo valioso e importante para ti. Adoptas una actitud receptiva, te abres para aprender algo que no conocías. Y lo que es más importante, no crees conocerlo todo, al contrario, eres humilde ante alguien o ante algo que sabe más que tú. Ser un estudiante receptivo no significa que seas pasivo, sino que mantienes una atención dinámica para asimilar las nuevas lecciones y puntos de vista y estás preparado para hacer asociaciones y entretejerlas con nuevas formas de comprender las cosas.

Irene ha aprendido de la lluvia. Hace poco se mudó al noroeste, al principio odiaba la constante niebla y lluvia tan peculiares en esa zona. Sabía que si quería sentirse a gusto en Seattle, tenía que hacer las paces con la lluvia. Un día, mientras caminaba bajo la lluvia, le gritó: «¿Por qué estoy tan enfadada contigo?»

En ese instante se acordó de cuando tenía seis años y su padre estaba metiendo el equipaje en el maletero del coche para irse de viaje de negocios. Aquel día estaba lloviendo y ella recordó haberse quedado empapada mientras abrazaba a su padre para despedirse de él. De camino al aeropuerto, él chocó de frente con otro vehículo y murió. Mientras Irene recordaba el trauma que le produjo, le empezaron a rodar las lágrimas por las mejillas. Sintió que estar plantada llorando bajo la lluvia la reconfortaba de algún modo. Al levantar la cabeza hacia el cielo, era como si la lluvia le estuviera diciendo: «No te preocupes, llora, pequeña. Deja correr libremente tus lágrimas». Irene comprendió que había estado reprimiendo sus lágrimas durante muchos años. La lluvia invernal le ayudó a llorar por fin la muerte de su padre. «La lluvia me enseñó cómo hacerlo.»

**PENETRA EL MISTERIO.** Aprender de la naturaleza es como penetrar un misterio que te habla en un idioma que no es tu lengua natal. Te conviertes en el visitante de una tierra desconocida que debe aprender a ser sumamente observador para entender el mensaje que el lugar le transmite de manera silenciosa y directa. Cuanto más tiempo pases en contacto con la naturaleza, más te sorprenderás al ver la perfección con la que encaja todo cuanto hay en ella. Empiezas a confiar en que si algo existe, o si está camino de existir, hay una razón para ello, que aquello ocupa un lugar en la gran matriz. Aunque no puedas comprender la razón, empiezas a tratarlo todo con mucho más respeto, porque todos los acontecimientos son una expresión del Gran Espíritu.

**CONECTA CON EL MAESTRO DEL ESPÍRITU DE UN ANIMAL.** Todos podemos recibir la sabiduría de los animales si adoptamos la visión de los indios americanos acerca de que cada parte de la naturaleza existe para ofrecernos una lección si es que estamos dispuestos a recibirla. Si tienes un perro o un gato, ya estarás familiarizado con la clase de lecciones que estos animales nos ofrecen. Tu perro te enseña a amar incondicionalmente y a ser leal al recibirte cada día moviendo la cola o al acurrucarse junto a ti por la noche como un miembro más de la familia. Y tu gato te enseña a ser independiente al dejarte claro que sabe muy bien lo que quiere.

Al abrirte a los animales y a lo que te ofrecen, empiezas a fijarte en los que hay a tu alrededor. Quizás adviertas que cada día te encuentras con un halcón volando por el cielo o que se cruza un ciervo en tu camino. Presta atención a estos repetidos encuentros. Puede que te estén señalando la conexión que tienes con el espíritu de un animal que es tu maestro. También puedes descubrir cuál es tu animal totémico a través de un viaje chamánico, un sueño, el tiempo que pasas a solas o una meditación concebida para este fin.

Para descubrir cuál es el espíritu del animal que te guiará, concéntrate e invítale a revelarse en tu meditación. Después de encontrarte con el espíritu de este maestro, intenta entrar en su mundo: el mundo del Lobo, la Libélula, la Araña o el Águila. Haz un *collage* con fotografías o dibujos de tu animal maestro. Busca información sobre él en Internet. Lee libros de la biblioteca que traten sobre este animal. Muchas antologías sobre historias de los indios americanos contienen ejemplos concretos de cómo esta cultura ve a los animales y la clase de «medicina» o de propiedades curativas que pueden aportarnos.

---

### *El Lobo*

En una ocasión, una pareja vino al Centro Christine de Wisconsin y nos enseñó algunas cosas sobre los indios americanos. Un pequeño grupo de los que residíamos en el centro nos reunimos para experimentar un viaje chamánico. Nuestro líder, Brent, era un hombre cordial y modesto que hablaba poco. En cambio, Mart, su mujer, hablaba con una voz tan dulce y melodiosa como la de un sinsonte cantando al alba.

Para empezar, Brent encendió el montoncito de hojas de salvia que había puesto en una concha marina para purificarnos y tocó un gran tambor que usaba en esta ceremonia. Después de haber dirigido el humo hacia cada uno de nosotros, Mart cogió la salvia que Brent sostenía y siguió purificándonos recogiendo el humo que despedía con una gran pluma para dirigirlo hacia la parte delantera y trasera de nuestros torsos. Brent esperó en silencio hasta que Mart acabó de purificarnos a todos los presentes con el humo.

El silencio de Brent valía más que mil palabras. Yo podía sentir la fuerza que surgía del centro de su cuerpo como si él fuera una pantera que estuviera escuchando atentamente los sonidos nocturnos. Todos nos sentimos atraídos por la fuerza que Brent desprendía incluso antes de que abriera la boca para hablar.

«En primer lugar voy a dar las gracias al Creador por esta ceremonia que nos permite comunicarnos con el Gran Espíritu», dijo Brent cerrando los ojos para recitar una oración y alzando la concha marina con la humeante salvia por encima de su cabeza.

«El viaje chamánico —prosiguió— es una de las ceremonias más antiguas que se conocen. El chamán era el miembro de la tribu que desempeñaba el papel de líder y de guía espiritual. El chamán era un experto en "ver" el mundo del espíritu y en conversar con los espíritus de los animales que nos enseñan a los que vivimos en el mundo físico. Cada uno de nosotros tiene al menos el espíritu de un animal que es su guía, tótem o maestro. Esta ceremonia os ayudará a descubrir cuál es el vuestro».

Brent nos pidió que nos echásemos en el suelo en una postura cómoda y que escucháramos atentamente el sonido del tambor que, como si fueran los latidos del corazón de la Madre Tierra, empezó a tocar con un ritmo lento y luego más rápido, a medida que el viaje progresaba. Mientras seguíamos las instrucciones de Brent, el hipnótico sonido del tambor nos transportó a otro reino.

«Intentad encontrar con vuestra visión interior un lugar por el que entrar en la tierra, como la madriguera de un conejo o el hueco en la base de un árbol, y descended por las raíces que hay en ella. Mientras lo buscáis, intentad encontraros con el espíritu de vuestro animal guía y dejad que este maestro os acompañe bajo tierra a un lugar y sentid que esto es para vosotros la medicina o la curación que necesitáis».

El tambor siguió repiqueteando, a veces con un ritmo salvaje, transportándonos más allá del tiempo y el espacio. Al oír la señal que Brent nos había dicho que nos haría, el ritmo del tambor cambió para conducirnos a la superficie de la tierra, a una acogedora cabaña llamada Ángel de la Paz.

Al terminar el viaje nos sentamos en círculo para compartir nuestras experiencias. Amy, una mujer de pelo castaño fino, tez pálida y sin maquillar, que llevaba una camisa de tela vaquera azul claro y unos tejanos desgastados, fue la primera en hablar.

«No me sentía muy bien que digamos al empezar el viaje. Últimamente no he estado demasiado activa, porque Ralph y yo hemos estado intentando concebir un hijo y no lo hemos conseguido. Para seros sincera, quería quedarme en la habitación porque estaba deprimida, pero Ralph me convenció para que le acompañara esta noche a la ceremonia. Debo confesar que no me entusiasmaba ni atraía estar en ella, pero me dije: «Vale, seguramente es mejor que quedarme en la habitación compadeciéndome de mí misma». Me metí por un hueco que había al pie de un árbol y descendí siguiendo las raíces hasta llegar a un lugar que me dio la impresión de ser una fértil tierra. Allí me encontré con el Lobo. Sus penetrantes ojos grises me miraron directamente al alma durante lo que a mí me pareció una eternidad. Después se dio media vuelta, se metió sin prisas en un espeso y alto bosque de pinos y cedros y se dirigió a un pequeño claro. Escondida en las suaves colinas vi algo que parecía una cueva. El Lobo se metió en ella y se volvió hacia mí como si me estuviera llamando. Yo lo seguí. Con gran regocijo por mi parte, descubrí que la cueva era una guarida en la que una loba amamantaba a dos lobeznos. El Lobo se acercó a mí de nuevo y me miró a los ojos. A través de su mirada escuché en mi corazón un mensaje que me decía: "Debes mantener la imagen de que hijo que aún no has concebido viva en tu corazón. De lo contrario tus dudas y miedos le cerrarán la puerta y le impedirán entrar".

»Mientras seguía mirando al Lobo, se me empañaron los ojos. Cada noche lloraba porque no me quedaba embarazada. ¿Cómo podía el Lobo saber lo que sentía mi corazón? Sí, tenía miedo de no poder concebir nunca un hijo y de que mi útero y mi hogar no fueran fértiles.

»"Cambia la imagen que tienes en tu corazón. Visualiza que tu hogar y tu corazón están llenos de bebés. Alégrate de su llegada a casa", parecía decirme el Lobo.

»Capté el mensaje que quería darme: por supuesto mi útero vacío fomentaba la temida imagen de mi infertilidad. Pero ¿estaba realmente preparada para lo que yo decía que quería?

»Entonces oí la señal del tambor que nos indicaba que había llegado el momento de salir a la superficie. El Lobo me condujo sana y salva al punto donde lo había encontrado. No estoy segura de cómo ha ocurrido todo esto ni de qué voy a hacer con esta información, pero sé que algo ha cambiado en mi interior. He visto con claridad mis miedos y que debo mantener viva en mi corazón la imagen que tanto anhelo. También siento que puedo volver a ese lugar y conversar con el Lobo, y pienso hacerlo».

---

## Los retos y el progreso en el camino

A mis alumnos de la clase del Camino de la Sabiduría les asigné la tarea de pasar un tiempo solos en contacto con la naturaleza. Jane me recibió con una piña que había traído de su visita al bosque.

«Es para ti», me dijo ofreciéndomela como si fuera un gran tesoro, con los ojos brillándole de ilusión.

Le respondí con una sonrisa y acepté el regalo.

«He seguido la tradición de los indios americanos de respetar la naturaleza, de la que hemos hablado en clase, y antes de coger la piña del bosque, le pedí al Gran Espíritu permiso para hacerlo. También dejé un poco de tabaco en el suelo para darle las gracias», me dijo Jane.

«¿Cómo te fue?», le pregunté.

«Fue increíble —me respondió—. Mientras estaba en el bosque me sentí, de algún modo que aún no acabo de entender, como si volviera a casa. Rodeada de secoyas, puse la palma de la mano sobre el tronco de los árboles y sentí como si ellos me aseguraran que el proyecto que quiero emprender es positivo para mí. En medio de aquellos árboles tan altos, me sentí como si estuviera en una catedral natural, entre unos seres muy sabios que me revelaban lo que yo deseaba saber. El único problema que tengo es que no entiendo por qué no paso más tiempo en el bosque si es una experiencia tan enriquecedora para mi alma».

«Yo sé por qué —intervino Jill levantando la mano—. Es porque siempre estás muy ocupada, como yo. El trabajo y la vida cotidiana me quitan tanto tiempo que siento como si no pudiera salir de esta rueda. El problema que he tenido con la tarea que nos has puesto esta semana es que creí que no tendría tiempo para hacerla. Pero ayer por la noche, cuando estaba tendida en el sofá preocupada, me fijé de pronto en las hojas verdes y caídas de mi filodendro. La planta parecía estar sedienta. Crucé la sala de estar, la regué y le rocié las hojas con agua. Mientras humedecía a mis verdes amiguitas, de pronto se enderezaron, las planas superficies verdes de las hojas se levantaron como si me estuvieran agradeciendo el agua y mi atención. Su intensa respuesta me impresionó. «Estas plantas son seres vivos», pensé. Quité el polvo de las delgadas y fuertes hojas con suavidad, resiguiendo con mis dedos la trama de venas de la superficie. "Siento mucho no haberme ocupado de vosotras. A partir de ahora intentaré cuidaros mejor", les dije. En medio del silencio oí como si me dijeran: "Baja el ritmo, así no te perderás lo que es importante en la vida". He apreciado mucho el sabio mensaje que me han ofrecido».

«Jill, por lo visto has logrado hacer la tarea que os he puesto —le dije mirándole a los ojos—. Es algo que es bueno que todos recordemos. Sé por propia experiencia que, si trabajo demasiado y pierdo el contacto con la naturaleza, al cabo de un tiempo me siento desconectada de mí misma y del entorno».

«Sí —terció Margie—, yo lo sentí al hacer la tarea que nos pusiste. En mi trabajo estaba teniendo una semana muy estresante y ocupada. Como quiero ser una alumna perfecta... —la clase se echó a reír—, conseguí hacerme un hueco para salir a pasear por la mañana alrededor del lago que hay cerca de mi casa. Lo que más me sorprendió es que, aunque paso por ese lugar cada día, no me había fijado en que las hojas estaban cambiando de color y que el rojo y dorado que estaban adquiriendo era realmente hermoso. Me acordé de que cuando era pequeña me encantaba pasear en medio de las hojas otoñales y oírlas crujir bajo mis pies. Fue una experiencia muy agradable y yo también me he preguntado: "¿Por qué no paso más tiempo en contacto con la naturaleza si me gusta tanto?" Al caminar alrededor del lago me di cuenta de que era otoño. Me senté al pie de un árbol y escribí algunas ideas sobre lo que el otoño significa para mí. Recordé que es la época de la siega y de la muerte. La sabiduría del otoño me ayudó a aceptar que mis padres se están haciendo mayores y que, por más que me cueste reconocerlo, su envejecimiento es una parte natural del ciclo de la vida».

«Me alegro de que hayas escuchado a la naturaleza y recibido su sabiduría», le dije.

Al echar un vistazo a uno de los rincones del aula, vi a Walt, un alumno alto y rubio que frisaba los setenta años. Su rostro me resultaba familiar porque había asistido a muchas de mis clases, repitiendo incluso la misma clase a veces. Estaba siguiendo atentamente los comentarios de los alumnos. Decidí investigar la fuerte actitud de rechazo que sentí que estaba intentando contener.

«¿Qué te pasa, Walt?», la pregunta fue como la chispa que desata un gran incendio.

«Siento colarme en la fiesta, pero la tarea que nos pusiste de preguntarle algo a un árbol a mí no me ha funcionado. Me sentí estúpido hablando con los árboles, los pájaros o la luna. Yo soy un urbanita y estar en medio de demasiada paz y quietud me saca de quicio».

Oí que otros alumnos soltaban unas risitas amistosas.

«Lo máximo que he podido hacer es sacar a *Skip*, mi perro, a dar un largo paseo por el parque el domingo después de leer el periódico. Al menos pasamos un rato relajante paseando por el sendero y viendo las hojas otoñales de tonos carmesíes y dorados. *Skip* se lo pasó en grande persiguiendo ardillas y tirando de la correa al correr tras ellas».

«¿Cómo sabes que se lo pasó en grande?»

«Porque me lo dijo», en cuanto estas palabras salieron de su boca, Walt no tuvo más remedio que reconocer su propia resistencia mental. Sonrió ante la ironía de lo que acababa de decir.

«Gracias por compartir tu experiencia, Walt. ¿Alguien más quiere decir algo?»

A Riane, una mujer de origen japonés nacida en Estados Unidos, le temblaba la voz al hablar. A menudo llegaba media hora tarde a clase porque la retenían en su lugar de trabajo, en el centro de Los Ángeles.

«Me da vergüenza confesarlo, pero me asusta ir sola al bosque. ¿Y si alguien me ve e intenta hacerme daño y no hay nadie cerca para defenderme? Como no me sentía segura, no he hecho la tarea que nos pusiste».

Le miré a los ojos. Aunque tenía más de cuarenta años, en aquel momento parecía una niña de siete.

«Riane, me alegro de que hayas seguido los dictados de tu corazón. Me parece muy sensato que sólo vayamos al bosque si nos sentimos seguros en él. No eres la única que tiene este problema. He tenido otros alumnos en la clase a los que también les daba miedo ir solos al bosque. En una ocasión, algunos alumnos decidieron ir en grupo a visitar un parque. Una vez allí acordaron ir cada uno por su lado durante media hora para hacer el experimento de estar un rato solos y luego volvieron a encontrarse. Les tranquilizaba saber que si necesitaban ayuda había alguien cerca con quien podían contar. También se llevaron silbatos por si se encontraban en una situación peligrosa».

«Esta idea me gusta mucho más», dijo Riane respirando más tranquila.

«¿Hay alguien que esté interesado en ir en grupo? ¿Os gustaría que fuéramos todos al campo? —muchos alumnos levantaron la mano—. Riane, siento no haber mencionado esta posibilidad antes», le dije.

«No pasa nada. Gracias por tu comprensión», respondió ella sonriendo.

«También sé por mi propia experiencia que a veces nuestros miedos afloran cuando estamos solos. Estar en contacto con la naturaleza puede ser curativo. En una ocasión llevé a un pequeño grupo de alumnos al bosque para que permanecieran en silencio en él durante un día. Al llegar, Francine me comentó en privado que le daba miedo estar sola durante tanto tiempo. Le dije que no se preocupara, que iría a verla de vez en cuando y que en los ratos en los que se quedara sola quizá lograría conectar con su animal totémico y pedirle que la protegiera. Y la dejé. Al volver para ver si se encontraba bien, me dijo que ya no hacía falta que volviera. Había hecho una meditación y en ella había conectado con el Halcón que volaba por encima de su cabeza. Intuitivamente sintió una presencia que la estaba observando. A otro nivel de su ser, sabía que estaba segura y protegida. Me dijo: "Cada vez que veo al Halcón volando en el cielo, conecto con esa sensación de paz que siento al meditar y me siento protegida, nunca me había sentido tan segura". Estar en contacto con la naturaleza puede ofrecernos unos regalos inesperados si nos abrimos a ellos».

La espiritualidad de los indios americanos nos invita a volver a nosotros mismos, a nuestro hogar, al entrar en contacto con la naturaleza y recibir la sabiduría de sus enseñanzas. Al hacerlo, recordamos que formamos parte de un todo en el que nosotros, y todos los otros seres vivos, ocupamos un lugar esencial y somos dignos de respeto. No tenemos por qué sentirnos solos o alienados del mundo que nos rodea. Paradójicamente, podemos conectar con el universo al estar a solas en un paraje natural. A través de nuestra soledad recordamos que estamos interrelacionados con todos los seres vivos de la naturaleza.

## Unos Sabios Pasos

**PASA UN TIEMPO A SOLAS EN LA NATURALEZA.** Elige un espacio de tiempo —una mañana o una tarde, un día entero o un fin de semana— para estar a solas en un paraje natural. Llévate sólo lo más indispensable para que puedas concentrarte en él. Ve a un lugar que te encante: un bosque, las montañas, la playa o el desierto. Permanece receptivo al mundo natural. Advierte los animales o los insectos que se cruzan en tu camino, la posición del sol y de la luna, el sonido de los pájaros volando en el cielo. Observa cómo te sientes al estar en medio de la naturaleza. Explora cómo encajas en el esquema del mundo natural, la relación que mantienes con todo lo que tiene vida y mantente abierto a las enseñanzas que te ofrezca. Tal vez desees anotar tus percepciones o dejar que añadan una nueva dimensión a tu soledad.

**MANTENTE ABIERTO A LO QUE EL MUNDO DE LOS ANIMALES TE ENSEÑA.** A lo largo del día observa la interrelación que mantienes con los animales y ábrete a su sabiduría. Tal vez tengas ya una afinidad con tu mascota y la consideres una especie de maestro. Tu gato, que nunca viene cuando lo llamas, te enseña a ser independiente y autónomo. Y tu perro, que no se despega de ti, a ser familiar o leal al estar cerca de los miembros de tu familia. Advierte ese halcón que vuela en el cielo. Detente durante un momento. Pregúntate en tu fuero interior: «¿Qué es lo que el Halcón me está enseñando?» Ábrete a la respuesta. «Al volar por el cielo, ves las cosas desde una perspectiva distinta», «Te elevas por encima de las circunstancias», «Eres capaz de elevarte libremente».

Si mientras estás caminando por el bosque ves un ciervo, ábrete a la sabiduría que te ofrece este cuadrúpedo. Seguramente la belleza o la dulzura del Ciervo te impresionarán. Y esta imagen podría convertirse en un mensaje de sabiduría para ti: «Celebra la dulzura de tu propia naturaleza. Recuerda que hay un lugar donde se encuentra una belleza exquisita».

**MANTENTE EN CONTACTO CON LA TIERRA CULTIVÁNDOLA.** Una forma práctica de experimentar los maravillosos ciclos de la naturaleza es teniendo un jardín o un huerto. Planta algunas flores en la terraza o el balcón de tu casa. O pasa un rato en el huerto de un amigo. Toca la tierra con las manos mientras siembras unas semillas o sacas las malas hierbas. Observa el ciclo del crecimiento mientras los bulbos echan raíces en la rica tierra, aunque parezca que estén dormidos, y luego sus tallos brotan de ella en busca de luz. Recibe las lecciones que el jardín te enseña sobre los ciclos de tu propia vida. Advierte cómo te sientes en el espacio del jardín, al estar en contacto con las plantas, las flores, las estaciones y los ciclos de la naturaleza. Cultiva plantas aromáticas, lechugas o tomates. Presencia el milagro de la vida y cómo la naturaleza nos alimenta cada día.

# 7

## EL TAOÍSMO:
## *fluye con la corriente*

*¿Cómo puede la vida de un hombre seguir su curso*
*si no la deja fluir?*
*Los que fluyen con la vida*
*saben que no necesitan ninguna otra fuerza;*
*no se cansan ni se agotan,*
*no necesitan ningún remedio ni solución.*

LAO TSÉ, *TAO TE CHING*

Tuve un año difícil al ocuparme del programa pastoral de tres campus universitarios, los de Los Ángeles, Oakland y Seattle. La cantidad de alumnos había aumentado, pero la plantilla de profesores seguía siendo la misma. Además, al dirigir los programas de tres campus universitarios, dar clases, asesorar a mis clientes, hacer de vez en cuando visitas a los hospitales, ocuparme del culto religioso del domingo y hablar en calidad de invitada en varios púlpitos, mi ritmo interno se alteró por completo. Me sentía cansada, pero seguía forzando el cuerpo para ir a clase o responder a las preguntas de mis alumnos.

En mi interior, sabía que necesitaba descansar, pero no tenía tiempo para hacerlo. Me propuse hacerlo más adelante, pero no lo cumplí. Al final, ni siquiera sentía que necesitaba descansar, estaba llevando un frenético ritmo de vida, yendo de una cita a otra, de una clase a otra, de una llamada telefónica a otra. Perdí el contacto conmigo misma, aunque en aquella época no me di cuenta. Mientras llevaba este estilo de vida consumí montones de café y de donuts recubiertos de azúcar y tomé copiosas comidas en restaurantes. Al final me olvidé de los diferentes ritmos de mi vida, estaba siempre «activa», y la febril actividad que llevaba acabó transformándose en un estado de entumecimiento.

Gané peso y no podía dormir bien. Siempre me salía alguna otra cosa que hacer antes de volver a casa por la noche. Tenía tantas cosas que preparar que estaba pensando siempre en el trabajo. Me había convertido en una «máquina» y al igual que un hámster dando vueltas en la ruedecita, cuanto más frenético era el ritmo que llevaba, más vueltas en círculos daba.

Cada mañana al meditar me venía a la cabeza el hámster dando vueltas en la ruedecita y comprendí que había perdido el equilibrio. Y yo no había decidido ser una pastora o llevar una vida espiritual para perderlo. ¿Qué le había ocurrido a la conexión que mantenía con el Espíritu?

Cansada, e incluso desvitalizada, al final me dejé llevar por la corriente. Respetando mi necesidad introspectiva, me reservé un largo fin de semana para hacer un retiro a solas. Lo primero que hice fue dormir, lo cual me permitió descansar profundamente durantes horas. Recuerdo que Luciana, mi acupuntora, me decía que dormir era una poderosa medicina para la salud y la recuperación física que ayudaba a restablecer la circulación del *chi,* o energía vital, en el cuerpo. Solía decirme que mi actividad exterior, o *yang,* era excesiva y que debía equilibrarla con más *yin,* descanso y receptividad. Durante el retiro me di permiso para hacer sólo las actividades que mi cuerpo me pidiera. Al dormir y descansar, me sentí revitalizada. Tomé conciencia del torrente de energía que corría por mi cuerpo, que al principio quería renovarse con un descanso cada vez más profundo, como si supiera dónde estaba la fuente de energía. Observé que tras haber descansado me sentía renovada, como si hubiera entrado en contacto con la fuente de donde manaba la energía, y que estaba dirigiendo mi energía lentamente hacia el interior en lugar de hacerlo hacia el mundo exterior.

Después de dormir y descansar durante tres días, me puse a contemplar el agua desde la cubierta de mi barco y empecé a sentir que tenía energía para hacer algo. La niebla de mi mente y mi conciencia se estaba disipando y en alguna parte de mi interior surgió una vigorosa chispa de energía. Estaba despertando, librándome de mi entumecimiento. Estaba volviendo a sentir que era yo misma.

Escribí en mi diario el placer de fluir con la corriente al escuchar mi ritmo interior: *He estado notando el fluir de la corriente de mi vida de un modo que me ayuda a alegrarme del equilibrio entre mi actividad interior y mi actividad exterior. Ayer estuve un rato en casa, en el* Sophia, *mi barco, dándome el lujo de concentrarme en mi interior. Mientras estaba en cubierta, disfrutando del cálido verano y de la refrescante brisa, contemplé las azules olas que se movían hacia la dirección del viento. Aunque he ido alternando el concentrarme en mi interior, al escribir, con el contemplar el mundo exterior, he pasado la mayor parte del día en silencio. La creatividad fluye fácilmente del centro de mi ser. Observo que cuando ya siento que me he concentrado lo suficiente en mi interior al escribir, dirijo la atención de manera natural hacia el mundo exterior.*

*El río me llevó hacia fuera. Me entraron ganas de lavar los platos, de quitar el polvo y de salir con mi perro a pasear. Di la bienve-*

*nida al agradable equilibrio entre el yin y el yang. Había planeado cenar con mi hermano, pero sentí que necesitaba pasar más tiempo en esta nutritiva soledad. Cuando me llamó, le dije que iría a verle más tarde, a eso de las seis. Al llegar la hora, sentí que mi cuerpo, mi mente y mi espíritu tenían muchas ganas de hacer una actividad exterior. Me lo pasé muy bien visitando a mi hermano.*

*A la mañana siguiente les dije a los alumnos de una de mis clases que me encantaba la danza cósmica que experimentaba entre lo interior y lo exterior, el pasar de estar mirando en mi interior a volver a estar con gente. Para mí fue un regalo dejarme llevar libremente por el fluir de la corriente de mi vida a lo largo del día, sintonizando con el misterioso ritmo del Tao: el poder sin nombre y sin forma del universo.*

Cuando me dejo llevar por la corriente, es distinto de cuando intento forzar una situación en mi vida, porque en este caso lo único que consigo es que se me cierre una puerta tras otra. Ahora al ver las cosas desde la perspectiva de una acción espontánea, me pregunto si lo que hacía no era desperdiciar una valiosa energía que quería ir hacia otra dirección.

Fluir con la corriente parece mucho más fácil y placentero. ¿Qué ocurriría si me olvidara de la locura de intentar controlar el curso de mi vida; si cuando las puertas se me cerraran, lo aceptara, y cuando se abrieran, las cruzara? ¿Adónde quería ir el río de mi vida? ¿Sería capaz de dejarme llevar por la corriente? ¿De abandonarme a ella? ¿Seguiría de ese modo logrando hacer todo cuanto debiera hacer? Aquella semana experimenté un cambio en mí. Pero tardé muchos años en abandonar el hábito de intentar condicionar la corriente en lugar de dejar que ella me transformara.

El taoísmo es una de las principales religiones de China. Se basa en la filosofía de Lao Tsé y enseña que la simplicidad y la humildad naturales llevan a la armonía y al equilibrio en la vida. El taoísmo y el confucianismo son aspectos complementarios del pensamiento chino. El confucianismo, que surgió hacia el año 500 a. C., mantiene que podemos llevar una buena vida si seguimos los parámetros sociales de las ceremonias, las obligaciones y la modestia. En cambio, el ideal taoísta evita las convenciones sociales y conduce a una vida meditativa simple y espontánea en contacto con la naturaleza.

El taoísmo, basado en los escritos de Lao Tsé y Chuang Tsé, destaca el vivir siguiendo el Tao, que significa «el Camino» o «Vía», es decir, el poder omnipresente que lo impregna todo y que trasciende el nombre y la forma.

Tal como Huston Smith nos lo explica en *Las religiones del mundo,* Lao Tsé, el antiguo maestro que fundó el taoísmo (se pronuncia «daoísmo»), nació en China alrededor del año 604 a. C. Sólo sabemos cosas de él a través de un mosaico de leyendas. Una historia comúnmente aceptada cuenta que Lao Tsé se había desilusionado porque sus coetáneos no sabían vivir en armonía con la naturaleza. Deseando pasar los últimos años de su vida en soledad, se subió al lomo de un búfalo de agua y se dirigió hacia el oeste, el lugar que hoy es el Tíbet. Cuando llegó al paso de Hankao, un guardián al enterarse de sus intenciones de apartarse de la sociedad, intentó persuadirle para que volviera atrás y no los abandonara. Pero aunque no lo consiguió, logró convencerle de que al menos escribiera la esencia de sus enseñanzas para que los demás pudieran aprovechar su sabiduría. Al cabo de tres días Lao Tsé volvió con un conciso volumen compuesto de ochenta y un aforismos titulado *Tao Te Ching,* que significa «El Camino y su poder». Una de las principales percepciones descritas en el libro es que si observamos la naturaleza, que expresa el innombrable misterio del Tao, conectaremos con la sabiduría intuitiva que hay en nuestro interior y ésta nos guiará en cualquier situación.

Muchos occidentales conocen los principios del taoísmo al practicar el *tai chi chuan,* una meditación dinámica realizada con movimientos lentos que se practica para gozar de salud, equilibrio y longevidad; el *chi gong,* un antiguo sistema chino de respiración y movimientos concebido para mejorar la salud y el bienestar y para prevenir las enfermedades; el *feng shui,* el arte chino de crear un entorno basado en patrones yin y yang y en la circulación energética; y la *acupuntura,* una medicina complementaria que equilibra la polaridad de las energías del cuerpo insertando unas finas agujas en puntos de los meridianos para que el chi vuelva a circular adecuadamente y el paciente recupere la salud.

## Los principios esenciales: el taoísmo

**LA NATURALEZA DE LA DEIDAD.** En el taoísmo lo divino se manifiesta de diversas formas. En un sentido, todo surge del Tao y vuelve a él. El Tao no es un ser supremo, sino un principio cósmico que infunde vitalidad a todos los aspectos de la creación. Cosmológicamente, en primer lugar existe el Tao, o el potencial indiferenciado, que al moverse se convierte en dos polos opuestos que fluyen entre sí, conocidos como el yin y el yang, y de los que surge a su vez el mundo material, referido como «los Diez mil seres», que parece ser lo opuesto a esta unidad.

**LA RELACIÓN PERSONAL CON LA DEIDAD.** Cualquier persona puede acceder al Tao sin necesidad de recurrir a un intermediario. Los taoístas viven en un estado de receptividad para ser conscientes del fluir de la vida.

**EL CULTO.** El taoísmo se practica siguiendo el Tao y aprendiendo a vivir en armonía con su sabiduría. El *Tao Te Ching* aconseja la quietud y el *wu wei,* o el no ir en contra de la acción de la naturaleza. El agua es un símbolo común en los textos taoístas que nos recuerda que la adaptabilidad es también un signo de fuerza. No hay nada que sea más adaptable que el agua y, sin embargo, el agua puede erosionar una piedra.

**LAS CREENCIAS ÉTICAS.** Los primeros textos taoístas rinden homenaje al Tao, que crea, alimenta, destruye y lo contiene todo, y aconsejan no confiar en las convenciones creadas por los humanos, que dividen las cosas en polos opuestos, como el bien y el mal. La esencia del taoísmo es el wu wei, o el «no interferir», que nos enseña a fluir con los procesos y los cambios naturales en lugar de ir en contra de ellos. Practicar el wu wei es también valorar la flexibilidad y la humildad y aceptar el aspecto femenino.

**LAS CREENCIAS SOBRE LA MUERTE Y LA VIDA EN EL MÁS ALLÁ.** La vida y la muerte son, sobre todo en los escritos de Chuang Tsé, partes de un ciclo que se van alternando y que no debes desear ni temer. Nuestro destino es participar en la coagulación y la dispersión del chi. El taoísmo también hace hincapié en preservar el chi para gozar de longevidad e incluso de inmortalidad mediante prácticas de alquimia interna y externa: meditación, ejercicios de visualización y prácticas físicas como el tai chi chuan y el chi gong.

## ¿Qué es la corriente?

Todos conocemos el símbolo del yin y el yang, que consiste en un círculo dividido en el centro por una línea que parece un serpenteante río fluyendo de la parte superior a la inferior del círculo. Una mitad del círculo es negra y la otra blanca. Dentro de cada mitad hay un pequeño círculo del color opuesto: en la parte negra es blanco, y en la parte blanca es negro. Simboliza la energía que fluye de un polo al otro en la continua danza del Tao entre estas polaridades. El día se convierte en noche y la noche se convierte en día. Las mareas suben y bajan. La temperatura cambia de caliente a fría. A veces estamos sanos y otras enfermos; a veces estamos alegres y otras tristes. Todos experimentamos en la vida cotidiana la danza del Tao a través de este fluir que se da entre las polaridades.

De la misma forma que el invierno se convierte en primavera y que los nuevos retoños reemplazan a las ramas desnudas del invierno, nuestra vida tiene una inteligencia y un misterio que la guían como un río invisible que sabe cómo volver a su fuente. Esta inteligencia entrelazada en el paso de las estaciones fluye a lo largo de nuestra vida.

Podemos ver este río fluyendo en nuestra vida cuando conocemos a las personas que necesitamos conocer, o cuando nos encontramos con las oportunidades que nos permiten prosperar, y con los retos que nos ayudan a cultivar nuestros recursos interiores. ¿Y si una inteligencia superior a la nuestra gobernara nuestra vida? ¿Es acertado dejarnos llevar por esta corriente, ser humildes ante su misterio y estar dispuestos a entregarnos a esta inteligencia?

Para lograrlo, los taoístas nos invitan a ser receptivos al Tao observándolo en la simplicidad de la naturaleza y cultivando la sensación intuitiva interior que nos permite ceder (el principio femenino, yin) o actuar (el principio masculino, yang) cuando es apropiado. Ninguno de los dos se considera bueno o malo. Ambos son necesarios para mantener un equilibrio. En el taoísmo, el equilibrio se da en la circulación de la energía entre opuestos. El yin y el yang representan los polos opuestos entre los que fluye el Tao. El yin es oscuro, húmedo y femenino como la tierra. El yang es luminoso, seco y masculino como el cielo.

---

### *La danza debajo del agua*

Mientras practicaba el buceo con esnórquel en Tahití experimenté la danza del Tao al observar cómo una anémona interactuaba con un pez payaso. Cuando la anémona se abría en una receptiva postura yin, el pez payaso se acercaba al borde de la anémona para alimentarse con sus desechos, representando la postura activa del yang y limpiando a la anémona al mismo tiempo. Observé cómo ejecutaban la danza, dando un paso para atrás y otro para adelante, como el chachachá, en la que cuando tú das un paso hacia delante, tu pareja da uno hacia atrás. Aunque toda su danza tuvo lugar al ritmo de las melodías submarinas del silencio, fue sumamente poderosa.

---

## Cuando te resistes a la corriente

Tanto si se trata del desarrollo de nuestro camino espiritual, del progreso de una relación íntima, de la búsqueda de un trabajo o de encontrar el medio de vida correcto, comprendemos que el camino siempre está fluyendo. Que seguimos un proceso.

Pero también hay ocasiones en las que nos resistimos a dejarnos llevar por la corriente de nuestra vida. No queremos que nuestro hijo se perfore una parte de su cuerpo. Nos tapamos los oídos cuando nuestra pareja nos dice que quiere dejar la relación. No queremos aceptar que nuestros padres estén a punto de morir. Y aunque nos resistamos a ello, nuestro hijo acaba haciéndose un *piercing*, la relación sentimental se termina y nuestros padres se mueren. Por más que pataleemos y chillemos, seguimos bajando por el río de la vida. Pero al verlo en retrospectiva puede que comprendamos lo estúpido que es resistirnos, no sólo porque es inútil, sino además porque aquello que tanto temíamos nos ofrece unos regalos inesperados. Nuestro hijo adolescente acaba convirtiéndose en un pensador creativo e independiente con una personalidad que admiramos. El divorcio nos lleva a una nueva profundidad espiritual que sólo la independencia podía despertar. La muerte de un ser querido nos permite ver las inevitables transiciones de la vida y sentirnos agradecidos a cada momento por seguir viviendo. Incluso en los estados intermedios en los que nos sentimos impotentes, afligidos y desolados, advertimos que al aceptar estas emociones en lugar de rechazarlas experimentamos una profunda y extraña paz. Vemos que es más sensato fluir con el río de nuestra vida. ¿Cómo podemos lograrlo? ¿Cómo podemos fluir con la corriente?

## El poder del agua

Fluir con el curso de la vida implica aceptar el proceso relajados, aceptar las situaciones en lugar de intentar cambiarlas o controlarlas. El taoísmo nos ofrece una forma de navegar por el escurridizo fluir de las aguas del Tao. A los taoístas de antaño les encantaba la imagen del agua. Tenemos que aprender a ser como el agua. El agua sortea cualquier obstáculo y se adapta a aquello que la contiene, busca los lugares más bajos. El agua vence lo duro y lo quebradizo. Excava los cañones de granito y desmorona las colinas. El agua es infinitamente dúctil y adaptable y, al mismo tiempo, infinitamente fuerte.

¿No te parece que es absurdo resistirse a la corriente? El agua se escurre por nuestros dedos, no podemos retener ni rechazar esta escurridiza corriente. Y, sin embargo, en otros contextos intentamos oponernos a ella todo el tiempo. Yo lo he visto en más de una ocasión al dirigir un programa pastoral en el que hombres y mujeres seguían su vocación religiosa. Era un torrente interior que, por más que intentaran contenerlo, acababa brotando al exterior, como un arroyo congelado que se deshiela al comenzar la primavera.

---

### *Yendo en contra de la corriente*

En una ocasión conocí a un alumno que siguió su vocación demasiado pronto. Él no estaba preparado aún, pero no lo sabía. Se llamaba Charles, era de constitución frágil y tenía cincuenta años, aunque no los aparentaba. Cuando hizo la solicitud para entrar en el programa espiritual que yo dirigía, estaba aún siguiendo otro programa. Este detalle fue lo primero que me hizo dudar.

«¿No crees que estudiar dos programas a la vez te dará demasiado trabajo?», le pregunté.

«No, yo pienso que estoy preparado para ello, tengo cincuenta años y quiero ser pastor antes de hacerme demasiado mayor».

«Me parece razonable. Sin embargo, quizá sería más sensato que reflexionaras un poco más sobre ello antes de empezar nuestro programa pastoral».

«Estoy listo para realizarlo», me aseguró.

Le dije que las entrevistas para cursar aquellos estudios ya estaban programadas, pero él me respondió que no podía ir porque aquel día no iba a estar en la ciudad. Me pidió si podía concertarle la entrevista para un día que le fuera bien. Como lo había hecho con otros alumnos, le dije que le reservaría una cita con tres pastores.

La entrevista de Charles duró una hora y media, más tiempo de lo habitual. Al terminar, los pastores me llamaron para que entrara en el despacho mientras Charles esperaba fuera.

«No creemos que esté preparado para estos estudios —me dijo la reverenda Mary Louise—. Tiene que madurar un poco más».

«Por eso hacemos estas entrevistas», le respondí.

Les di las gracias y, tras decirle a Charles que podía volver a pasar al despacho, les dejé solos para que le hablaran de la evaluación que le habían hecho.

Después de la entrevista Charles fue a verme a mi despacho. Tenía la tez enrojecida y la corbata parecía apretarle demasiado. Estaba abatido, como era de esperar. Recordé mis reflexiones sobre fluir con la corriente durante el retiro del fin de semana.

«¿Sabes, Charles? quizá todo lo que te ha ocurrido: el no haber podido ir a las primeras entrevistas y luego la decisión de hoy de los pastores, te está intentando decir algo. ¿Qué crees que es?»

«Que si quieres de veras ser un pastor, no has de dejar que ningún obstáculo te lo impida», me respondió rápidamente. También me comentó que había oído que en ciertos casos se podía recurrir a una nueva entrevista con otros tres pastores.

«Charles, ¿crees que es sensato ir en contra de la corriente? Quizá no sea el mejor momento para empezar estos estudios».

Él me dijo que estaba decidido a intentar con toda su alma ser pastor porque era su vocación. Sorprendentemente, logró tener otra entrevista. Los pastores que se la hicieron le permitieron seguir los estudios religiosos y Charles empezó el primer año de su formación como pastor, a pesar de tenerlo todo en contra. A lo largo de los años se le aparecieron más advertencias en forma de preocupación por parte de sus maestros y tutores, pero él siguió con empeño los estudios. Al final de cuatro años de clases, prácticas, estudios intensivos y exámenes, a Charles sólo le quedaba saltar la última valla que lo calificaría como pastor. Frente a setenta y cinco estudiantes compañeros de clase y profesores que estaban junto a un bosquecillo para felicitar a los nuevos pastores, esperamos a que los candidatos salieran del examen y descendieran por la colina para darles la enhorabuena.

Charles fue el único alumno que suspendió el examen. La comisión que lo decidió estuvo de acuerdo por unanimidad en que tenía que esperar otro año para graduarse y volverse a examinar.

Es difícil bajar por la colina cuando te han suspendido. Algunos compañeros se echaron a llorar al enterarse. Otros intentaron disimular su decepción lo mejor que pudieron. Ni siquiera los abrazos y los rezos sinceros pueden consolarte en estas situaciones. A mí me habría gustado ahorrarle a Charles aquel deprimente y humillante momento, pero nadie podía hacerlo. Mientras le contemplaba bajando derrotado por la colina, vi que estaba pálido, demudado, aunque caminara con la espalda recta y con seguridad, y esbozara una ligera sonrisa. Comprendí que aún no estaba preparado para los regalos de aquellas percepciones interiores que yo esperaba que algún día recibiera.

Recuerdo que mientras yo cursaba mis estudios religiosos, hubo una época en la que estaba decidida a ir en contra de todos los signos que me indicaban que aún no estaba preparada. Me suspendieron en un examen oral global porque me negué a escuchar el consejo de mis mentores de cambiar de actitud. Testaruda y desafiante, seguí en mis trece. Yo lo llamaba integridad. Pero la vida lo llamó rebeldía. Casi me aplastó. No supe advertir el ligero golpe, el zarandeo más fuerte y la brusca embestida, hasta que al final la dura realidad me hizo parar en seco. A veces sólo aprendemos a respetar los sabios designios del río de la vida al estar a punto de ahogarnos en él.

---

## En armonía con la corriente

La actitud interior, o el modo de abordar la vida, que nos permite fluir con la corriente de la vida se describe con maestría en esta poética paráfrasis de la filosofía laotsiana, una de mis preferidas:

Debemos dejar que madure
y que caiga.
Actuar antes de tiempo
es inútil.

Morder una dulce y jugosa naranja o maravillarnos cuando estamos cenando de los preciosos narcisos que hay en la mesa nos recuerda la exquisita perfección del Tao. El hecho de que los actos creativos de la naturaleza se lleven a cabo a través de un misterioso proceso más allá de nuestro control nos enseña a ser humildes. ¿Por qué interferir o intentar controlar aquello que ya es magnífico en su fluir natural? Sin embargo, nos cuesta mucho no intentar hacerlo. Queremos controlar y cambiar las cosas y a veces incluso forzarlas a que salgan como nosotros queremos. ¿Qué podemos hacer para vivir dejando que la corriente siga su curso?

**MANTENTE PRESENTE.** Quizás hayas observado una clase de tai chi en la que los participantes se mueven de manera lenta y concentrada, siendo conscientes de la respiración. Este proceso meditativo te da una idea de lo que es estar presente. Baja tu ritmo habitual de pensar y actuar para ser consciente de lo que está ocurriendo en el momento presente. Si observas el Tao, podrás reaccionar de la forma adecuada.

---

### *Bailando al son de la corriente*

Mi amiga Sandra, una mujer alta y delgada, de espalda ancha y cabello castaño que le cae con una ligera rebeldía sobre su cara, me contó sus percepciones sobre fluir en armonía con el curso de la corriente. Estaba pasando una época difícil. El Departamento de Tesorería la había hecho llamar para comunicarle que les debía quince mil dólares de impuestos. Su consulta como profesional de la salud aún no le proporcionaba unos grandes ingresos y tenía muchas facturas por pagar. Sandra, desesperada, decidió mantener una conversación con Dios. Comprendió que había estado bailando un vals con él, pero el ritmo había cambiado al de un tango.

Sabía que debía cambiar los pasos del baile. En lugar de lamentarse sobre su situación, aceptó sus nuevas responsabilidades económicas. Pensó en nuevas formas de atraer a los pacientes y cambió de actitud con respecto al Departamento de Tesorería, ya que le agradecía que le hubiera dejado pagar su deuda en plazos de 150 dólares mensuales. Mientras tanto, recibió una beca parcial para asistir a un congreso al que deseaba ir, pero temía no poder darse este lujo.

En lugar de dudar sobre lo que debía hacer, ahora se dejaba llevar por la corriente.

«Dime, ¿qué es lo que ha cambiado en tu vida? —le pregunté—. ¿Ahora eres más receptiva al fluir del curso de tu vida?»

«Yo más bien diría que ahora soy más consciente del ritmo de mi vida. Mi forma anterior de reaccionar no me funcionaba. La vida me pisaba los pies, porque yo seguía bailando un vals. Pero en cuanto me di cuenta de que el ritmo había cambiado, pude adaptarme a los nuevos pasos del baile y bailar al son de la música que ahora sonaba».

«¿Cómo te va entonces tu tango con la vida?»

«¡Oh, ahora estamos bailando una salsa!», me respondió con un brillo travieso en sus ojos verdes.

---

**NO INTENTES CONTROLARLO TODO.** Posiblemente una de las cosas que más nos cuesta a los occidentales es dejar que las situaciones ocurran en lugar de intentar que sucedan como nosotros queremos. Tenemos un ego tan fuerte que estamos convencidos de que tener el control, o las riendas, significa ser responsables, decididos y ocuparnos de la situación. Pero esta postura no es siempre la mejor.

Veamos algunas de las implicaciones que tiene. Muchos de nosotros tal vez creamos que para hacer un trabajo importante tenemos que empujar una gran roca hasta la cima de una colina. Quizá descubramos que los logros importantes son difíciles de alcanzar y creamos que debemos seguir luchando contra la corriente. Dejar de intentar controlar una situación no significa que no debas esforzarte nunca. Hacer un esfuerzo adicional cuando es necesario no es ir en contra de la corriente, sino que de hecho puede ser justamente lo que debes hacer. Al igual que el río fluye con fuerza al ir colina abajo, también hay momentos en los que es adecuado que te esfuerces más. Terminar un libro, coordinar un encuentro de fin de semana, cocinar para una numerosa familia en las fiestas navideñas, todo esto exige un gran esfuerzo. No tiene por qué considerarse ir en contra de la corriente, sino que por el contrario significa responder a lo que la situación requiere.

Intenta captar los signos que van apareciendo en tu camino. La vida te dice cuándo has perdido el equilibrio. Quizás estés terminando el libro o algún otro proyecto y tu familia se queje de que nunca paras en casa o tal vez estés enfermando por trabajar demasiado. O puede que en un proyecto surjan tantos impedimentos que te plantees si es sensato seguir adelante. Poco público asistente a una conferencia o el mal tiempo durante unas fiestas quizá te sugieran que debes volver a considerar lo que vas a hacer. ¿Acaso no hemos visto todos en algún momento de nuestra vida una señal que nos estaba indicando que nos detuviéramos o que lo dejáramos correr, y en lugar de hacerle caso hemos seguido yendo por el mismo camino? Ir en contra de la corriente de la vida indica que estás intentando manipular una situación en lugar de dejar que siga su curso natural. Si eres sensible al fluir de la corriente de la vida, podrás adaptar el esfuerzo que aplicas y ver si lo más adecuado es ceder a ella o actuar. Ignorar las señales y seguir yendo empecinadamente por el mismo camino o quitarles importancia a cualquier precio implica que estás intentando controlar la situación en lugar de rendirte a la sabiduría que el fluir de la vida te ofrece a cada momento.

¿Confías lo suficiente en este fluir como para dejarte llevar por él? No se trata de renunciar temerariamente a tener el control. Al contrario, ceder al curso que sigue una inteligencia superior, el Tao, es una decisión muy sagaz. Aunque a veces parezca no exigir esfuerzo, no siempre es fácil.

---

### *La historia de Lorraine*

Una de mis pacientes, una mujer llamada Lorraine, había estado intentando equilibrar su vida. Sus virtudes naturales eran las de asumir responsabilidades, sacarlo todo adelante y ocuparse de la situación. Pero se dio cuenta de que su vida podía mejorar si abandonaba esta actitud de querer controlarlo todo. Había estado intentando desarrollar su parte femenina, la actitud yin. Durante los meses en los que estuvimos trabajando juntas, Lorraine empezó a plantearse el abordar las cosas de una manera más suave. La animé a descansar más, a tomarse un descanso entre un proyecto y otro, y a dejar que los demás colaboraran y asumieran más responsabilidades. Después de una pulmonía y de empezar una nueva relación sentimental, estaba entusiasmada con poder intentar afrontar las cosas con una nueva actitud.

En una sesión que mantuve con ella por teléfono mientras Lorraine estaba en Vancouver y yo en Los Ángeles, lo primero que hicimos fue recitar una oración para concentrarnos. Después de quedarnos en silencio durante varios minutos, intuí dónde se encontraba ella en su viaje espiritual por unas imágenes que me vinieron a la cabeza: vi en ellas a Lorraine conduciendo una lancha motora a lo largo de la costa para dirigirse al lugar donde desempeñaría su nuevo cargo como asesora de una importante empresa. Después abandonó el asiento del conductor y dejó puesto el piloto automático. En la visión ella decía: «¡Oh, lo dejo en manos del Universo!» Y luego reanudaba la conversación con un hombre que también estaba en la lancha. Lo que más me llamó la atención fue el interés y la atención que ella ponía en la conversación. Vi que este detalle indicaba que Lorraine había cambiado de actitud al decidir no intentar controlarlo siempre todo.

«¡Esto es exactamente lo que está ocurriendo en mi vida! —me dijo con su apasionado tono habitual—. He comprendido que no puedo controlar a la gente con la que trato en mi nuevo trabajo como asesora. Al principio de mi carrera creía que si me ocupaba de todas las operaciones de la compañía sería una directora responsable. Pero es imposible controlar la participación, la contribución y el futuro de todo el mundo. Ahora ya no intento tanto llevar las riendas, porque confío en el curso divino de los acontecimientos. Observo cómo las cosas se van desarrollando. Y mientras tanto, disfruto viviendo el momento y contemplando cómo progresa esta nueva relación sentimental que he iniciado. Dejar de intentar controlarlo todo me permite ser consciente de lo que está ocurriendo a cada momento en lugar de tratar de calmar el miedo que me produce pensar en lo que va a ocurrir en el futuro».

Mientras seguía hablando conmigo, Lorraine me contó lo feliz que ahora se sentía por haber dejado de controlarlo todo. Tener tiempo para hacer actividades tan sencillas como ir a ver una película con su nuevo amigo o dar largos paseos después de cenar en lugar de cavilar en metas estratégicas o en planes económicos, le había dado el equilibrio que estaba buscando.

Me alegré al ver lo contenta que estaba y recordé que aquel mismo equilibrio entre el trabajo, el descanso y un tiempo para las relaciones sociales había añadido también una satisfacción indescriptible a mi vida. Escuchar la historia de Lorraine y presenciar el equilibrio del yin y el yang en su vida me pareció una melodía interpretada por el Tao.

---

**CONFÍA EN EL PROCESO.** No puedes ver siempre adónde te lleva el río de tu vida. Si confías en el Tao, te sentirás más seguro mientras te aventuras hacia lo desconocido. En las clases, yo les digo a mis alumnos que aprenderán a sentirse más cómodos en el momento presente si recuerdan: «Se van a revelar más cosas».

A veces, cuando tenemos miedo, buscamos alguna certeza. Queremos conocer el lugar al que nos estamos dirigiendo. Podemos incluso crearnos una vida pobre y previsible para evitar la desazón que nos produce lo desconocido. Sin embargo, la vida nos obliga a entregarnos a ella. Quizá de pronto nos quedemos sin trabajo, enfermemos o nos encontremos en medio de desastres naturales como un huracán o un tornado.

Y, sin embargo, estas situaciones inesperadas nos enseñan a afrontar la vida de una nueva forma. A manifestar nuevos recursos interiores. Si aún no hemos aprendido la elegante actitud del wu wei, nos brindan la oportunidad de hacerlo.

---

### *La historia de Elizabeth*

El último día del curso de diez semanas de duración del Camino de la Sabiduría, Elizabeth se dejó caer en la silla como si el cuerpo le pesara mucho más de lo que su pequeña complexión indicaba. Estaba envuelta en una densa nube. Tenía los ojos entrecerrados y las comisuras de la boca caídas, su rostro había perdido la vitalidad habitual y ahora se veía apagado. Después de meditar juntos brevemente, Walt no se pudo aguantar más y le preguntó:

«¿Qué te ha pasado, Elizabeth?»

«¿Tan mal aspecto tengo?»

«Pues sí», le respondió Walt asintiendo con la cabeza.

«Hoy he perdido mi trabajo. Mi nueva jefa me ha dicho que yo no era la persona idónea y me ha soltado: "No hace falta que te vayas enseguida, pero al final del mes deberás dejar la empresa"».

Varios alumnos de la clase expresaron su preocupación por ella, compartieron experiencias similares y le ofrecieron apoyo. Pero Elizabeth seguía desorientada.

Decidió ir a verme para que la aconsejara. En nuestra primera sesión hablamos sobre la sabiduría del río de su vida.

«Elizabeth, ¿has pensado que quizás el río de tu vida te está llevando adonde necesitas ir? Si fuera así, ¿qué harías?»

Ellla lanzó un suspiro.

«¿Qué es lo que tengo que hacer?», me preguntó.

«Nada. En lugar de hacer algo, sé receptiva. Ábrete a tu sabiduría intuitiva e innata que está vinculada con el río de tu vida. Si tuvieras que adivinar adónde te está llevando en esta ocasión tu sabiduría interior, ¿adónde crees que sería?»

«Sólo sé que tengo muchas ganas de descansar, estoy agotada. Pero creo que he de buscar un trabajo, o sea que olvidándome de mi cansancio, he hecho una lista de las personas a las que puedo llamar y estoy intentando sacar energía de donde sea para actualizar mi currículo y enviarlo. Debo encontrar un trabajo antes de las fiestas, de lo contrario no podré conseguir uno hasta el año que viene».

Durante varios meses estuvimos hablando cada semana. Le sugerí que aprovechara este tiempo para afrontar la vida con otra actitud, una en la que se dejara llevar por el río de su vida en lugar de intentar oponerse a él. Elizabeth aceptó hacerlo.

En primer lugar, se permitió descansar. Le aconsejé que no actuara a no ser que se lo dictara el corazón y no la cabeza. Ella aprendió a diferenciar entre ambos y decidió seguir mi consejo, aunque le incomodara hacerlo. Le dije que podía pasarse parte del día haciendo siestas. Si se sentía cansada, debía descansar. También le sugerí que se acostara a las diez de la noche y que durmiera todo lo que su cuerpo le pidiera.

Al cabo de un par de semanas de descansar, hacer siestas, pasear por la playa, escribir en su diario y llevar una vida muy tranquila, me contó que había sentido un cambio en su interior. Como si fuera la marea del mar, sentía dentro de ella una especie de corriente que la incitaba a actuar. Aquella semana Elizabeth recibió la llamada de un posible mentor con el que ella había contactado para pedirle que la ayudara a encontrar el trabajo adecuado. El hombre también la había invitado a ir con él a un evento dirigido a los profesionales para ampliar la red de contactos empresariales en la que el cubierto costaba quinientos dólares.

Recuperada y lista para conocer a gente nueva, Elizabeth hizo al asistir a aquel evento algunos contactos que la llevaron a varias entrevistas para encontrar trabajo. Estaba aprendiendo a preguntarse si una situación era yin o yang y al final conectó con la sabiduría interior que se lo indicaba.

«Es como si las cosas sucedieran sin que yo hiciera nada. Las oportunidades de trabajo se me están presentando».

«Quizás el río te está llevando adonde necesitas ir ahora que has dejado de intentar controlarlo todo», le sugerí.

Entonces el aluvión de entrevistas de trabajo, que aún no le habían dado ningún resultado, se detuvo de pronto. Elizabeth estaba desconcertada.

«¿Y ahora qué he hecho mal?»

«Nada —le respondí—. La corriente del trabajo ha dejado de fluir. ¿Hay alguna otra área de tu vida a la que sientas que el río te está llevando?»

«Ahora que lo mencionas, he estado esperando la ocasión para irme de mi apartamento que está en West Hollywood. Hace tiempo que quiero comprarme un piso en Westside. Pero, ¿no será mejor que me concentre en buscar trabajo?»

Dejé que Elizabeth respondiera a su propia pregunta.

«Si confío en el río, debo dejarme llevar por él en lugar de ir a contracorriente. Hace tiempo que intuyo que debo encontrar mi verdadero hogar, quizás ahora que lo del trabajo está estancado sea el momento de buscarlo».

«Lo sabrás si las puertas se te abren en lugar de cerrarse».

La semana siguiente Elizabeth fue a ver dos pisos que estaban dentro de sus posibilidades económicas y se enamoró del segundo, era justo el que deseaba.

«¡Sólo he visto dos pisos y ya me ha gustado uno! Creía que tardaría meses en encontrarlo».

«¿Sientes como si fuera tu verdadero hogar?», le pregunté.

«Sí —respondió Elizabeth sin dudarlo—. Pero otro comprador ha hecho una oferta y no sé si el que lo vende va a aceptar la mía».

«¿Por qué no? Observa lo que ocurre. Si es la casa correcta para ti, lo sabrás».

Elizabeth siguió contándome los detalles. Le pidieron a ella y al otro comprador que subieran la oferta que habían propuesto, y lo hicieron. Pero la venta llegó a un punto muerto. Cuando su agente le dijo que el propietario aún quería más, Elizabeth dijo: «No», porque ya había llegado al límite de lo que podía ofrecer. Dejó correr el piso y estaba dispuesta a buscar otro, aunque le pareciera una perspectiva agotadora. Pero al cabo de dos días el otro comprador se retiró y el propietario del piso aceptó vendérselo a ella.

Después de dos meses de tratar con arquitectos, albañiles y operarios, Elizabeth exclamó que la aventura de arreglar el piso que acababa de comprar era un trabajo a tiempo completo y que no se imaginaba cómo lo hubiera hecho de haber estado trabajando o, peor aún, empezando un nuevo trabajo. Estaba viendo los beneficios de fluir armoniosamente con el río de la vida, aunque a veces el viaje fuera un poco agitado.

«Y además me ha salido un admirador secreto —me confesó guiñándome un ojo. Yo sabía que era otra de las cosas que su corazón deseaba».

Richard cortejó a Elizabeth con elegancia. La llevó a restaurantes encantadores, la sorprendió enviándole flores y escuchó atentamente lo que ella le decía. Elizabeth se sintió respetada y querida, dos cosas que eran muy importantes para ella. Al cabo de dos meses la relación ya había progresado, pese a la apretada agenda de Richard llena de viajes. Aunque estuviera a menudo en un país de otro continente con un horario distinto, él la seguía llamando cada noche.

Richard se fue a Sudamérica durante dos semanas. Elizabeth se moría de ganas de volver a verle. Lo echaba de menos y quería saber cómo le iba y además estaba ansiosa por acabar de planear la escapada que querían hacer a la costa Este para asistir a la boda de una íntima amiga suya.

Pero cuando Richard volvió y fue a verla, ella intuyó enseguida que algo no iba bien. Él se veía tenso y al abrazarla no lo hizo con la ternura con la que siempre lo hacía.

«Elizabeth, lo siento mucho, pero esta relación no está funcionando para mí. No me despierta la suficiente pasión».

Ella, impactada y decepcionada, contempló cómo Richard daba media vuelta y se iba.

«¡Al volver del Brasil rompió conmigo», me dijo volviendo a sentir la mezcla de sentimientos que le había producido aquella despedida.

Conversamos sobre confiar en el curso de la corriente.

«A veces, Elizabeth, cuando el río describe un meandro, no podemos ver adónde nos lleva. Pero estoy segura de que la corriente de tu vida te está llevando al mejor lugar. Hasta ahora lo has estado haciendo muy bien al ser tan receptiva y dejarte llevar por el fluir de tu vida. Ahora es el momento de confiar en que el río sabe adónde te está llevando. Si tu camino y el de Richard no tienen que cruzarse más, ¿no puedes confiar en que más adelante te ocurrirá algo mejor?»

«Veo que tengo varias opciones. Puedo intentar cambiar la situación, hablar con Richard y hacerle ver lo bien que nos podría ir juntos. Pero para serte sincera, ya lo he hecho en otras ocasiones y siempre que he tratado de forzar las cosas nunca me han ido bien».

«Esta situación me recuerda lo que Lao Tsé dijo en una ocasión sobre dejar que la vida madure en lugar de intentar que todo salga como nosotros queremos», le dije a Elizabeth.

Nos quedamos sentadas en silencio durantes unos momentos, recitamos una oración y no volvimos a hablar de ello aquella noche.

Más tarde pensé que cuando yo había intentado forzar una relación sentimental para que funcionara, o manipular una situación para obtener el trabajo o el resultado que quería, siempre me había salido mal. También recordé la ocasión en que, inexplicablemente, habían elegido mi currículo de entre los de otros cien aspirantes sin que yo hiciera nada. O cuando el amor de mi vida se había cruzado en mi camino en el momento exacto en que yo estaba preparada para abrir mi corazón de nuevo. O cuando había paseado por la playa junto al centelleante mar y éste había fluido en mí a través de mi respiración llenándome con su fulgor. Ya sea que estemos desesperados o maravillados, o por alguna misteriosa e incomprensible razón, podemos dejamos llevar por la corriente del río de la vida.

EL CULTIVO DE LA PACIENCIA. La nieve cae de la hoja en el momento exacto en que la fuerza de la gravedad la impulsa a hacerlo. El sauce se dobla bajo la fuerza del viento. Nuestras vidas también están sometidas a la presión y al empuje de los ritmos de la naturaleza. Para estar en armonía con este fluir, debemos cultivar la paciencia que nos permite esperar el momento adecuado para actuar o ceder. Lao Tsé escribe:

> ¿Tienes la suficiente paciencia para esperar
> a que el lodo se asiente y el agua se aclare?
> ¿Puedes permanecer inactivo
> hasta que la acción apropiada surja por sí misma?
>
> El hombre superior no persigue un resultado.
> Ni lo busca, ni lo expresa,
> sólo está presente, dándole la bienvenida a todo.

Al esperar, la situación se aclara. A veces, al esperar, el lodo de la ambivalencia, la confusión o la indecisión se acaba asentando. Para estar atento al momento oportuno hay que ser paciente. En algunas ocasiones, es más prudente esperar a que nuestro amante se acerque y nos diga un cumplido o nos dé un beso antes de preguntarle si nos quiere. O terminar un manuscrito y entregarlo, a hacerlo antes de tiempo, cuando aún no está acabado. Y en otras ocasiones, es mejor quedar con la persona que nos atrae en lugar de dejar que siga con su vida sin saber que la amamos. Los taoístas dirían: «Espera el momento idóneo guiándote por tu intuición para sentir cuándo debes actuar o ceder». Las cosas suelen ir más lentas de lo que nuestro ego desea. Hay una parte nuestra que es impaciente y quiere la respuesta ahora y al observar esta parte podemos reconocerla.

### *La historia de Charlene*

Conocí a Charlene en una clase de filosofía que yo estaba dando en 1979 en la New School for Social Research de la ciudad de Nueva York. Mientras enseñaba a los alumnos los misterios de la antigua filosofía y las religiones orientales, los ojos marrones de Charlen brillaban llenos de curiosidad e interés. Allí, en aquella clase, empezó una amistad de veinte años que perdura hasta el día de hoy.

Durante los años que las dos vivimos en la ciudad de Nueva York, Charlene no dejó de hablarme de sus dos mayores deseos: irse de Nueva York para vivir en el sudoeste y mantener una relación sentimental con alguien.

«Todo este cemento no me va, estoy rodeada de gris, gris y más gris. ¡Quiero estar en un lugar donde haya más vida!», exclamaba al tiempo que el flequillo castaño de su pelo se le movía a cada gesto que hacía como si lo agitara el viento.

«¿Y por qué no te vas?», le pregunté.

«Lo he intentado, pero al parecer sólo encuentro trabajo en esta gris ciudad».

En aquella época Charlene era una talentosa pintora que se ganaba la vida trabajando en los decorados de *Saturday Night Live*. Le pagaban muy bien, pero el horario era brutal y el trabajo físicamente agotador, tenía que hacer turnos de veinticuatro a treinta y seis horas pintando decorados sin parar, trabajando subida sobre escaleras y transportando el equipo escénico.

A lo largo de los años había ido a vivir por un tiempo a otras ciudades —Sedona, Arizona y Burlington, Vermont—, pero siempre regresaba a Nueva York por motivos económicos. Mientras tanto, seguía con su trabajo espiritual, meditando en templos zen, cantando en coros de gospel y rezando plegarias afirmativas.

Uno de sus maestros espirituales le aconsejó:

«Debes hacer las paces con Nueva York y esperar el momento oportuno para irte de la ciudad».

«¡Un momento! —exclamó ella—. ¡Llevo esperando quince años! ¿Cuánto tiempo más he de esperar?»

«Cuando las puertas se te abran fácilmente, lo sabrás».

Al final, después de vivir en la ciudad de Nueva York diecisiete años, Charlene sintió que era el momento de viajar a Santa Fe y buscar allí un lugar para vivir. Había ahorrado el suficiente dinero como para permanecer seis meses en esa ciudad mientras buscaba trabajo. Después de encontrar un piso allí, volvió a hacer las maletas y se dirigió al aeropuerto para coger el vuelo de regreso a Nueva York.

Mientras esperaba en la puerta de embarque vio a un atractivo hombre leyendo un libro. Al subir al avión y acercarse al lugar que le habían asignado, vio que él estaba sentado en el asiento contiguo. Se dio cuenta de que también se sentía atraído por ella, pero se sintió irritada. ¿Por qué tenía que conocer a alguien precisamente ahora, cuando debía concentrarse en encontrar un trabajo en Santa Fe?

El vuelo a Nueva York se retrasó a causa de la nieve y el avión cambió de ruta dirigiéndose a Albany. Durante las cinco horas de trayecto en autobús a Nueva York, Charlene y Mac se enamoraron. Al cabo de cuatro años, se casaron en Santa Fe. Ahora ya llevan siete años felizmente casados.

Para su boda, Charlene eligió una ceremonia que celebraba

lo mágico de la vida que los había unido. En un abrir y cerrar de ojos, puedes conocer a alguien y toda tu vida puede cambiar.

Durante la ceremonia Charlene me sonrió. Me dijo sobre su nueva vida: «Todos esos años de espera han valido la pena».

---

## Los retos y el progreso en el camino

Un martes por la noche, cuando el trimestre estaba a punto de terminar, después de haber estado hablando del ejercicio para adquirir sabiduría consistente en fluir con la corriente, vi de pronto que uno de mis alumnos se había puesto muy tenso.

«¿Qué te pasa, Walt?», le pregunté intentando averiguar por qué estaba incómodo.

«Esta semana me ha costado mucho hacer la tarea que nos has asignado. Dejarme llevar por la corriente es lo contrario a todo lo que yo he aprendido que debe hacer un hombre. En mi interior oía una voz que me decía: "¿Qué eres, un debilucho que lo acepta todo? Sé un hombre. Toma las riendas". De acuerdo, lo admito, no quiero dejarme llevar por las circunstancias. Prefiero construir mi propio destino», reconoció Walt cruzando los brazos frente a su pecho. Ahora parecía estar más relajado.

«Veo que te sientes más relajado cuando controlas la situación, Walt. Yo no estoy intentando impedirte que lo hagas. Pero ¿no te parece que también te iría bien desarrollar tu aspecto receptivo?»

«¿Acaso has estado hablando con mi ex mujer?

Al reírse la clase, el ambiente se relajó un poco.

«A mí me gusta cuando un hombre no intenta controlarlo todo siempre y se muestra receptivo conmigo cuando necesito que me escuche —observó Jill hablando tan deprisa como de costumbre con el flequillo castaño claro enmarcando un rostro que personificaba el entusiasmo—. Lo más difícil para mí no es ser receptiva, sino controlar la situación. Al practicar el ejercicio "¿He de adoptar una actitud yin o yang en esta situación?", vi que tenía que intervenir, pero no logré hacerlo. En una reunión de ventas del trabajo, el director me preguntó si creía que su manera de enfocar las ventas era más ventajosa que el sistema del año pasado. Me quedé helada y sólo conseguí farfullar unas pocas palabras. Comprendí que estaba más acostumbrada a secundar al equipo que a llevar la voz cantante».

«Es bueno que te hayas dado cuenta, Jill —le respondí—. No me sorprendería nada que nuestra cultura nos condicionara un poco a desarrollar más el aspecto yin o el yang. ¿Qué ventaja o desventaja creéis que tiene carecer de suficiente yin o de suficiente yang? ¿Walt? ¿Jill?»

Walt fue el primero en hablar.

«Debo admitir que para mí era más importante tener la razón que ser receptivo a los sentimientos o a las peticiones de mi ex mujer. En aquella época, no podía permitirme ser vulnerable porque me resultaba demasiado duro, pero ahora nos estás diciendo que la receptividad es un signo de fuerza y no de debilidad. Quizá mi matrimonio habría sido más equilibrado si hubiera aprendido a ser más yin».

«Muy bien, Walt, veo que ahora estás siendo receptivo y vulnerable».

«Me doy cuenta de las ventajas de aprender a ser más activa y asertiva —observó Jill —. Hay una parte mía a la que le da miedo el poder. Pero lo cierto es que yo he contribuido al éxito de aquella presentación tanto como cualquier otro empleado. Me sentiría más completa si pudiera hacer valer mis derechos y decir lo que pienso».

«Por lo que veo ahora estás desempeñando el papel yang. ¿Qué otro problema o progreso habéis experimentado al fluir con la corriente de la vida?»

Michael, un atractivo joven con la piel de color chocolate y unos largos rizos al estilo de los rastafaris recogidos en una coleta que le llegaba hasta la mitad de la espalda, fue el siguiente en hablar:

«Creo que es importante equilibrar las energías yin y yang y fluir con la corriente que siento en mi interior. Pero por más yin que me sienta, debo estar en el trabajo a las nueve en punto».

«Sí, quizá tengamos que movernos dentro de unos parámetros, pero podemos seguir haciendo muchas cosas, como descansar cuando estamos cansados en lugar de tomarnos otra taza de café para desperezarnos y seguir trabajando. O como levantarnos y hacer ejercicio cuando el cuerpo nos dice: "Sí, levántate y vayamos al gimnasio", en lugar de hacer caso a aquella parte nuestra que quiere quedarse más tiempo durmiendo en la cama y apagar una vez más la alarma del despertador», le dije.

Grace levantó la mano.

«Yo he intentado fluir con el Tao mientras pintaba. He leído que los taoístas aplicaban los principios de la espontaneidad en la caligrafía y otras formas de arte. El sábado, el día que pinto, intenté hacerlo sin pintar nada en particular. Vacié mi mente para pintar sólo lo que mi ser me pedía. Y también hice algunos ejercicios de chi gong que me ayudaron a estar en armonía con el flujo de la energía en mi cuerpo. Después medité durante un rato, hasta que sentí deseos de pintar. Dejé que mi mano cogiera el pincel cuando le apeteciera y lo hundí en los colores de la paleta:

blando con alguien a quien quieres y no os ponéis de acuerdo sobre alguna cosa en particular. Algunas veces es mejor adoptar la postura yin de esperar, morderte la lengua y escucharle con el corazón, y otras veces es preferible adoptar una actitud más yang, expresar con energía tu punto de vista, actuar o pedirle algo. ¿Cómo sabes cuándo es mejor adoptar una actitud yin o una actitud yang? Para averiguarlo detente, conecta con tu centro de sabiduría y recibe la guía interior que te muestra cuál es la acción más adecuada. La pregunta dejará el espacio para que surja en ti la respuesta. Puedes saberlo de manera intuitiva por medio de una sensación física, teniendo una visión de la acción adecuada u oyendo en tu interior palabras llenas de sabiduría. Cultivar el arte del sabio obrar exige práctica. Date el tiempo que necesites para hacerlo. Advierte cuándo actúas adecuadamente y cuándo fallas en ello. A base de práctica aprenderás a adoptar una actitud yin o yang según la situación.

**PRACTICA EL ARTE DE LA PACIENCIA.** Vivimos en una cultura que fomenta más el actuar que el esperar. Para esperar el momento oportuno en el que actuar, necesitas tener paciencia. Cuando estás en la sala de espera de un médico, en la parada del autobús o detenido de camino al trabajo ante un semáforo esperando a que se ponga verde, advierte si te impacientas y si la espera se te hace demasiado larga. En lugar de impacientarte, sumérgete con más profundidad en el momento presente. Respira hondo varias veces para calmarte y armonizar con el fluir de los acontecimientos. Practica el mantener la calma al esperar pacientemente. Disfruta la tranquilidad que te produce tu quietud interior, uno de los regalos de la paciencia. Al cultivar el arte de la paciencia, estarás en armonía con el Tao y fluirás con la corriente de la vida con más destreza.

# 8

## EL NUEVO PENSAMIENTO: *capta la visión que Dios tiene de tu vida*

*Lo que distingue el nuevo pensamiento del antiguo no es el negar la Realidad Divina, sino el afirmar que está a nuestro alcance.*

ERNEST HOLMES, *THE HOLMES READER FOR ALL SEASONS*

Recuperarme del estrés que me causaba el estilo de vida que llevaba, aunque sólo fuera durante un fin de semana, me permitió detenerme durante un tiempo y reflexionar sobre la encrucijada en que se encontraba mi vida: ¿debía seguir siendo una pastora o hacer realidad mi sueño de escribir? No sabía qué hacer. Por un lado, me gustaba mucho mi actividad como pastora —enseñar, aconsejar, dirigir a los estudiantes en el programa pastoral—, pero por otro sentía que me faltaba algo. Uno de mis maestros lo llamó en una ocasión «descontento divino». ¿Adónde me estaba llevando?

Gran parte de las enseñanzas que yo daba a los alumnos para ayudarles en su formación pastoral tenía que ver con la verdadera vocación. Usábamos una técnica llamada visionado, que consistía en un proceso meditativo en grupo para ayudarnos a ver la visión que Dios tenía de nuestra vida y de nuestro ministerio. En una de estas clases, mientras ayudaba a mis alumnos a ver la visión que Dios tenía de sus vidas, también vi la que él tenía de mi verdadero camino.

Después de permanecer quince minutos en silencio, les planteé a mis alumnos una pregunta que hizo que nos abriéramos a un amor y a una inteligencia infinitos, o lo que es lo mismo, a Dios: «¿Cuál es la idea perfecta que Dios tiene de vuestra vida y ministerio? ¿Cómo es y qué sensación os produce? ¿Qué sensación os causa esta visión? ¿Os habéis abierto lo suficiente a esta idea como para recibirla?»

La primera imagen que me vino a la cabeza fue la de mi infancia, cuando yo tenía cinco o seis años y estaba sentada ante la mesa con un cuaderno de unas gruesas hojas de papel azul, amarillo y verde en las que había dibujado unas figuras y escrito las palabras de una historia. Mientras unía las hojas del cuaderno con un cordón rojo, estaba cantando una canción, inventándome la letra. Esta visión me hizo recordar los despreocupados ensueños de la creatividad infantil. Jugaba a mi juego favorito dejando volar libremente la imaginación. Entonces la imagen cambió y me vi por detrás, ante una gran sala a oscuras llena de gente. Las luces del escenario brillaban sobre mí mientras yo contemplaba el mar de rostros del público. Les estaba leyendo un pasaje de *El camino de la sabiduría,* el libro que deseaba escribir y en el que había estado trabajando los últimos años. Oí unas voces de apoyo que me decían afectuosamente: «Querida, que nos alegras el corazón, tú estás aquí para escribir».

Entonces la imagen cambió y vi una amatista. Aunque estuviera incrustada en la cavidad de la tierra, sus cristales brillaban. Sentí como si la amatista estuviera dentro de mí esperando a que yo la descubriera al excavar en mis recursos interiores. La cualidad luminosa de la imagen me conmovió por su belleza y me transportó de algún modo a un espacio intemporal. Es más, en mi mente surgieron las siguientes preguntas: «¿Cuál es la visión que

Dios tiene de mi transformación en este momento? ¿Cómo debo crecer interiormente? ¿De qué debo desprenderme? ¿Qué cualidades espirituales me ayudarán en este momento de mi vida?»

Me vi de nuevo ante una sala llena de público. Apenas logré reconocer la figura pequeña y delgada plantada en el escenario con un ceñido traje azul marino. Para crecer interiormente debía llevar un estilo de vida que me permitiera tener tiempo para escribir y terminar mi libro. Pero aún no me había liberado de la mala costumbre de comer por gula, de no hacer ejercicio y de trabajar demasiado. Necesitaba cultivar la disciplina y la tenacidad.

Sentí que había llegado el momento de concluir las visiones. Sabía que había pasado casi media hora, aunque me parecieran sólo varios minutos. Terminé la sesión con una oración de agradecimiento.

Después me puse a escribir y a reflexionar sobre las visiones y descubrí varias cosas. Lo que más me asombró fue que mis visiones me mostraban que en la realidad de mi vida había otras posibilidades aparte de las que yo creía tener, como si ya hubieran ocurrido, aunque la situación actual fuera muy distinta.

Durante años había estado intentando tener tiempo para escribir mientras desempeñaba un exigente trabajo de jornada completa. Era difícil no dejarme absorber por las llamadas telefónicas, los e-mails, las entrevistas con los alumnos, las conferencias, las reuniones y otras responsabilidades que me exigía mi trabajo como decana. Además, yo no era pequeña ni delgada, y la ropa que llevaba no era ajustada, sino grande y ancha. Me sobraban cuarenta kilos. La visión que había tenido me estaba diciendo que escribir y ocuparme de mi salud era prioritario. ¿Cómo podía dejar mi ministerio? ¿Cómo iba a abandonar los arraigados hábitos alimenticios que tenía?

Seguí pidiéndole a Dios que me diera una visión de mi vida y ministerio. En las clases continué con las sesiones para recibir una visión divina y también intenté recibirla los martes por la mañana con una compañera de oraciones. A lo largo del año fui anotando las visiones que tenía en una carpeta blanca de vinilo de dos centímetros y medio de grosor. Las visiones siguieron guiándome no sólo a través de las imágenes, sino también de sus distintas vibraciones. Me vi en un trapecio, agarrada a la barra mientras otro trapecio se acercaba adonde yo estaba. Una voz angelical me dijo: «Ha llegado el momento de soltarte». En otra imagen me vi cruzando un abismo por un puente de oro que se formaba bajo mis pies a cada paso que daba. La misma voz interior me dijo: «La brillante luz de la fe crea un camino sobre el abismo. Es tu miedo el que atrae al peligro de caer al vacío».

Mi vida era un caos. Dejar mi cargo de decana y pastora ha sido una de las transiciones más difíciles de mi vida. En algunas ocasiones me daba miedo tener que valérmelas por mí misma sin la seguridad de sentirme respaldada por una institución. Me sentía culpable por dejar a mis alumnos. Sin embargo, la guía que recibía en las visiones seguía siendo la misma. Me vi sana y salva dejándome llevar por la corriente. La voz interior me recordó las cosas que sabía: «Dios nos hace regalos cuando nos rendimos a Él. Sigue tu camino, que es único para ti».

Las visiones me estaban llevando hacia una dirección, aunque más bien sentía como si me estuvieran atrayendo. Era una atracción mutua. ¿Quién podía resistirse a esta combinación de un amor incondicional y el propósito del alma? Al igual que una pareja destinada a amarse, el propósito de mi alma y yo estábamos destinados a encontrarnos. Cuanto más sentía y recordaba el campo energético de las visiones, y más entraba en él, más advertía su aspecto en el plano físico.

En las sesiones del visionado los temas que predominaban siguieron siendo los mismos. Siempre tenían que ver con escribir y con la salud. Me vi acurrucada en un velero, escribiendo. Aquella silenciosa soledad era como estar en el cielo. Oí que alguien me decía: «¡Chsss...! Es un lugar silencioso. Encuentra un lugar, un sitio tranquilo donde escribir». Sin planearlo, me sentí inspirada a dedicar algunos ratos a escribir. Durante varios meses estuve despertándome a las cuatro de la madrugada y escribía durante dos horas mientras el resto del mundo dormía. Después le pedí a mi amiga que me dejara su velero los sábados por la tarde y me dedicaba a escribir en él durante horas. Advertí que, cuando me reservaba este tiempo, sentía que el campo energético me enriquecía, que concordaba con la visión en la que yo me veía como una escritora. Era como si un coro en el universo estuviera cantando la respuesta: sí. Me sentía unida a mi Amado.

A medida que se repetían aquellas visiones sobre la salud, observé que mi forma física iba cambiando. En una de ellas me desprendía de mi cuerpo físico como si me quitara un traje de invierno. La figura que salía de él era más joven y pequeña que la mía. Empecé a dar paseos cada día, fui a una clínica para perder peso, me uní a un grupo de apoyo, y en casa pesaba y calculaba las verduras y las proteínas que consumía. Al cabo de nueves meses había perdido treinta y cinco kilos.

La visión me fue guiando, como si me marcara con migajas de pan el camino que debía seguir para alcanzar el propósito de mi alma. Incluso ahora comprendo con claridad las partes que en aquella época no entendía, la trama invisible del lienzo que durante el proceso no podía ver. Un plan divino se estaba desarrollando para mí. Al seguirlo, logré escribir el libro que ahora tienes en tus manos.

El Nuevo Pensamiento, un movimiento norteamericano que nació a mediados del siglo XIX, se concentra en la curación y en la creación de la propia realidad a través del poder de la mente y el espíritu. Los fundadores del Nuevo Pensamiento fueron sumamente prácticos. Todos entendían la realidad espiritual de la misma forma y compartían la misma pasión por usarla de manera práctica para crear salud, riqueza, felicidad. Y en los últimos años, al adquirir una visión global, también comparten el deseo de ayudar a las personas que lo necesiten de cualquier parte del mundo. Entre la larga línea de predecesores del Nuevo Pensamiento se encuentran Ralph Waldo Emerson; Phineas Quimby; Mary Baker Eddy, fundadora de la Ciencia Cristiana, Emma Curtis Hopkins, fundadora de la Ciencia Divina; Charles y Myrtle Fillmore, fundadores de la Escuela Unida de la Cristiandad, y Ernest Holmes, fundador de la Ciencia Religiosa.

## Los principios esenciales: el Nuevo Pensamiento

**LA NATURALEZA DE LA DEIDAD.** Se la cita como Dios, el Único, el Amor y la Presencia. Dios es omnisciente, omnipresente y omnipotente. Esta realidad espiritual existe dentro, alrededor y a través de cualquier persona.

**LA RELACIÓN PERSONAL CON LA DEIDAD.** Todo el mundo puede mantener una relación personal con Dios sin necesidad de un intermediario. Una persona es con relación a Dios lo mismo que una ola lo es con respecto al océano. El Nuevo Pensamiento considera que somos uno con Dios.

**EL CULTO.** El culto se celebra en las iglesias. Formas comunes de comunicarse con Dios son las plegarias afirmativas, la meditación y las visiones. El culto también se practica aplicando los principios espirituales en la vida cotidiana. Lo más importante en él es desarrollar una conciencia que esté de acuerdo con los atributos de Dios.

**LAS CREENCIAS ÉTICAS.** Dios es el único poder en el universo y es bueno. El único pecado que existe es ignorar la verdadera naturaleza de Dios. Los pensamientos crean la realidad de acuerdo con las leyes espirituales. Las personas usamos nuestros pensamientos para crear la vida que deseamos. Todos tenemos la fuerza para curar y transformar nuestra vida y también las condiciones del mundo. Las vidas individuales son instrumentos de Dios.

**EL ALMA Y LAS CREENCIAS SOBRE LA MUERTE.** La muerte es una continuación de la vida en otro plano. El alma es eterna y no muere nunca, pero siempre está progresando para evolucionar y expandirse. La muerte es la transición a otro plano de existencia y es un tiempo para conmemorar y celebrar la vida del difunto.

## ¿En qué consiste el visionado?

¿Qué ocurriría si en lugar de ver tu vida a través de lo que te ocurrió en la infancia, de cómo te querían o te maltrataban tus padres, o de cómo la cultura prevalente esperaba que fueras, la vieras a través de los ojos de Dios, llenos de una inteligencia y un amor infinitos? El visionado, creado y popularizado por el doctor Michael Bernard Beckwith, líder del Nuevo Pensamiento, es un proceso meditativo que te permite ver tu vida a través de la mente y el corazón de Dios.

¿Por qué necesitas captar la visión que Dios tiene de tu vida? Tanto si lo llamas el propósito de tu alma, la canción que hemos venido a cantar o el servicio que se supone hemos de hacer a los demás, la verdad es que cada uno de nosotros estamos en este mundo por una razón. El visionado nos ayuda a conectar con este propósito, con el patrón divino que hay en nuestro interior. El proceso del visionado nos permite alinearnos con la inteligencia universal, que es superior a nuestra propia inteligencia, aunque ésta forme parte de ella. Una de las ideas del Nuevo Pensamiento es que somos uno con Dios. Al dejar a un lado nuestras ideas como individuos, podemos acceder al océano de sabiduría que hay en nuestro interior en lugar de disponer sólo de la pequeña laguna de nuestra individualidad.

El proceso del visionado, que se inicia con una meditación y una oración, suele realizarse en grupo, aunque puedes hacerlo también solo o con otra persona. En él se pide una guía espiritual en torno a un tema en común —el desarrollo de una organización como una iglesia, una compañía teatral o el de la palestra de la vida personal, como el medio de vida correcto, el propósito del alma o el matrimonio—, sobre cualquier cosa que uno desee manifestar en el mundo. Un líder designado facilita el proceso del visionado.

A los participantes se les pide que sean receptivos al contenido del visionado, que puede aparecer como imágenes visuales, respuestas auditivas o una sensación relacionada con unas determinadas cualidades, como la paz, el amor o la compasión. Los miembros del grupo después de escribir unas notas personales tienen la oportunidad de compartir sus experiencias del proceso del visionado.

## La preparación para la visión

Aunque el acto de visionar sea una forma útil y relativamente sencilla de acceder a la sabiduría, el proceso requiere una preparación mental y espiritual.

**SUMÉRGETE EN EL AMOR INCONDICIONAL.** Una de las formas más profundas de entrar en contacto con Dios es mediante el amor. El amor incondicional, a diferencia del amor romántico, no espera nada a cambio. Al abrir tu corazón a las frecuencias divinas del amor, te concentras en el corazón, que es también sede de la intuición. El visionado no es un proceso mental, ya que es la facultad intuitiva la que nos permite oír, ver y sentir la sabiduría de Dios. Concentrarte en el amor te ayuda a aquietar la mente. Sumergirte en un amor incondicional te ayuda a pensar con el corazón y no con la cabeza.

¿Cómo te sumerges en él? En la sesión de meditación que se realiza antes del proceso del visionado, puedes evocar el amor incondicional de distintas formas. Al mirar en tu interior y sentir la quietud meditativa, puedes recordar algún momento en que hayas amado a otra persona. Al igual que si disfrutaras del cálido sol, dejas que tu cuerpo, que todo tu ser, se llene de la sensación de amor, y luego lo irradias hacia el Amado. Imagina a tu propia manera que estás rodeado de amor incondicional.

**DEJA A UN LADO TODAS TUS IDEAS.** Imponer tus propias ideas en el proceso del visionado es tentador, sobre todo si quieres obtener un determinado resultado. Por ejemplo, quizá te hayas hecho ya una idea sobre el pastor idóneo para una comunidad espiritual o tengas una fuerte preferencia por el propósito de tu alma.

Al dejar a un lado tus ideas para abrirte a las de Dios, ganas con ello. Mis alumnos siempre se llevan una grata sorpresa cuando les sugiero en las clases que utilicen el visionado para elegir el trabajo escrito para el final del trimestre. A veces les pido que anoten los temas en los que se quieren concentrar y después los guío en el proceso del visionado para que conecten con la idea que Dios tiene de su proyecto. El tema que se revela en la visión siempre es más profundo, se acerca más a los intereses del alma, por eso es más estimulante para las inclinaciones más profundas de los alumnos. Los temas iniciales que se les han ocurrido son en comparación poco atractivos, reflejan una elección mecánica en lugar de una que satisfaga al alma. Estar en contacto con las revelaciones del alma es el regalo que te ofrece el visionado, tanto si te concentras en un centro espiritual, en el medio de vida correcto o en la idea que Dios tiene de una relación sentimental perfecta.

Si descubres que tus ideas coinciden con la visión de Dios, fabuloso. Sin embargo, lo más habitual es que difieran. A menudo recibimos unas respuestas más profundas acerca de una determinada situación en la visión que Dios tiene de nuestra vida.

---

### *Revelaciones sobre el matrimonio*

Cuando me encuentro con parejas para ayudarlas a planear su boda, las animo a asistir a varias sesiones de orientación prematrimonial. Como en el caso de Jeremy y Laci, que planeaban casarse en junio. A simple vista la pareja que estaba sentada ante mí parecía de lo más normal. Laci, que tendría unos veintisiete años, era rubia, pequeña y nerviosa. En cambio, Jeremy, un joven corpulento y hablador, solía decir al hablar: «No quiero llevar la voz cantante en la conversación, pero...»

La pareja, sentada en el borde de sus sillas sin apenas mirarse, parecía esperar que las sesiones les ayudaran a resolver los millones de detalles de la boda. La mente de Laci pasaba rápidamente de un tema a otro. Al tener que hacer malabarismos para compaginar su trabajo a tiempo completo y su doctorado en economía, estaba acostumbrada a resolverlo todo al instante. Hablaba deprisa y con eficacia, expresando rápidamente las ideas en pocas palabras. Jeremy era, en cambio, más tranquilo, aunque tenía preparada su Palm Pilot para enumerar los detalles de los planes para la boda. Ambos parecían tensos y un poco irritados el uno con el otro. Había algo en ellos que no acababa de funcionar.

Después de llegar a un punto muerto sobre la clase de ceremonia que reflejase mejor sus valores, les sugerí que imagináramos la boda y la vida en matrimonio para captar la visión que Dios tenía de su vida juntos.

«Antes de empezar el visionado, ¿tenéis alguna idea especial para vuestra boda?», les pregunté.

Laci fue la primera en hablar.

«Yo siempre me la he imaginado con un pastel blanco de dos pisos decorado en la cima con rosas rojas».

«Y yo siempre me la he imaginado con una banda de mariachis tocando canciones de amor mejicanas», añadió Jeremy.

«Son imágenes encantadoras —repuse—. Sin embargo, intentad por ahora olvidaros de las ideas que tenéis sobre la boda y vuestro matrimonio. Ha llegado el momento de vaciar vuestra mente para recibir la visión que Dios tiene de esta ocasión tan especial».

Cuando la pizarra está limpia, podemos ver con más claridad la visión de Dios y conectar con la fuente universal de sabiduría. Les expliqué el proceso del visionado con más profundidad y luego les invité a relajarse, cerrar los ojos y mirar en su interior.

Tras hacerles las preguntas del proceso del visionado, conversamos sobre la visión de Dios que Jeremy, Laci y yo habíamos recibido. La pareja creía que iba a recibir instrucciones sobre la ceremonia, los colores que debían usar y la lista de invitados. Pero, en lugar de ello, las visiones los llevaron hacia una dirección que ninguno de los dos había imaginado. En una de las imágenes que Jeremy tuvo, Laci y él estaban andando rápidamente, como los personajes de las películas de Charlot. Ella nos dijo que había visto un primer plano en el que las manos de ambos intentaban tocar la punta de los dedos del otro sin conseguirlo.

Mientras seguimos hablando sobre las imágenes, la pareja comprendió que se habían obsesionado tanto por los detalles de la boda que se estaban distanciando entre ellos en lugar de acercarse. Los dos sentían que les faltaba algo, pero no se atrevían a compartir sus sentimientos. La imagen de las manos intentando tocarse entre sí les recordó lo importante que era su conexión. Como Laci estudiaba en la universidad y Jeremy estaba ocupado con su nuevo trabajo, se habían ido distanciando. Pero hasta este momento no habían compartido la tristeza y la decepción que este distanciamiento les producía.

Compartir la tristeza que les causaba el distanciamiento y su deseo de establecer una conexión más profunda les ayudó a dejar de fijarse tanto en los detalles de la boda para intentar mantener una relación más estrecha. Las imágenes que recibieron en las visiones se convirtieron en el trampolín para actuar de forma creativa. Se reservaron un tiempo para estar juntos. En lugar de vivir juntos como compañeros de piso, cruzándose como dos barcos en la oscuridad, se comprometieron a actuar de nuevo como amantes. Recordaron que al principio de su relación él le regalaba ramos de flores y ella le escribía notas de amor para sorprenderle, pero que después habían acabado los dos pegados a la pantalla del ordenador hasta avanzadas horas de la noche. La pareja acordó reservarse un tiempo durante el cual apagarían el móvil y se olvidarían del ordenador para poder charlar y cogerse de la mano. Al sentirse más cerca el uno del otro, dejaron de preocuparse por los detalles de la boda, porque ahora sentían que los iban a resolver sin ningún esfuerzo.

El visionado les ayudó a recordar lo que era más importante en la preparación de su boda: en lo que debían sobre todo fijarse no era en los detalles de la ceremonia, sino en la intimidad y el tiempo que compartían. Aunque se preguntaban cómo se podían haber olvidado de algo tan importante, agradecieron que el proceso del visionado los hubiera vuelto a poner en el buen camino. Más allá de sus ideas preconcebidas estaba el verdadero factor de unión que haría que su matrimonio fuera significativo.

---

**AQUIETA LA MENTE Y CAPTA EL CONOCIMIENTO.** La Biblia dice: «Estad quietos, y conoced que yo soy Dios». En la quietud meditativa, cuando te has sumergido en el amor, sin albergar ninguna idea preconcebida, vacías tu mente como si fuera un recipiente para llenarlo con las ideas que Dios tiene de ti. Puedes recibirlas en forma visual, auditiva o cinésica. O quizás en forma de una imagen metafórica. O puede que oigas la letra de una canción. Algunas personas simplemente experimentan sensaciones en el corazón o en el cuerpo.

Al practicar el arte del visionado, aprendes a confiar en lo que has recibido. Y lo más importante de todo, el contenido de las visiones te transmite unas determinadas vibraciones. Tener una visión equivale a experimentar un contenido del proceso del visionado, como una imagen, una frase o algo que conoces de pronto y que sabes de algún modo que es cierto o correcto.

La actitud receptiva necesaria para el visionado te permite acceder a una frecuencia que es beneficiosa, satisfactoria y sana. Recibir la visión que Dios tiene de tu vida te eleva a una conciencia superior a la conciencia ordinaria. Esta clase de experiencia nos recuerda que somos los herederos del reino de Dios. El visionado te ayuda a recordar tu verdadera identidad espiritual. La visión es una expresión de Dios que se filtra a través del recipiente de tu individualidad.

Gregory, un pastor colega mío, recibió la visión que Dios tenía de su iglesia como un conocimiento interior que carecía de contenido. Interpretó su conocimiento de la visión de Dios como una convicción interior que le hacía sentir que el amor era el ambiente ideal en el que una congregación debía progresar. Al sentir este amor, él podía ser este espacio de amor para los demás. Grace, una artista visual y alumna de las clases del Camino de la Sabiduría, recibió las transmisiones del visionado como imágenes. En algunas ocasiones, estas visiones la inspiran en sus pinturas; en otras, el contenido de las imágenes visuales que recibe le transmiten un claro mensaje que le inspira a actuar. Mientras estaba intentando recibir una visión sobre su ministerio, vio a unas personas en un edificio rodeadas de cuadros abstractos. Supo al instante que debía crear un centro espiritual que combinara la transformación espiritual con las artes expresivas.

**DECIDE PARTICIPAR EN TU PROPIA TRANSFORMACIÓN.** Aunque la visión te atraiga, necesitas participar en el proceso de transformación que la visión te exige. Recibir una visión es sólo el principio. Al manifestarla es cuando empiezas a transformarte. Debes estar dispuesto a ser el vehículo de la visión, y para ello puede que tengas que cambiar tu estilo de vida, pensamientos y carácter. Sería más fácil creer que los verdaderos frutos del visionado vienen sólo de la visión, pero lo más importante en él es la transformación espiritual que experimentas. En una ocasión en la que me reuní con el doctor Michael Bernard Beckwith cuando yo ejercía como pastora en el Agape International Spiritual Center (en Culver City, California), hablamos sobre cómo él concebía el visionado. Mientras estaba sentada en su despacho de color granate y dorado, pensé en cómo el proceso del visionado había progresado al igual que Agape. El centro, que había empezado con doce personas que hacían el visionado en la sala de estar del reverendo Michael, había acabado creciendo hasta convertirse en una congregación formada por diez mil miembros. El reverendo Michael también era un líder que fomentaba la paz en todo el mundo como organizador de la Estación para la No Violencia y los Diálogos Síntesis con el Dalai Lama.

Recuerdo que el reverendo Michael me explicó: «Nuestra verdadera labor es transformarnos para ser el vehículo de la visión. Dios se manifiesta en nosotros». Para lograrlo, tenemos que abandonar los hábitos que no nos sirven y cultivar cualidades espirituales —como la disciplina, la tenacidad y la paciencia— que nos apoyan tanto a nosotros como a la visión. El doctor Beckwith sugiere que los miembros del grupo se conviertan en compañeros de oraciones. De esta forma podemos ayudarnos unos a otros en el proceso de transformación, pero cada uno debe sentir el deseo de hacerlo.

---

### *La historia de Diane*

Presencié la transformación de una amiga y colega, la reverenda Diane Harmony, durante los años en los que siguió la guía recibida en el visionado para reunirse con una hija que había dado en adopción hacía veinticinco años. Recuerdo cómo antes de cada sesión Diane tenía que afrontar la angustia que le producían las decisiones que había tomado cuando era joven. ¿La recibiría su hija con desdén, ira y resentimiento? Si era infeliz, ¿culparía a Diane por ello? ¿Se habría sentido abandonada? A través de sus dudas y miedos, Diane siguió recibiendo las visiones en las que se reunía con su hija. Aquellos recuerdos recurrentes siempre hacían que volviera a sentirse en paz. La guía que recibió del visionado le aseguró que estaba yendo por buen camino. Pero seguía sin encontrar la paz. Rezó para tener paciencia y fuerza. Las recibió en cierta medida, y entonces tuvo que afrontar una nueva cuesta en su camino.

Diane había contratado a una persona que ayudaba a las madres biológicas a encontrar a sus hijos. Al cabo de un año de intensa búsqueda, se enteró de que su hija Polly había crecido en Chicago. Diane le escribió una carta explicándole que creía que era la hija que había dado en adopción hacía muchos años. Le contó que cuando la había tenido aún no era mayor de edad y que sus padres habían decidido que la diera en adopción. Diane también le dijo que si ella quería la llamaría al cabo de dos semanas a las cinco, hora de Chicago.

Diane no recibió ninguna carta de su hija. El día que había quedado en llamarla, marcó el número y se puso un hombre al teléfono: «No se preocupe, Polly está aquí. Me ha pedido que coja el teléfono porque está muy nerviosa. Espere un momento, que ahora se pone», le dijo.

Diane me contó que cuando Polly reunió el valor para ponerse al teléfono, las dos se echaron a llorar. «Yo estaba temblando como un flan. Aunque estuviera hablando con mi hija por teléfono, percibí que las dos sentíamos una mutua atracción, como un corazón partido en dos mitades que volviera a unirse de nuevo.»

Aunque Diane consiguiera reunirse con su hija y hubiera empezado a perdonarse a sí misma, la transformación espiritual que debía experimentar era más profunda de lo que se había imaginado. Durante el encuentro al que asistieron Polly y los tres hijos que Diane había tenido y criado más tarde, su agitación interior aumentó. En lugar de sentir que todo se había solucionado, experimentó un insoportable dolor. Seguía teniendo una inmensa sensación de culpa. ¿Por qué sufría tanto cuando podía estar celebrando esta reunión? Sus hijos estaban desconcertados y ella también. ¿Cómo una madre puede abandonar a su propia hija? Había interiorizado la idea que procedía de ella misma y de la sociedad, de ser una mala madre. Pero tuvo valor para afrontar sus propios reproches. Algo tenía que cambiar. Pero ¿cómo? Rezó para liberarse emocionalmente, para dejar de censurarse.

No siempre sabemos la forma en la que nuestras plegarias van a ser respondidas. Sin duda Diane no se esperaba aquella respuesta mientras estaba sentada en la iglesia un domingo por la mañana en Agape. Iyanla Vanzant, la oradora invitada, habló sobre el coraje de las madres que daban a sus hijos en adopción para que tuvieran una vida mejor. Diane apenas podía creer lo que estaba oyendo. Las compuertas de su dolor se abrieron de par en par para dejar paso a un torrente de lágrimas. Sí, había querido que su hija tuviera una vida mejor que la que ella podía ofrecerle a los diecisiete años. Este descubrimiento le permitió perdonarse a sí misma a un nivel más profundo, algo que había estado deseando con toda su alma. Mientras Diane superaba el trauma emocional de dar a su hija en adopción, su curación se convirtió en la llave que le abrió la puerta que la conduciría al éxito y a la prosperidad en su camino como pastora.

---

Aunque a veces el camino de la transformación sea todo un reto, también es sumamente gratificante para el alma. Cuando vas en la misma línea de la visión que Dios tiene de tu vida, eres consciente del patrón divino que hay en tu interior, que está codificado con un potencial que de manera natural se acaba manifestando. Al igual que la bellota se convierte en roble, nosotros también manifestamos nuestro potencial al convertirnos en quienes realmente somos. A través del visionado conectamos con una mayor fuente.

## Los principios de la manifestación

Un concepto esencial en el Nuevo Pensamiento es que vamos creando nuestra vida por medio de nuestros pensamientos. Cada uno de nosotros, como un jardinero que siembra las semillas en una tierra fértil confiando en la ley del crecimiento, podemos ser conscientes de nuestros pensamientos y confiar en las leyes espirituales de la manifestación. Nuestros pensamientos echan raíces y florecen, igual que las semillas de un jardín.

Thomas Troward, uno de los primeros que escribió sobre el Nuevo Pensamiento, habló del proceso creativo comparándolo con las semillas sembradas en un jardín en su obra titulada *Edinburgh Lectures* [Charlas de Edinburgh]. Cada idea que plantamos en nuestra vida «debemos sembrarla, y también regarla, por así decirlo, contemplando de manera serena y concentrada nuestro deseo como un hecho consumado».

Wayne Dyer, uno de los más conocidos exponentes del Nuevo Pensamiento, introdujo los mismos principios del proceso creativo en su libro *You'll See It When You Believe It.* Este libro y otros, como *Visualización creativa* de Shakti Gawain, popularizaron la importancia de la visualización como una herramienta para crear la vida que uno desea. Catherine Ponder y Louise Hay, representantes del Nuevo Pensamiento, ayudaron a los lectores a utilizar estos principios para crear riqueza y salud.

El visionado se confunde a veces con la visualización. Pero no son lo mismo. En la visualización usas la imaginación para concebir el resultado deseado. Te concentras en una idea que te gustaría que se manifestara en tu vida. Por ejemplo, puedes visualizarte con buena salud, verte con una suculenta cuenta bancaria, viviendo con paz interior, rodeado de belleza. Visualizas la vida que deseas para crearla y al creer en ella se acaba manifestando.

El visionado, en cambio, es distinto. En él no usas la imaginación, sino la facultad de la intuición. En primer lugar, abandonas cualquier idea preconcebida para poder llenarte con las ideas divinas, con la idea que Dios tiene de tu vida. Por eso este proceso te revela tu auténtico yo, el yo espiritual esencial que es uno con Dios. Sin embargo, el principio de la manifestación es el mismo tanto en la visualización como en el visionado.

Sabemos que las semillas de nuestros pensamientos se manifestarán de acuerdo con las leyes espirituales de la causa y el efecto, pero ¿a qué nivel del yo queremos concebir las ideas que finalmente acabarán manifestándose? ¿Es más acertado crearlas desde la superficie del yo o desde un nivel más profundo, desde su unión mística con la inteligencia infinita de Dios?

---

### *La historia de Samantha*

Gracias al visionado, he visto transformaciones increíbles en la vida de los demás. La de Samantha fue una de ellas. Esta pediatra afroamericana al hacer el visionado se vio adoptando con facilidad a un bebé. Aunque le advirtieran que el camino para la adopción sería largo y difícil porque era una mujer afroamericana sin pareja, decidió seguir adelante alentada por la otra impresión que había recibido en el visionado. Al ver en una visión que al cabo de un año ella y la niñita que había adoptado estaban muy unidas, decidió superar sus miedos y cultivar la paciencia (sabía que iba a necesitarla para criar a un hijo), el amor y la compasión. Al cabo de nueve meses, mientras yo estaba en los abarrotados pasillos de unos grandes almacenes, oí que alguien me llamaba. No reconocí a Samantha hasta que ella me refrescó la memoria recordándome la visión de la adopción. Nos abrazamos y mientras la escuchaba apenas podía dejar de mirar a su acompañante de seis meses, que llevaba un jersey rosa y un gorrito a juego. Al contemplar los oscuros ojos marrones de la niña que Samantha acababa de adoptar y sentir la quietud que transmitían, sentí la suprema vida de la que aquel bebé había surgido.

## Los retos y el progreso en el camino

Una noche entré en clase y encendí las velas de un intenso color granate colocadas sobre el mantel azul a rayas con hilos dorados entrecruzados que cubría el altar. En lugar de empezar la clase del Camino de la Sabiduría con la meditación habitual de veinte minutos, les puse a los quince alumnos un ejercicio de visionado. Después volví a encender los fluorescentes del techo, aunque avisaba a los alumnos antes de encenderlos, siempre les hacía salir de su estado meditativo. Estábamos preparados para empezar a hablar de cómo adquirir sabiduría mediante el ejercicio del visionado.

«Pero, ¿cómo puedo confiar en lo que recibo en el visionado? —se quejó Sarah—. ¿Cómo puedo saber cuál es la visión de Dios y cuál es la mía?»

Las sombras y luces que se reflejaron en su rostro me recordaron un cielo encapotado antes de un chaparrón.

«Cuando iba al instituto quería ser una artista visual —prosiguió Sarah enroscándose alrededor del dedo un mechón de pelo casi negro que le caía por la espalda—. Pero mis padres no quisieron ni oír hablar de ello. "¡Has de ganarte la vida!", protestaron. "La pintura no te permitirá pagar las facturas". Y luego me soltaron historias sobre el hambre que pasaron durante la Depresión. En aquella época tenía dieciocho años y estaba asustada. Hice caso de su advertencia. Ahora soy contable y puedo pagar las facturas, pero siento que me falta algo. En el visionado vi unos grandes lienzos abstractos de una increíble belleza. Yo estaba junto a ellos, como si los hubiera pintado».

Le pregunté qué sensación le había producido la imagen de las pinturas.

«Me sentí como si fueran pinturas celestiales, como si las hubiera pintado la mano de Dios».

«¿Qué es lo que has obtenido de tu viaje transformador?»

«Cuando nos sugeriste que nos preguntáramos "¿Cuánto he crecido?", vi una planta verde de gran tamaño brotando de la tierra. La planta se veía sana, segura de sí misma. Me pregunté si estaba recibiendo un mensaje sobre la confianza en mí misma —prosiguió Sarah—. Después vi los retratos de mi familia en la pared de mi casa y a mí misma descolgándolos. Fue muy triste, me dio la impresión de estar rechazando a mi familia. Me pregunto si la visión está intentándome decir que me olvide del pasado».

Podía ver que Sarah estaba conmocionada.

«¿Cómo puedo saber si la imagen en la que me veía como pintora no es sólo una ilusión?», me preguntó.

Contemplé sus ojos de color avellana, eran tan grandes que me recordaban los de las lechuzas.

«Me parece que la experiencia también ha hecho aflorar tus deseos de pintar y la influencia que tus padres, a los que tú escuchaste, tuvieron en tu juventud. Ahora eres mayor y has madurado. Te sugiero que sigas practicando el visionado y compruebes si las imágenes de las pinturas siguen apareciendo».

Es importante distinguir lo que experimentamos en el visionado y no confundirlo con las sensaciones o los pensamientos que tenemos después. El miedo y la duda suelen surgir más tarde y son más la función de un proceso mental que la de un proceso intuitivo que se activa a través del visionado. Podemos considerar cada experiencia del visionado como una foto o una imagen más amplia que se nos está revelando. En estos casos hay que seguir practicando el visionado y ver cómo se va desarrollando. Tal como dijo Howard Thurman, un teólogo protestante del siglo XX venerado en las comunidades del Nuevo Pensamiento: «Caminar con Dios lleva su tiempo».

«¿Y si te duermes? —preguntó Jill—. Lo siento mucho, pero he tenido una semana muy movida y he oído las preguntas y la oración, pero de la parte de en medio no me acuerdo de nada».

«A veces nos dormimos durante el proceso. O no recibimos nada de él aunque estemos despiertos. No te preocupes. Intenta volver a hacer el proceso del visionado con un pequeño grupo o a solas. Ten una libreta a mano. Te aconsejo que vayas anotando en un diario lo que recibes para ver los progresos que haces o una expresión más completa del visionado que vas recibiendo por partes».

Beth solía estar callada en clase. Su rostro se veía finamente cincelado, destacaba entre los de los demás. Aunque fuera una alumna que no hablara demasiado, su atención contribuía a las discusiones que manteníamos en clase.

«Yo he captado la extraña imagen de un árbol, pero me ha encantado —observó Beth—. He sentido como si tuviera que respetar el vínculo sagrado que mantengo con los árboles y recuperar el arte perdido de tallar con esmero bellas puertas para las casas de la gente. No había pensando en ello, pero algo en mí me dice que estaría muy bien hacerlo».

«Yo también creo que tú estás muy unida a los árboles —le dije—. Toda tu expresión cambia cuando hablas de ellos. Sea lo que sea lo que recibáis en el visionado, es importante no juzgarlo ni evaluarlo. Sus regalos se irán revelando a medida que sigáis manteniéndoos abiertos a ellos».

«¿Quieres oír algo más extraño aún? Esta semana me he apuntado a una clase para aprender a tallar la madera y le he dicho a mi marido que para mi cumpleaños quiero que me regale las herramientas que voy a necesitar».

Los alumnos, complacidos, lanzaron un suspiro.

Donna fue la siguiente en hablar.

«Gracias, Beth, por compartir con nosotros cómo tu visión te ha motivado a actuar. Yo no iba a contaros la mía, porque me da miedo ver adonde me está llevando. En realidad, he estado intentando olvidarme de una visión que no dejo de tener en la que me veo ayudando en la calle a los niños sin hogar».

La clase escuchó a Donna mientras ella proseguía, aclarándose la garganta varias veces. Normalmente siempre estaba haciendo payasadas, pero hoy parecía frágil. Su voz, bullanguera y resuelta por lo general, era ahora más suave. La arropamos con nuestra atención para apoyarla.

«Cuando tenía dieciséis años, viví dos años en la calle para huir de los maltratos de mis padres alcohólicos. Nunca quise volver a casa, pero en el visionado me vi en las calles como una mujer adulta ayudando a los niños que vivían en ellas igual que yo hacía».

Su voz se fue haciendo más fuerte a medida que nos iba contando su historia.

«Esta semana he llamado a Kids at Risk, una organización de la que he oído hablar. He mantenido una larga charla por teléfono con la directora y al final me ha pedido que les ayude. Piensa que con mi pasado (al haber estado veinte años sin volver a beber y haber triunfado en mi trabajo) podría inspirar a esos chicos».

«¿Y a ti qué te parece?»

«Yo lo haría, pero me cuesta volver al pasado y revivir parte del sufrimiento que aquella vida me produjo».

«¿Qué cualidades has recibido en el visionado que podrían ayudarte?»

«La valentía y la curación».

La clase se echó a reír al ver que las cualidades espirituales que había citado eran justamente las que necesitaba en su situación.

«Ya lo sé, ya lo sé», exclamó Donna sonriendo, sabía que tendría que afrontar sus miedos y curar otra capa de su pasado.

«La buena noticia, Donna, es que no tienes por qué hacer este trabajo sola. Todos nos encontramos en un viaje transformador y podemos apoyarnos unos a otros. Una gran herramienta en clase es la de apoyarnos como compañeros de oración. Reza por las cualidades que forman parte de tu viaje transformador. Lo que el visionado nos permite ver es nuestra cocreación con Dios. A cada paso que damos en el camino, la inteligencia y el amor infinitos de Dios nos están guiando e inspirando».

En cada uno de nosotros hay un patrón esencial, el prototipo de quién realmente somos, al igual que una bellota está codificada genéticamente para ser un roble. El visionado es un ejercicio para adquirir sabiduría que te ayuda a ver tu vida según este patrón esencial, que también puede revelarse al verla a través de los ojos y el corazón de Dios. Al seguir la sabiduría revelada en estas visiones y participar en la transformación espiritual para hacerlas realidad, te alineas con tu verdadera esencia, lo cual te empuja a realizarte.

## Unos Sabios Pasos

**PRACTICA EL VISIONADO SOLO O CON OTRAS PERSONAS.** El visionado suele llevarse a cabo en grupo, pero también puedes hacerlo solo o con otra persona. Elige un tema para la visión: el propósito de tu vida, el desarrollo de un proyecto creativo o una organización existente como una nueva empresa. Si lo deseas, puedes grabar las siguientes instrucciones o pedir a un miembro del grupo que dirija el visionado con ellas. Las instrucciones y la serie de preguntas te ayudarán en el proceso del visionado. Acuérdate de abandonar todas las ideas preconcebidas sobre cualquier tema y vacía tu mente lo máximo posible para que la información venga de una fuente divina de sabiduría.

- Ponte cómodo y mira en tu interior.
- Sintoniza con el silencio y la vibración de un amor incondicional. (Permanece en silencio al menos de cinco a diez minutos. A continuación hazte las siguientes preguntas, manteniéndote de nuevo en silencio de cinco a diez minutos después de cada serie de preguntas.)
- ¿Cuál es la visión que tiene Dios de ____________________? ¿Qué sensación te produce? ¿Qué impresión te causa? ¿Qué te parece? (sé receptivo a la información que aparece como una imagen, una palabra, una sensación o una sensación cinésica). (Hazte esta pregunta con todos los aspectos del tema que desees.)
- ¿Cuál es la visión que Dios tiene de cómo debo crecer?
- ¿Qué es lo que debo abandonar para ser el vehículo de esta visión?

- ¿Qué cualidades espirituales me ayudarán durante mi proceso transformador?
- Termina la sesión del visionado agradeciendo la oportunidad de experimentar el amor de Dios y de recibir su guía.

Resérvate un rato para anotar las imágenes, las impresiones o las respuestas auditivas. Si has hecho el visionado en grupo, compartid lo que cada uno haya recibido en él. Os aconsejo que oigáis los diferentes aspectos que los miembros del grupo han recibido para ver lo que se está desarrollando. Cada parte compartida durante una sesión del visionado revela un determinado aspecto de la transmisión divina.

**DESTINA UN ESPACIO DEL DÍA PARA EL VISIONADO Y ESCRIBE UN DIARIO SOBRE LO QUE RECIBES EN ÉL.** Tanto si lo haces para descubrir cuál es el propósito de tu alma, como un nuevo proyecto o tu pareja ideal, te aconsejo que hagas siempre el visionado a la misma hora. Escribe también en un diario lo que vas recibiendo en las sesiones. Anota las imágenes y las impresiones que se te han revelado, así podrás ir leyéndolas un mes tras otro, porque es muy común no recordar con exactitud en una sesión las imágenes que tuviste en la anterior. A menudo al leer las notas de la sesión recuperarás la sensación y la energía que sentiste en ella. No te preocupes si al anotar las experiencias de las sesiones del visionado no lo haces de una forma coherente o lógica. Lo más importante es que te mantengas fiel a la experiencia de cómo el visionado se va desarrollando para ti y para los miembros del grupo.

**ESFUÉRZATE EN TU PROPIA TRANSFORMACIÓN.** Una parte importante del proceso del visionado tiene que ver con la guía espiritual sobre cómo puedes cambiar, expandirte y crecer para hacer realidad la visión. Recuerda lo que has recibido en el visionado: «¿Cómo debo crecer? ¿Qué es lo que debo abandonar? ¿Cuáles son las cualidades espirituales que me ayudarán durante mi proceso transformador?» Y luego divide el mensaje que has recibido en el visionado en unos pequeños pasos manejables para poder realizarlos fácilmente cada día. Por ejemplo, si quieres cultivar la cualidad de la disciplina, los pequeños pasos que debes dar pueden ser caminar en las orillas de un lago durante treinta minutos. Y si hoy le dices a un amigo que vas a quedar con él al mediodía para comer, intenta cumplir tu palabra. No pongas ninguna excusa. O si estás empezando un nuevo programa nutricional, elimina un producto como el azúcar o la harina del menú de hoy.

La meditación o la oración, tanto si la realizas solo o con un compañero, pueden ayudarte mucho en tu transformación. También puedes anotar tus progresos y reflexiones en el diario de las sesiones del visionado. Este diario te ayudará a ver cómo se expande tu viaje espiritual. Deja que la sabiduría espiritual de tus experiencias por medio del visionado te ayude a desarrollarte como la esencia espiritual de la perfección que eres.

# 9

# TODAS LAS TRADICIONES: *ofrécete al servicio de los demás*

*No sé cuál será tu destino, pero lo que sí sé es que las únicas personas de tu alrededor que serán felices son las que han buscado y encontrado una forma de servir a los demás.*

ALBERT SCHWEITZER, CITADO EN
*SPIRITUAL LITERACY: READING THE SACRED IN EVERYDAY LIFE*

En cierto modo, la mayor parte de la labor que he llevado a cabo en el mundo —enseñar, ejercer como pastora, dar consejo y escribir— puede considerarse un servicio a los demás. Pero he advertido que algunas veces la he hecho con un espíritu altruista y otras, en cambio, no.

Cuando vivía en el Centro Christine, empezábamos el día meditando y haciendo una clase de calistenia que incluía prácticas respiratorias. En el tiempo que quedaba entre el desayuno y el almuerzo, se esperaba que los que vivíamos en la comunidad practicáramos el *karma yoga*, un camino que conduce a Dios y que consiste en servir a los demás mediante el trabajo. A cada uno de nosotros nos daban una lista de tareas, entre las que podíamos escoger, que contribuían al funcionamiento del Centro Christine. Podíamos cortar verduras en la cocina, ayudar a preparar las comidas, trabajar en el invernadero cultivando legumbres, hortalizas y plantas aromáticas, barrer los pasillos y el suelo de la sala de meditación o hacer cualquier otra tarea para mantener el centro en buen estado.

Probé todas estas tareas y, en lugar de encontrar a Dios, encontré el aburrimiento. Aún me preocupaba demasiado por mí misma y estaba interesada en satisfacer mis propias necesidades. Todavía debía encontrar un lugar para poder servir a los demás. Como la biblioteca me gustaba mucho, me ofrecí para clasificar los libros en categorías, así los que la visitaban encontrarían los libros y los autores fácilmente. Pero ahora, al verlo en retrospectiva, dudo que fuera un trabajo desinteresado, porque lo hice sobre todo por lo que podía ganar de la experiencia. «¿Qué es lo que puede ofrecerme?» seguía predominando mucho más que mis esfuerzos por ayudar a la comunidad.

Cómo pasamos del egocentrismo a servir a los demás forma parte del misterio de esta práctica. A mí me ocurrió al cabo de varios años de estar integrando en mi vida los ejercicios para adquirir sabiduría de los que hablo en este libro. Al igual que un polluelo saliendo del cascarón a una nueva vida, de algún modo de pronto sentí el deseo de servir a los demás. Veinte años después de fracasar en el *karma yoga* en el Centro Christine, saboreé la dulzura del servicio altruista con Christina, una alumna de mis clases de prácticas espirituales.

Christina, una mujer afroamericana con poco más de treinta años, se encontraba en el noveno mes de embarazo, por eso no es extraño que al final de la décima semana de clases se sintiera incómoda sentada en aquellas sillas de respaldo recto almohadilladas en rosa que colocábamos en círculo para la clase matinal. En el aula hacía frío al llegar por la mañana, porque al tener casi ocho metros de altura, tardaba en calentarse. Yo observaba cómo Christina se movía nerviosamente en la silla, con las dos manos puestas sobre su gran barriga, envuelta en una manta, intentando sentirse cómoda. La clase reclamaba a aquel bebé como si en parte le perteneciera.

Aunque había asistido a las clases con regularidad, Christina faltó en la séptima sesión. Nos envió un mensaje con Ted, su compañero de oraciones en clase. Ted, que era padre de un niño de dos años, se compadeció de la situación de Christina. «Ha roto aguas y el bebé ha nacido varias semanas antes de tiempo», nos dijo. Todos los alumnos se callaron de golpe. «Pero Christina y el niño están bien.» Ellos y yo volvimos a respirar aliviados.

Sin embargo, a la semana siguiente recibimos una mala noticia. Christina y su bebé habían vuelto a ingresar en el hospital a causa de una infección. Aunque yo nunca había ido a visitar a un alumno al hospital, llamé a Christina y le pregunté si le apetecía que fuera a verla. Sentí el deseo de hacerlo impulsada por una intensa compasión que surgía de mi interior. Mientras estaba sentada a su lado en la habitación blanca del hospital, rodeada por una cortina azul que nos permitía gozar de privacidad, Christina me contó que se estaba volviendo loca al tener que estar todo el día sentada en la habitación con su hijo en brazos. El bebé, envuelto en una mantita blanca, se retorció. Le habían aplicado un gota a gota en uno de sus bracitos y otro en el cuello con un ancho vendaje. «Son antibióticos —me explicó—. Me han dicho que si no le hacen efecto tendrán que operarle, pero es demasiado pequeño para la anestesia.» Christina frunció el ceño, tenía la cara enrojecida y las lágrimas le rodaban por las mejillas. Me quedé sentada a su lado para consolarla. Mi corazón de algún modo se volvió tan grande como la habitación. Al cabo de un rato le pregunté si le gustaría que recitara una oración. Ella asintió con la cabeza. Mientras rezaba sentada junto a ella, sentí que una energía me tocaba suavemente en mi interior como si me hubieran refrescado la cara vaporizándola con una nube de perfume. Al recitar las reconfortantes palabras de la oración y estar simplemente a su lado, sentí una calma que surgía de una fuente mucho mayor que la de mi ser y más profunda que la de mi conciencia ordinaria.

Christina me dijo en muchas ocasiones lo agradecida que estaba de que yo hubiera ido a verla. Su marido trabajaba durante el día y por la noche tenía que ocuparse de sus otros hijos. Y los otros miembros de la familia no vivían en la ciudad. Mis visitas, llamadas telefónicas y oraciones amenizaron las largas horas de espera y se convirtieron en una balsa con la que ella pudo cruzar las peligrosas aguas de lo desconocido mientras su hijo recién nacido estuvo enfermo. Incluso aquel diminuto bebé parecía llorar menos cuando rezábamos en la pequeña habitación del hospital.

Christina y su bebé se fueron a casa al cabo de dos semanas. Al final no tuvieron que operar a su hijo. Al mirar atrás, recuerdo que sentí como si esta experiencia me hubiera bendecido a mí también. Estuve muy presente en ella y, sin embargo, apenas fui consciente de mí misma. Experimenté una conciencia mayor que la que solía sentir como mía. Para mí fue un privilegio poder servir a alguien. No lo hice por mí, ni tampoco para recibir nada a cambio. Los efectos de este servicio me duraron mucho más que el tiempo que pasé en el hospital sentada al lado de Christina y su bebé. La experiencia me hizo cambiar. ¿Cómo? Es difícil describirlo. La mejor forma sería con la frase «liberándome de las ataduras del yo» que se cita en los programas de doce pasos.

Las prácticas anteriores del camino de la sabiduría te permiten encontrar tu riqueza interior. El siguiente paso es regalarla. Servir a los demás es ofrecer esta abundancia de recursos interiores, talento y amor de la que rebosas. Su complemento, e incluso quizá su expresión natural, es servir desinteresadamente a los demás. El camino de servir a los demás se encuentra en todas las tradiciones espirituales que describo en este libro. Cada una de ellas ofrece su propio regalo a las numerosas dimensiones del servicio a los demás.

## ¿En qué consiste servir de manera altruista a los demás?

Servir es el acto de ayudar a los demás, ofreciendo tu tiempo, tu energía y tus recursos a los que lo necesitan sin esperar nada a cambio. Ejemplos de servicios altruistas son alimentar a las personas sin techo, donar sangre, trabajar como voluntario en un hospital, recoger fondos para acabar con el hambre en el mundo y participar como voluntario en un programa ecológico como el de «Salva a las ballenas» y en Greenpeace. También puedes servir a los demás con actos bondadosos y amables, como indicar una dirección a alguien que se ha perdido en tu barrio o ayudar a una desconocida a recoger la compra que se le ha caído al suelo.

## Los principios esenciales: todas las tradiciones

En todas las tradiciones que he descrito, servir a los demás ocupa un lugar importante en sus enseñanzas.

**HINDUISMO.** En esta tradición, el *seva,* o servicio desinteresado, es la compasión en acción. Según los Vedas, este camino se llama *karma yoga* y es tan valioso como el camino del conocimiento.

**BUDISMO.** En las enseñanzas budistas, *sunyata* significa que todo está interrelacionado. *Karuna,* o la compasión, surge al reconocer esta interrelación. *Metta,* o la bondad incondicional, es la actitud que los seres sensibles deben tener unos hacia otros.

**ISLAMISMO.** Uno de los cinco pilares del islamismo es el *zakat,* o la limosna obligatoria. Los musulmanes deben dar el 2,5 por ciento de todo lo que tienen —su salario y sus bienes— a los necesitados. También practican el *shirk,* servir a los demás en nombre de Alá sin jactarse de ello con una actitud egoísta.

**CRISTIANISMO.** Los cristianos, como los judíos, aspiramos a actuar correctamente, tal como lo muestra la regla de oro: «Tratad a los demás de la manera en que queréis ser tratados». También tenemos el proverbio: «Pues como el cuerpo sin el espíritu es muerto, así también es muerta la fe sin las obras». El ejemplo que nos dio Jesucristo al curar a los enfermos y servir a los pobres constituye un modelo de conducta para los cristianos. Incluso la crucifixión se considera dar la propia vida para salvar a los demás.

**JUDAÍSMO.** La palabra *mitzvah* significa literalmente «mandamientos», pero en el lenguaje coloquial se refiere a las buenas acciones. Los judíos tienen 613 mandamientos prescritos que les sirven a modo de código ético en la vida. *Tzedakah* es la palabra hebrea para designar la caridad: significa ofrecer ayuda, apoyo y dinero a los pobres y a los necesitados.

**LA ESPIRITUALIDAD DE LOS INDIOS AMERICANOS.** En las enseñanzas de los indios americanos se encuentra el imperativo ético de tener en cuenta las siete generaciones siguientes al hacer cualquier acción que afecte al futuro, sobre todo si tiene que ver con el trato que se le da a la Madre Tierra. Esta responsabilidad ética que asumen los indios americanos es un servicio a las generaciones venideras.

TAOÍSMO. En el taoísmo el servicio a los demás surge de un equilibrio interior nacido de la conexión con el Tao. Desde este punto de partida, uno va sirviendo de manera progresiva a la familia, a la comunidad, al mundo y al universo. La salud que proporcionan los ejercicios de qi gong se dirige a su vez energéticamente para ayudar a curar a los demás. Tender la mano a los miembros de la comunidad es una progresión natural de vivir en armonía con el Tao; ayudar a los demás lleva a la plenitud. Los taoístas consideran a la comunidad de todo aquello que tiene vida en el universo como una familia.

NUEVO PENSAMIENTO. Estas enseñanzas propugnan la aportación de diezmos como una práctica espiritual y sus seguidores donan la décima parte de sus ingresos a causas merecedoras de ello. En los últimos años el movimiento del Nuevo Pensamiento ha desarrollado una perspectiva más global del servicio a los demás. Una Estación para la No Violencia, uno de los proyectos creados por la Asociación para el Nuevo Pensamiento Global, es una acción comunitaria educativa y una campaña inspirada en las enseñanzas de Mahatma Gandhi y de Martin Luther King, hijo, para promocionar la no violencia como una forma de curar y transformar el planeta. Entre los proyectos de servicios patrocinados por las iglesias, las escuelas y las organizaciones en Estados Unidos y en otros ocho países se encuentran organizar vigilias en las que se encienden velas; hacer caminatas espirituales interconfesionales en pro de la paz; crear programas relacionados con la paz destinados a las escuelas de educación primaria, las de secundaria y los institutos; dar clases sobre la filosofía no violenta de Martin Luther King y Gandhi y ofrecer presentaciones en las Naciones Unidas.

## El ensimismamiento y el servicio altruista

Hay épocas de la vida en las que el servicio altruista no es nuestra prioridad. Quizás en ellas nos interesa más hacer actividades relacionadas con nosotros mismos, como avanzar en nuestra carrera, sacar adelante a nuestra familia, afrontar un problema de salud o encontrarnos a nosotros mismos. Pero a veces el ensimismamiento puede llevarnos a la obsesión. Nos preocupamos demasiado por nuestros problemas. Ernest Holmes escribe que servir a los demás es el remedio para el mal que nos aqueja cuando estamos demasiado preocupados por nosotros mismos.

> Cuando sólo pensamos en nosotros mismos, dejamos de ser normales y somos infelices, pero cuando nos entregamos con entusiasmo a cualquier propósito razonable, olvidándonos de nosotros mismos, volvemos a ser normales y felices... Si el que se siente triste, deprimido o infeliz encuentra algún propósito altruista al que dedicarse en cuerpo y alma, descubrirá una nueva vitalidad con la que nunca había soñado.

---

### *En vías de recuperación*

Tras ofrecer el domingo un sermón sobre el servicio a los demás, hablé con un hombre rubio de treinta y pocos años que subió al estrado para compartir esta historia conmigo. Robert se describió a sí mismo como «hace un año que no bebo».

«Soy un miembro de Alcohólicos Anónimos y estoy pasando una época muy difícil. Estoy saliendo con un chico. Ya sabe, la clase de hombre que te humilla».

Asentí con la cabeza.

«Pues mientras estaba en medio de este drama con mi novio, alguien del programa me llamó para que yo lo apadrinara. Pensé: "¡Oh, no, ahora no me va bien!" Pero otra parte de mí me decía: "¡Dile que sí! Si lo haces, le estarás ayudando a él y a ti". Servir a los demás es muy importante en el programa. Así que le dije que sí. Entonces me di cuenta de que al ayudar a aquel recién llegado en su viaje, también me estaba ayudando a mí mismo. El acto de servicio me hizo olvidar lo obsesionado que estaba con mis propios problemas, lo cual me llevaba a una espiral cada vez más negativa. Es mejor que no me preocupe tanto por mí».

---

La historia de Robert puede parecerse a la nuestra. Vemos que al ayudar a alguien dejamos de pensar sólo en nosotros mismos para servir de manera altruista a otras personas. Nos elevamos a una parte distinta de nuestro ser que está conectada a una fuente mayor, tanto si la llamamos Poder Supremo o Dios. Tal como Jack Kornfield describe en *Camino con corazón:* «Todos compartimos el anhelo de ir más allá de los confines de nuestro propio miedo, ira o adicciones para conectar con algo más grande que nuestra pequeña historia y nuestro pequeño ser».

## ¿Cómo puedo ayudar a los demás?

Vi un vídeo sobre la biografía de la Madre Teresa, que como sabemos dedicó su vida a ayudar a los más pobres entre los pobres. En una de las escenas, visitaba la unidad de neonatos de un orfanato que había fundado para los niños abandonados. Se acercó a una mesa en la que había quince niños envueltos en blancos pañales. El bebé que cogió pesaba cerca de un kilo. Lo sostuvo tiernamente entre sus brazos. Una persona que visitaba por primera vez aquel orfanato se quedó horrorizada al descubrir que aquel cuerpecito cabía en las palmas de las manos de la Madre Teresa. «¿Cree que vivirá?», le preguntó a la Madre Teresa. Ella, contemplando los ojos de aquella niñita, sonrió y dijo a los presentes, al visitante y a los que la estaban filmando: «Veo brillar en esta niña la vida que le ha infundido Dios. Vivirá».

Conocida también como la Santa de los Pobres, el corazón de la Madre Teresa se abría lleno de compasión a todas las personas abandonadas en las calles de Calcuta. En una ocasión dijo: «Que no te quieran es la peor enfermedad que un ser humano puede experimentar». Cuando le preguntaron cómo podía soportar ver tanto sufrimiento, ella respondió: «En cada persona que sufre veo el rostro de Jesucristo. Como sufre, la ayudo».

Quizá descubras, como yo, que la labor de la Madre Teresa te inspira. Sin embargo, no necesitamos ser la Madre Teresa para servir a los demás. Quizá nos preguntemos: «¿Cómo puedo ayudar a los demás?» Los actos de servicio pueden ser tanto pequeños como grandes, ya sea en forma de pequeñas atenciones, de gestos considerados, de unos simples momentos en los que echamos una mano a alguien ayudándole a bajar del autobús o a meter su pesada bolsa de mano en el guardaequipajes del avión. El servicio a los demás también está presente en las profesiones que ayudan a la gente, en los grupos de autoayuda, en los movimientos por el cambio social y en los servicios de voluntariado. Podemos encontrar cientos de pequeñas formas de ayudar a los demás en nuestra vida: a nuestras hermanas y hermanos, a los compañeros de trabajo, a los vecinos, a los huérfanos y a los pacientes enfermos en los hospitales.

Nuestro deseo de servir a los demás puede surgir de manera espontánea, como al ayudar a una persona mayor a cruzar una calle, o puede ser un compromiso adquirido después de haber estado reflexionando en ello durante años y llamar finalmente a Greenpeace preguntando: «¿Cómo os puedo ayudar?»

Meredith Gould señala en su libro *Deliberate Acts of Kindness: Service as a Spiritual Practice* que puedes confiar en tu deseo de ayudar a los demás si descubres en ti una o varias de estas cosas:

- Te sorprende el deseo que sientes de ayudar a los otros en una determinada área.
- Comprendes que puedes aprovechar tu pasado, tus habilidades y tu experiencia.
- Ves que puedes ayudar a los demás en el lugar donde te encuentras.

Aunque tu deseo de ayudar a los demás surja como una irresistible llamada interior o como un débil susurro, puedes hacerlo en el lugar donde te encuentras, tanto fuera de tu rutina habitual como dentro de las actividades que estás realizando.

## *Hay muchas formas de ayudar a los demás*

Cuando el domingo me dirigía a 26 Beach, mi restaurante favorito en Marina del Rey, para celebrar mi cumpleaños con los amigos almorzando, un camionero que conducía un camión rojo me llamó desde la ventanilla.

«Perdone que la moleste, pero ¿podría sacar por un momento su coche para que pueda enganchar el remolque que está detrás para transportarlo a Valley?», me dijo.

El camionero había estado dando vueltas durantes dos horas por el barrio intentando localizar al conductor del coche aparcado delante de su remolque para que lo sacara del lugar. Aunque mis amigos me estaban esperando al mediodía, porque yo ya me había retrasado un poco, le abrí mi corazón y decidí ayudar a aquel desconocido. Él aparcó el camión en el lugar donde momentos antes estaba mi coche y luego me esperó a que yo diera la vuelta a la manzana para que no me quitaran el sitio. Mientras yo aparcaba el coche, me sonrió y me gritó por la ventanilla: «¡Muchas gracias, señora, se lo agradezco mucho!» Por pequeño que fuera aquel acto de servicio, me recompensó con el agradable calorcillo de la satisfacción.

Al contarles a mis amigos por qué había llegado tarde, ellos también compartieron sus historias de ayudar a los demás conmigo. Beth, una antigua alumna mía, nos contó que los fines de semana ayudaba en un hospital de veteranos. Durante un año había pasado cada semana siete horas con los soldados veteranos de Vietnam en un programa dirigido a los hospitales con enfermos terminales. Beth, formada como voluntaria en Compasión en Acción, una organización que prepara a las personas para que hagan compañía a los pacientes terminales, comparte el sólido compromiso de la organización: «Nadie tiene por qué morir solo». Nos contó que visitaba a los veteranos, escuchaba sus problemas e historias y les acompañaba en su viaje hacia la muerte.

Grace destacó la modestia de Beth.

«Me parece asombroso que durante un año hayas estado dedicando siete horas a la semana a ayudar a los pacientes terminales. Después de todo, trabajas a tiempo completo, te estás preparando para un maratón y te ocupas de tu familia».

Con los bucles cayéndole sobre los hoyuelos de sus mejillas y los ojos azules brillándole de alegría, Beth nos dijo sonriendo:

«¡Esos chicos me encantan!»

Al cabo de varios minutos mi amigo Scott llegó a la celebración con un ramo de margaritas color fucsia y una cestita llena de fresas maduras que acababa de comprar a un campesino en el mercado callejero.

«¡Feliz cumpleaños!», exclamó inclinándose para darme un beso.

«¿Cómo está *Wally*?», le pregunté.

«Hemos tenido nuestros buenos y nuestros malos momentos —respondió levantando las cejas y tensando los labios—. Es un terrier muy cabezota y a veces nos peleamos porque ninguno de los dos quiere dar su brazo a torcer, pero así me ejercito en la paciencia y el compromiso que he adquirido».

Les expliqué a los demás que estaba cuidando del terrier de su amigo Ti Li. Como Scott daba clases de masaje terapéutico y de qi gong en casa, se apiadó de *Wally*, porque si no éste iba a estar muchas horas solo en la casa de Ti Li mientras éste trabajaba.

«Es un gesto muy bonito por tu parte, Scott —le dije.

«A mí tener a *Wally* también me va bien», dijo él sonrojándose un poco.

Durante la comida salieron en la conversación otros actos de servicio. Harold, el amigo de Scott, se levantaba los sábados por la mañana a las cinco y media para, junto con un grupo de personas, ayudar a alimentar a la gente sin hogar en su iglesia. Mientras iba a comprar al supermercado, Sandra, la amiga de Grace, se había tomado la molestia de explicarle a una señora mayor oriental cómo se pintaban los huevos de Pascua.

Kristin, una antigua alumna de varias de mis clases, escribió una obra de teatro sobre el desastre nuclear ocurrido en 1986 en la central nuclear de Chernóbil en Pripyat, Ucrania. La explosión liberó trescientas veces más radiactividad que la bomba atómica de Hiroshima y muchos niños de la región sufren aún los terribles efectos hoy día. Kristin donó todo el dinero que ganó con la obra de teatro a la fundación Children of Chernobyl.

Cuando miro a mi alrededor, me doy cuenta de que servir a los demás forma parte del tapiz de la vida cotidiana, con sus hilos dorados de la luz del alma reluciendo en los lugares oscuros. Todos estos actos de servicio en la vida cotidiana me recordaron algo que mi abuela solía decirme: «Cuando quieres hacer algo, encuentras la forma de hacerlo. Pero cuando no quieres, te inventas un montón de excusas».

---

**VIVE PONIENDO EN ELLO EL CORAZÓN.** Hay una cita de Lao Tsé que nunca he podido olvidar. Sus palabras describen cómo el servicio a los demás brota de la luz interior.

Cuando el alma brilla, en la familia abunda su luz. Cuando la familia brilla, la comunidad se llena con su luz. Cuando la comunidad brilla, la nación acaba brillando. Cuando la nación brilla, el universo progresa.

Al pensar en la luz del alma, las tradiciones nos señalan el corazón. Una forma de ver la luz del alma es descubriendo las cualidades de nuestro centro del corazón. Muchas tradiciones observan que es esencial vivir con el corazón. El Talmud dice: «Dios quiere el corazón». El Dalai Lama nos dijo: «El propósito de la vida es tener un corazón cálido. Pensad en los demás. Servidles sinceramente». Cuando vivimos con el centro del corazón, nos convertimos en vehículos de la compasión, del amor incondicional, la curación y la paz. Y estas cualidades nos impulsan a servir a los demás.

Profundicé la práctica de vivir desde el centro del corazón cuando asistí a los retiros dirigidos por Brugh Joy. Mientras practicábamos el sintonizar con las cualidades trascendentales del centro del corazón —la compasión, la armonía innata, la presencia curativa y el amor incondicional—, me descubrí sintiendo cada vez más aquella luz del alma de la que Lao Tsé nos habla con tanta elocuencia. Como el centro del corazón debe experimentarse y no sólo comprenderse, te ofrezco esta meditación sobre el centro del corazón.

---

### *Meditación sobre el centro del corazón*

Resérvate unos veinte minutos para esta meditación. Crea un simple altar colocando cuatro velas rojas en círculo. Después mira en tu interior y concéntrate en el centro del corazón poniéndote la mano directamente sobre él, ya que esta postura te ayudará a encarnar las cualidades trascendentales del centro del corazón: la compasión, la armonía innata, la presencia curativa y el amor incondicional.

- Al encender la primera vela de la *compasión*, siente esta cualidad y preocúpate por el sufrimiento de los demás. Di en voz alta la palabra *compasión* y lo que esta palabra significa para ti. Encarna la *compasión*.
- Al encender la segunda vela de la *armonía innata*, siente esta paz que no se puede concebir. Di en voz alta las palabras *armonía innata* y expresa qué significan para ti.
- Al encender la tercera vela de la *presencia curativa*, siéntela y sé el poder restablecedor que se dirige a la plenitud. Cuando estés preparado, di en voz alta las palabras *presencia curativa* y expresa lo que significan para ti.
- Al encender la cuarta vela del *amor incondicional*, encarna este amor trascendental que no pide nada a cambio. Di en voz alta las palabras *amor incondicional* y averigua lo que significan para ti.

Advierte cómo te sientes al activar estas cualidades del centro del corazón. Yo suelo sentir un cambio en mi conciencia que hace que deje de preocuparme por mí misma y que me abra a un campo de la conciencia mucho más amplio. Siento el cuerpo más relajado y la mente más clara y mi conciencia parece surgir del corazón. Al activar el centro del corazón, veo las cosas con los ojos de Dios y las siento con su corazón. Ahora me viene a la cabeza las palabras de un cántico —inspiradas en santa Teresa de Ávila, una monja y mística carmelita española del siglo XVI— que canté mientras realizaba una danza sufí:

*El espíritu no tiene más cuerpo en esta tierra que el tuyo.*
*Mis manos,*
*mis pies, sólo te pertenecen a ti, Señor.*
*Tuyos son los ojos llenos de*
*compasión con los que contemplo el mundo,*
*tuyas son las manos que me están bendiciendo,*
*alabado seas.*

---

AYUDA A TU FAMILIA. Cuando estaba en la universidad estudiando psicología, un día le comenté a mi padre que quería hacer las prácticas ayudando a los demás. Me estaba planteando trabajar en un hospital pediátrico o en una casa para jóvenes adolescentes difíciles. Después de contarle estas posibilidades, mi padre me dijo mirándome a los ojos: «¿Por qué no ayudas a tus abuelos, hija? También necesitan que alguien se ocupe de ellos». Mi abuelo acababa de tener un infarto y mi abuela era la que lo cuidaba. Recuerdo que la propuesta de mi padre me impactó mucho. Aun cuando sentía el deseo de servir a los demás, no se me había ocurrido ayudar a mis abuelos.

Aunque parezca obvio que podemos ayudar a los miembros de nuestra familia, a veces no se nos ocurre o tenemos sentimientos conflictivos o algún resentimiento hacia un ser querido. Sin embargo, la familia nos ofrece muchas oportunidades de servir a los demás. Si tienes hijos, dispones de un montón de oportunidades cada día para compartir tu amor y comprensión con ellos. La gran compasión y la acción curativa del beso de una madre en la rodilla rasguñada de su hijo suele pasarse por alto. Los proyectos realizados en familia para servir a la comunidad, como colaborar en el día del Reciclado o en el de la limpieza de una playa, pueden enseñar a tus hijos que el servicio forma parte de vivir en la vida y permite a la familia ayudar junta a los demás.

Lo que los niños observan sobre el servicio a los demás es mucho más poderoso que cualquier mensaje que les transmitas. Una niña de siete años hizo la siguiente observación: «Cuando mi abuelita se hizo mayor, como tenía artritis y no podía pintarse las uñas de los pies, mi abuelo se las pintaba, aunque él también tuviera artritis. Para mí el amor es esto».

---

### *La carga se convierte en una bendición*

Anne compartió conmigo la historia sobre su servicio altruista después de que yo diera una charla en la iglesia de su comunidad. Me confesó que cuando su padre había estado enfermo en los últimos años de su vida, ella había sentido que tenía la obligación de ayudarle. Después de todo, era la hija mayor y además no iba a abandonarle ahora, cuando más la necesitaba. Cada domingo por la mañana se levantaba, cansada aún por haber estado trabajando toda la semana hasta muy tarde y cogía el coche. Mientras hacía el trayecto de tres horas desde Ventura a Riverside (California), se sentía como si estuviera llevando a su padre de noventa kilos a cuestas. Al llegar por fin a casa de su padre, lo saludaba con impaciencia o irritabilidad. Y cuando él le preguntaba qué le pasaba, ella se quedaba mirando el suelo y le respondía en un tono frío: «¡Nada!» Anne se quedaba varias horas con él y después volvía a hacer el largo trayecto de vuelta a casa, sin entusiasmo, quejándose para sus adentros o a sus hermanos de lo injusto que era que ella tuviera que cuidar de su padre.

Pero un domingo oyó en el sermón de la misa del domingo

algo que le impactó: «El servicio es un acto de amor hacia otro ser humano. No soy yo el que está dando algo, yo no soy más que un vehículo del amor de Dios. Soy las manos y los pies del Señor». Anne se quedó desconcertada. Sentía que le temblaban las piernas y enrojeció como si tuviera fiebre. Aquel día al salir de la iglesia estuvo reflexionando de vuelta a casa sobre sus pensamientos y sentimientos. ¿Dónde estaba su conexión con el amor de Dios? En su interior. Pero se sentía tan cansada que creía que no tenía nada más para dar.

Me dijo que al comprender que era ella, y no su padre, la causa de su sufrimiento, su experiencia de ayudar a los demás cambió. Al llegar a este punto de la historia su cara se transformó por completo. Vi que se le iluminaba a medida que me contaba lo distinta que fue a partir de entonces su experiencia.

«Cuando visité a mi padre como un acto de amor y de servicio —me contó—, mi experiencia y la suya cambiaron por completo. En primer lugar, decidí no irle a ver cada fin de semana como antes, porque comprendí que estaba demasiado cansada y que no tenía nada que ofrecerle en ese estado. Y en segundo lugar, cuando me sentía como un cauce de amor, veía que esta luminosa energía que fluía por mi ser me daba fuerzas. Aunque no quisiera nada de mi padre, estoy segura de que recibí más yo de él que él de mí. Me siento muy agradecida por haber encontrado la esencia del servicio que me permitió estar con mi padre de una forma que nunca olvidaré».

La historia de Anne me recuerda la paradoja de servir a los demás. Cuando ayudamos a otra persona sin albergar ninguna expectativa y sin esperar nada a cambio, nos sentimos como si hubiéramos recibido mucho más de lo que hemos dado.

**AYUDA A TU COMUNIDAD.** Puedes servir a tu comunidad de muchas formas, desde ayudando en un recuento de votos hasta dando ropa a las casas de acogida para mujeres maltratadas. También sirves a tu comunidad con el trabajo que desempeñas. Si eres maestro, puedes alimentar el talento de tus alumnos y escucharlos con respeto. Si tienes un negocio, puedes ofrecer a tus clientes productos y servicios excelentes. Y también tratar a los empleados y a los colaboradores de manera compasiva.

Le pregunté a Gloria, a la que conocí cuando se estaba preparando para convertirse en pastora del Nuevo Pensamiento, qué es lo que había aprendido sobre el servicio a los demás de la tradición judía en la que había crecido. Llevaba el pelo gris plateado muy cortito y unos grandes ojos azules asomaban detrás de sus gafas. Gloria era muy generosa con su tiempo, ya que ayudaba a los estudiantes nuevos a aclimatarse al programa.

«Pues ahora que me lo preguntas, no recuerdo haber aprendido nada en concreto sobre el judaísmo y el servicio a los demás —me respondió—. Sólo supuse que tenía que hacer lo mismo que las personas que me rodeaban. Crecí viendo cómo mi madre estaba siempre metida en algún proyecto. Solía recaudar fondos y enviar el dinero a una fundación israelí para niños. O colaboraba con Hadassah, una organización de mujeres dedicada a alimentar a los pobres o a dar clases de refuerzo a los niños.»

La reverenda Gloria combinó la devoción que sentía por el Nuevo Pensamiento con el judaísmo fundando Mitzvah Makers en el Center for Spiritual Living, en Santa Rosa (California). El grupo se dedica a reunir ropa y comida para repartirla entre las personas que más lo necesitan. «La comunidad nos ha respondido de una forma increíble. La gente se muere de ganas de dar cosas», me comentó Gloria.

AYUDA AL MUNDO. Quizá te preguntes: «¿Cómo puedo yo solo cambiar el mundo?» Tal vez esta tarea te parezca imposible y creas que tus esfuerzos no valen la pena. Pero Margaret Mead nos recuerda: «No dudes nunca de que un pequeño grupo de ciudadanos comprometidos pueden cambiar el mundo. En realidad, son los únicos que lo han hecho siempre». Un ejemplo de ello es la World Wall for Peace, una organización sin ánimo de lucro creada por Carolyna Marks. Ella se dedica a viajar por todo el mundo ayudando en las comunidades a la gente a identificar las emociones y las diferencias religiosas y culturales, a transformar los conflictos en creatividad y a usar el arte como una forma de expresar la paz. A través de sus talleres reúne azulejos creados por los participantes y con ellos construye muros de paz.

También puedes ayudar al mundo respondiendo a desastres naturales, como los huracanes, incendios y terremotos, con contribuciones monetarias, reuniendo mantas y ofreciendo otra clase de regalos con el corazón. Las páginas web como Church World Service Emergency Response Program tienen enlaces de «Cómo ayudar» para los que quieran contribuir con su tiempo o su dinero.

## El miedo a ayudar a los demás

San Agustín nos recuerda: «Llénate tú primero, sólo entonces podrás dar algo a los demás». Lo cual tiene mucho sentido, porque ¿cómo puedes dar algo si tu copa está vacía? Sin embargo, en muchas ocasiones las personas que ayudan a los demás pueden llegar a quemarse al ir más allá de su capacidad y sentirse vacías, sin nada más que dar. Es esencial que equilibres el ayudar a los demás con cuidar de ti.

En una ocasión advertí que para mí era muy importante ayudar a los demás sin que mi salud física y psicológica se resintiera. Tenía sentimientos ambivalentes en este sentido. Por un lado, quería ayudar, pero por otro me daba miedo quedarme agotada al hacerlo. Me sentía como si fuera presa de un conflicto interior que tenía que resolver. Como yo animaba a los alumnos a analizar esta clase de material en lugar de ignorarlo, decidí afrontar mi enmarañada mezcla de sentimientos, y al hacerlo me acordé de mi abuela.

---

### *¿Puede uno llegar a dar tanto?*

Ver a mi abuela dar tanto al precio de quedarse agotada me transmitió un mensaje ambivalente sobre servir a los demás. El servicio era un maravilloso regalo para los demás, pero parecía causar dolor y sufrimiento al que se sacrificaba. De algún modo, la idea de olvidarme de mí misma para ayudar a los otros me parecía muy poco atractiva. ¿Acaso mi ideal de servicio difería del de mi abuela?

Cuando yo tenía unos veinte años e iba a la universidad, viví un verano con mi abuela. No había estado tan cerca de ella desde que era niña y encendíamos juntas las velas del sabbat. Su apartamento en Long Beach (Nueva York) daba al mar, y por las mañanas nos reuníamos las dos en la terraza, mientras ella cortaba las verduras para la comida yo me sentaba ante mi máquina de escribir eléctrica y anotaba mis pensamientos. Mi padre había muerto prematuramente a los cuarenta y nueve años de un infarto y pasar un tiempo con mi abuela nos ayudó a las dos a aliviar la inconsolable pena que sentíamos. Aunque no hablábamos de él demasiado, encontrábamos consuelo la una en la otra, como si la necesidad que sentíamos de estar con él se redujera al estar juntas.

Aquel año las fiestas judías cayeron antes de lo habitual, justo después del día del Trabajo*, lo cual me permitió presenciar los preparativos de mi abuela para las cenas festivas del Rosh Hashanah que íbamos a celebrar en un par de días.

En la víspera de aquel Nuevo Año judío recuerdo que me di media vuelta en la cama en medio de la noche, cubriéndome los hombros con la colcha de algodón para protegerme del aire frío y salado que entraba por las ventanas. Parpadeando aún medio dormida, vi a mi abuela con un vestido sin mangas de poliéster estampado en blanco y negro llevando unas bandejas con pan recién hecho y dejándolas bajo el alféizar de la ventana para que se enfriara. Aunque fueran las tres de la madrugada, mi abuela estaba ya completamente despierta. Se movía con rapidez y soltura, aprovechando aquel tiempo antes de que saliera el sol, libre de las preguntas de unas entrometidas, pero bienintencionadas, vecinas.

Sus ojos, enmarcados por su pelo blanco y las gafas de montura dorada, estaban muy despiertos y le brillaban de alegría. Al encontrarse nuestras miradas, sentí la pasión que la animaba, impulsándola a actuar, liberándola, al menos por un tiempo, de las limitaciones que su cuerpo artrítico le imponía. Estaba llena de un inmenso amor y no había nada que le impidiera manifestarlo sirviendo a su familia a la que tanto quería.

«Abuela, ¿quieres que te ayude?»

«No, querida, vuelve a la cama», me susurró con una voz dulce. Cuando servía a los demás, era cuando más feliz la veía.

* En Estados Unidos y Canada el primer lunes de septiembre. *(N. de la T.)*

Mi abuela era toda una artista en la cocina. La mesa que ponía durante las fiestas era una obra de arte. Había en ella dos aperitivos a base de pescado: *halibut* salteado con ajo, tomates frescos y aceite de oliva, y albóndigas de pescado picado para mi tío Irv, el marido de mi tía Dottie, el único judío ashkenazi entre nuestro clan sefardí. También había pimientos rojos asados aliñados con ajo y aceite de oliva, triángulos de pan hecho al horno con semillas de sésamo, *biscochos*, que sabían como pasteles, y berenjenas y aceitunas encurtidas. El segundo plato consistía en un pavo entero acompañado de una carne clara y oscura servida en una fuente, rosbif, arroz blanco y arroz rojo, judías verdes con cebollas y tomates, quingombó asado con limón, tomate y perejil; calabacín, tomates y pimientos verdes rellenos con carne picada, arroz y especias; *keftekas*, carne en pedacitos mezclada con puerros asados en el fogón de la cocina y ensalada de repollo, zanahoria y cebolla con mahonesa. La lista seguía, mientras los veinticinco comensales —tíos, tías y primos— reíamos, compartíamos historias y comíamos un plato tras otro, recibiendo el gran amor de mi abuela en cada bocado.

En mis primeros años como adulta, vi las consecuencias de sus actos de servicio. Después de las fiestas, a mi abuela le dolía su artrítico cuerpo durante tres semanas y a menudo se veía obligada a guardar cama. A mí me resultaba difícil presenciar su dolor. Quizá me sentía culpable en parte de él por haber disfrutado de aquella comida. ¿Acaso el amor y el servicio tenían que comportar semejante sacrificio? ¿Servir a los demás implicaba olvidarse de uno mismo? Me quedé con un montón de preguntas por responder. Incluso me preguntaba si yo inconscientemente no quería ayudar demasiado a los demás por el precio que mi abuela pagaba al hacerlo.

Pero ahora veo las cosas de forma distinta. El amor que mi abuela expresaba en su servicio a la familia no era sólo un regalo, sino también el regalo que Dios le hacía a ella. Para mi abuela, dar era algo de lo más natural, porque encarnaba el amor incondicional, sin saber siquiera lo que esto era. Su fe y su práctica espiritual le abrieron la puerta al servicio a los demás y le permitieron expresar su amor libremente. Aunque supiera que su servicio a los demás iba a costarle un precio, ella eligió amarles y servirles de todos modos.

¿Podía haber cuidado mejor de sí misma? Sí. Pero tengo que decir a su favor que en aquellos tiempos la gente no estaba tan concienciada como ahora sobre el ejercicio físico y la alimentación. Parte del legado que me ha dejado mi abuela ha sido la importancia de cuidar el templo de mi cuerpo, un imperativo para servir a los demás. ¿Estuvo también influida por el paradigma de las mujeres que sólo se ocupan de los demás y apenas piensan en sí mismas? Sí. Sin embargo, el verdadero valor de su ejemplo fue ver que ni siquiera el dolor físico pudo impedir el inmenso amor que sentía por nosotros. El amor encuentra su expresión en el servicio a los demás, trasciende las barreras y ofrece regalos tanto al dador como al receptor.

---

## Los retos y el progreso en el camino

Un martes, mientras hablábamos en la clase del Camino de la Sabiduría sobre servir a los demás, Marla, una mujer alta de unos sesenta y pocos años con el cabello corto rubio enmarcándole el rostro, estaba muy pálida y nerviosa en su silla.

«¿Te pasa algo, Marla? Esta noche pareces estar incómoda», le dije.

«¡Tengo ganas de chillar! Cada vez que oigo la palabra *servir* a los demás, se me ponen los pelos de punta. Me recuerda una dolorosa experiencia que tuve en la iglesia hace varios años. Salí quemada. Al principio quería colaborar, pero cuanto más les daba, más me pedían. No sabía cómo negarme. Parecía que tuviera que ofrecerles hasta el último minuto de mi vida para los proyectos de la iglesia».

Marla siguió contándonos su historia, describiendo el papel cada vez más importante que adquirió en la iglesia. Como había muchas necesidades para cubrir y ella era una líder excelente, le asignaron muchas responsabilidades. Sin embargo, Marla había aceptado demasiados compromisos: daba de comer a las personas sin techo los sábados por la mañana, rezaba por los que pasaban por un mal momento los jueves por la tarde, ayudaba en los preparativos del servicio del domingo y participaba en la escuela dominical. Aparte de servir a su comunidad espiritual, también tenía un trabajo a jornada completa.

«Marla, ¿por qué te comprometiste a hacer tantas cosas?», le pregunté.

«Al principio creí que podría hacerlas. Me encanta ayudar cuando puedo. Pero acabé traspasando mis límites y cada día me sentía más agobiada. Al cabo de dos años abandoné la comunidad, ya no podía soportarlo más. Huí para seguir con mi vida».

Comprendí la dolorosa experiencia de Marla y la usé como un trampolín para decirles a mis alumnos:

«Quizás hayáis oído hablar de una experiencia como la de Marla o hayáis vivido alguna similar. En ella intervienen varios factores. En primer lugar, si decidís ayudar a los demás tenéis que fijaros unos límites para cuidar también de vosotros mismos, porque si no lo hacéis os acabaréis quemando. ¿Conocéis algún otro caso similar?»

Azita, una alumna con una larga melena castaña enmarcando su belleza, intervino:

«Yo también me sentí agobiada al asumir una responsabilidad demasiado pesada colaborando en los proyectos de mi iglesia. Durante muchos años creí no poder llevar una vida equilibrada. Al cabo de varios años vi que no tenía una vida propia porque siempre estaba sirviendo a mi iglesia y que a algún nivel esperaba que el servicio que les prestaba llenara mi necesidad de sentirme acompañada y valorada. Había mezclado la frontera del servicio desinteresado con la de mis necesidades al esperar que las cubriera. Como ahora he hecho varias amistades y sé cuidar de mí misma mejor, me siento más preparada para ayudar a los demás».

«Gracias, Azita, tus palabras me parecen muy inspiradoras».

«A mí también —añadió Marla—. Tendré que reflexionar más en ello. Gracias».

Cuando les pregunté si se les ocurría alguna otra cosa, Sarah levantó la mano. Al concentrarse para expresar lo que sentía, cerró los ojos al tiempo que se ruborizaba un poco:

«Estoy intentando encontrar la forma de decirlo sin parecer una insensible. Lo que a mí me pasa es que no me atrevo a involucrarme en el sufrimiento de los demás por miedo a que me afecte demasiado. Cuando colaboré como voluntaria en un hospital infantil, vi a niños sufriendo, a niños que se habían quedado calvos por la quimioterapia. Cada noche al volver a casa me echaba a llorar. Me costaba mucho soportar su sufrimiento. Me sentía atrapada en un dilema. Por un lado, el sufrimiento de aquellos niños me afectaba mucho, pero, por otro, tampoco quería ignorarlo, porque me parecía una actitud de lo más cobarde».

Le dije a Sarah que no siempre es fácil afrontar el sufrimiento de los demás. A veces el sufrimiento ajeno nos obliga a afrontar nuestro propio sufrimiento y miedo.

«Sarah, me alegra que hayas sacado este importante tema a relucir. No eres la única a la que le ocurre. Ahora me gustaría compartir con vosotros la descripción de Pema Chödrön sobre la práctica del *tonglen,* un método para conectar con el sufrimiento», les dije a los alumnos.

- Empezamos esta práctica tomando el sufrimiento de otro ser al inhalar su dolor, miedo o impotencia para que pueda sentirse bien y tener más espacio para relajarse.
- Al exhalar, le enviamos paz, relajación o cualquier cosa que creamos que le calmará o le hará feliz.
- Si mientras lo hacemos también nos topamos con nuestro miedo, angustia o sufrimiento, podemos dirigir la práctica del tonglen hacia nosotros mismos y hacia todos los seres del mundo que experimentan el mismo sufrimiento.
- Al exhalar, nos enviamos a nosotros mismos y a los demás la paz o el valor que nos librará del sufrimiento.

«Pema Chödrön nos enseña una importante lección —proseguí—. Nos dice: "y sentiremos compasión por los demás en la medida en que la sentimos por nosotros mismos". Al practicar el tonglen nos sacamos la coraza que nos separa de los demás, lo cual nos permite abrirnos más a ellos, ya que todos compartimos un vínculo como seres humanos».

Sarah me dio las gracias por haberles enseñado el ejercicio del tonglen y dijo que lo realizaría al volver al hospital infantil la semana siguiente.

Cuando miré hacia donde estaba Jim, él me pidió la palabra levantando el índice. Era un sexagenario alto y rubio, de constitución mediana.

«Mientras hablabas del tema de ayudar a los demás —dijo deslizando los dedos por su cabeza a modo de peine varias veces—, me he sentido culpable por no pensar en ellos tanto como debería porque siempre estoy pensando en mí y en mis problemas. Me han enseñado hasta tal punto a conseguir lo que me propongo y a triunfar que me he cerrado a los demás».

Yo asentí con la cabeza al oírlo, al igual que sus compañeros.

«Te entiendo perfectamente, Jim, pero quizás haya otra forma mejor de ayudar a los demás que la de sentirte culpable.

«¿Cuál es?», me preguntó un poco más tranquilo, como si la nube negra que le envolvía empezara a disiparse».

«La acción compasiva. ¿Se te ocurre algún acto de servicio que puedas hacer para ver cómo ayudar a los otros beneficia tu camino de la sabiduría?»

Jim aceptó trabajar en ello la próxima semana.

A la semana siguiente, entró en clase con los ojos brillándole de alegría.

«¿Sí, Jim?», le dije

«¡He hecho la tarea que me propusiste! No se trata de una ayuda extraordinaria, pero más vale algo que nada —la clase se echó a reír—. De camino al trabajo, al pasar por delante del hospital que cruzo cada día, sentí el deseo de trabajar como voluntario en él. El miércoles pasado, el día siguiente al de la clase, aparqué el coche en la entrada del hospital y pregunté si podía hablar con alguna religiosa que trabajara en él. Yo había estado ayudando a mi madre a recuperarse de un infarto y sabía que ayudar a una persona convaleciente me haría muy feliz. La hermana Barton me dio las gracias por ofrecerme como voluntario y me dio un formulario para que lo rellenara. Me dijo que una vez al mes daban una clase para formar a los voluntarios y que me llamaría. No sé explicar por qué me hace tanta ilusión, pero así es».

Le dije que estaba a punto de experimentar la compasión en acción.

«Que este pensamiento sea para todos el tema de esta noche. Buenas noches a todos».

Todos tenemos algo que ofrecer a los demás en nuestra familia, en nuestra comunidad y en el mundo. Vivir con el corazón, como un vehículo de compasión, curación, armonía y amor —ayudando a los demás—, es un regalo que damos y recibimos al mismo tiempo. Estamos invitados a ser lo que la Madre Teresa dijo de ella misma: «Soy el lápiz que sostiene Dios al escribir una carta de amor al mundo».

## Unos Sabios Pasos

**RECURRE AL AUXILIO DE UNA GUÍA INTERIOR PARA QUE TE AYUDE EN TU LLAMADA PERSONAL A AYUDAR.** Si no estás seguro de cómo puedes ayudar a los demás o si te gustaría aumentar los compromisos que has adquirido en este sentido, busca la ayuda de una guía interior que te guíe. Las siguientes sugerencias te ayudarán a conseguirlo.

- Medita durante cinco o diez minutos (te recomiendo sobre todo la meditación sobre el centro del corazón que describo en el capítulo anterior).
- Piensa a continuación en el significado del servicio altruista: ayudar a los que lo necesitan sin esperar nada a cambio.
- Sentado en silencio, hazte esta pregunta: «¿Cómo debo servir a los demás y cuál es la forma de empezar a hacerlo?» Deja que las respuestas lleguen como quieran: a través de una imagen visual o de un símbolo, de una respuesta auditiva o de una sensación corporal.
- Cuando estés preparado, anota o dibuja las respuestas recibidas. Deja que el contenido de esta meditación te guíe para ayudar de manera altruista a tu familia, a la comunidad y al mundo.

**AYUDA COMPASIVAMENTE A UN AMIGO O A UN MIEMBRO DE TU FAMILIA.** Quizá descubras que ya lo haces. Sin embargo, al ser consciente de estar ayudando compasivamente a alguien, verás que el amor incondicional que expresas con tu acto de servicio adquiere una mayor dimensión. Averigua si un amigo o un miembro de tu familia necesitan algo y ayúdales. Por ejemplo, yendo a buscar el medicamento que tu pareja —que tiene gripe— necesita a una farmacia que queda en la otra punta de la ciudad o llevando en coche a una amiga al hospital para que pueda visitar a su abuela enferma. Sea lo que sea que hagas, analiza tu intención. En lugar de intentar cumplir con tu obligación o devolver un favor a regañadientes, hazlo con compasión y un gran amor. Descubrirás que esta actitud os producirá un efecto muy positivo tanto a la otra persona como a ti. Ofrécete a ti y a los demás el regalo de un acto compasivo y advierte cómo cambia la experiencia al hacerlo con este espíritu. Si lo deseas, anota el efecto de tu acto o habla de las percepciones que te ha inspirado con un amigo.

**AVERIGUA SI ALGUNA PERSONA DE TU COMUNIDAD NECESITA ALGO Y AYÚDALA A CONSEGUIRLO.** Al ver que una persona necesita algo, es cuando sientes deseos de ayudarla. Tanto si se trata de un centro de acogida para mujeres maltratadas, una perrera o un desayuno para gente sin hogar servido en la iglesia de tu barrio, cuando sientes el profundo deseo de colaborar en una causa, tienes la oportunidad de ayudar a alguien. Tómate tu tiempo para cumplir este deseo. Contacta con la organización con la que deseas colaborar, tanto si se trata de un servicio espiritual, social o comunitario. Observa en qué puedes invertir tu tiempo y tu talento. Averigua si antes de colaborar en la organización necesitas recibir alguna clase de orientación o formación. Comprométete a participar en ella y ofrece tu tiempo y talento para ayudar compasivamente en la causa elegida. No te sorprendas si ves que recibes mucho más de lo que das.

# EPÍLOGO: *saborea la sabiduría*

*La paz no puede mantenerse a la fuerza, sólo se alcanza a través de la comprensión.*

ALBERT EINSTEIN

Platón describe así el viaje del alma. Antes de entrar en el cuerpo el alma lo conoce todo. Pero poco antes de entrar en la existencia terrena, el cuerpo se sumerge en el Río del Olvido.

Esta historia me consuela. El mito nos revela el misterio inherente al camino de la sabiduría. Nuestra vida consiste en recordar lo que ya sabíamos. En un momento dado recordamos que podemos acceder al banquete de la sabiduría espiritual, pero al siguiente volvemos a olvidarlo y perdemos nuestro legado espiritual.

A mí me está ocurriendo todo el tiempo, tanto lo de olvidar como lo de recordar, me olvido de aplicar la sabiduría en mi vida y entonces —a veces enseguida y otras no— recuerdo que aplicar las prácticas de sabiduría en mi vida es muy bueno para mí. Reconocer el misterio contenido en tu camino de la sabiduría te ayuda a aceptar este inaprensible ciclo. Siempre que caigas en el olvido puedes recordar lo que ya sabes. No tienes por qué censurarte. Olvidar forma parte del proceso hasta que los ejercicios para adquirir sabiduría se convierten en una forma de vivir. Para no volver a caer en los antiguos hábitos, como a mí me ocurrió cuando estaba terminando de escribir este libro, lo que necesitas es ser compasivo contigo mismo en lugar de censurarte.

Un viernes por la noche me descubrí con los nervios de punta, no totalmente quemada pero lo bastante chamuscada como para tener una minicrisis nerviosa. Me sentía cansada, irritable y descentrada. Cuando me desvío de mi camino de la sabiduría, siempre lo noto, porque la estable serenidad que siento al hacer los ejercicios para adquirir sabiduría desaparece.

Mi ayudante me había dicho que mi ordenador se había estropeado antes de haber podido copiar toda la información que contenía. Al estar agotada, me sentí como si yo también me viniera abajo. En una milésima de segundo, una parte de mí se ocupó de la situación y, como si fuera una sana elección, llamé a un restaurante para pedir una pizza. Hacía un año que no comía pizza, desde que había perdido treinta y cinco kilos. Permanecí allí, señalando con un dedo el teléfono en las páginas amarillas y llamando con otro a dos restaurantes: en uno no podían traérmela a casa y en el otro tenían un problema con la línea telefónica y no pude contactar con él a pesar de marcar el número varias veces. Había pasado el suficiente tiempo como para volver a otra parte de mí.

Tomando una sensata decisión, me fui a un pequeño gimnasio del puerto deportivo que suele estar vacío. Hice un poco de ejercicio en la bicicleta estática, corrí un rato en la cinta y después de tomar una larga ducha con agua caliente, me fui derechita a la sauna.

En medio del calor seco, sentí que los hombros se me relajaban, que respiraba de forma más pausada y que mi agitada mente se relajaba y dejaba de preocuparse por el trabajo para alimentar el alma. Me puse a repasar los ejercicios para adquirir sabiduría que siempre me hacían volver a mí misma.

CREA UN ALTAR EN TU HOGAR. Me saqué el brazalete de piedras rojas y lo coloqué formando un círculo para acordarme de la unidad de la vida. Puse mi alianza en el centro de las cuentas rojas y reconocí que en el centro de mi ser estaba conectada con el infinito. Me reí de mí misma. «Si puedo crear un altar cuando sólo llevo puesta una toalla en una sauna, puedo crearlo en cualquier parte», pensé.

MEDITA Y ENCUENTRA LA PAZ INTERIOR. Cerré los ojos y me dediqué a observar mi respiración, concentrándome sólo en la inspiración y la espiración. Sentí que mi mente empezaba a calmarse como un reloj que baja de ritmo.

ENTRÉGATE A LA ORACIÓN. Me susurré a mí misma: «Gracias por estos momentos de gran paz en los que puedo descansar de mi absorbente trabajo».

PERDÓNATE A TI MISMO Y PERDONA A LOS DEMÁS. Me dije a mí misma en voz alta: «Te perdono por haber trabajado demasiado esta semana y por perder el equilibrio».

RESÉRVATE UN TIEMPO PARA EL DÍA DE DESCANSO. Me comprometí a tomarme el lunes libre, ni siquiera pensaba escribir ese día. Pensé que podía salir a dar un paseo con mi hermano y que por la mañana dormiría un poco más para descansar.

DEJA QUE LA NATURALEZA SEA TU MAESTRA. El calor de la sauna me estaba ayudando a mirar en mi interior. Cerré los ojos y vi a un ciervo cruzando mi conciencia interior. «Camina más despacio», me aconsejó el ciervo. Su consejo me sirvió para bajar de ritmo y no ser dura conmigo misma.

**FLUYE CON LA CORRIENTE.** «Vale, estaba yendo demasiado deprisa», admití. Sin resistirme, me dejé llevar para recuperar el equilibrio. Después de tanto yang, necesitaba hacer unas actividades más yin. Me reservaría el fin de semana para descansar lo máximo posible.

**CAPTA LA VISIÓN QUE DIOS TIENE DE TU VIDA.** Al volver a cerrar los ojos, me vi dedicando a los lectores el libro que acababa de publicar. Una voz interior me dijo: «Sigue escribiendo el libro. Haz que escribirlo sea tu prioridad».

**OFRÉCETE AL SERVICIO DE LOS DEMÁS.** Decidí llamar a mi hermano y dejar que me contara los problemas que tenía con sus hijos adolescentes. Me mantendría en contacto con mi familia.

Cuando aún no había pasado ni una hora, ya había repasado algunos de los puntos más importantes de los ejercicios de *El camino de la sabiduría* y me sentía mucho mejor.

## Mi camino de la sabiduría

Mi propia experiencia me ha enseñado que el camino de la sabiduría se va volviendo más profundo con el tiempo. Los altares que hice al principio carecían de alma, pero más tarde se convirtieron en un lugar muy bello ante el cual podía sentarme y sentir un cambio en mi conciencia que me conectaba con Dios. Antes tardaba mucho en entrar en el estado meditativo en el que mi mente se serenaba y mis pensamientos se reducían. Ahora, en cambio, puedo alcanzar este estado de paz interior mucho más rápido, incluso en medio de un día caótico.

Cuando por alguna razón no puedo hacer un ejercicio para adquirir sabiduría, después lo practico con más pasión aún. Por ejemplo, si estoy tan ocupada que no puedo tener un día de descanso, siento más deseos aún de comprometerme a hacer ese ejercicio, porque cuando no descanso durante un día es evidente que no me siento tan bien como cuando lo hago.

También he aprendido a reconocer las situaciones que son un obstáculo en mi camino de la sabiduría: una agenda demasiado llena, el estrés que me produce una fecha límite o un viaje que altera la rutina de mis ejercicios. En esta clase de situaciones, he aprendido a aumentar mis ejercicios en lugar de reducirlos. Por lo general, venzo estos obstáculos llenando menos mi agenda, reorganizándome para la fecha límite y repasando mentalmente los ejercicios para integrarlos en el viaje que voy a hacer.

Lo que más me gusta del camino de la sabiduría es el equilibrio que siento en el alma al usar estas herramientas. Siento que para mantener el equilibrio y seguir conectada con la mayor fuente de luz espiritual de la que formo parte necesito recibir mi dosis regular de ejercicios a lo largo del día y de la semana. Del mismo modo que he aprendido a mantener el nivel adecuado de azúcar en la sangre tomando una comida nutritiva con regularidad durante el día, conservo la serenidad del alma al realizar los ejercicios para adquirir sabiduría creando un altar, meditando, rezando, perdonándome a mí misma y perdonando a los demás, dejándome llevar por la corriente, conectando con la visión que Dios tiene de mi vida y ayudando a la gente. Al igual que alimentamos nuestro cuerpo para que reciba los nutrientes necesarios, debemos alimentar nuestra alma. Tomar una comida sana, caminar, descansar y alimentar el alma son los componentes de vivir sabiamente.

Sé cuándo estoy dando en el blanco en mi camino de la sabiduría porque mi vida es una delicia. Pero aunque de vez en cuando me extravíe, tengo las herramientas para volver a retomar mi camino una y otra vez. Cada vez que participo en un ejercicio yo y las personas de mi alrededor nos beneficiamos.

## El banquete

La última clase del Camino de la Sabiduría siempre es agridulce para mí. Es el momento de despedirnos del viaje que hemos compartido y, al mismo tiempo, es un placer ver las percepciones y la sabiduría que hemos adquirido en las clases. Al haber recorrido el camino de la sabiduría juntos, tanto mis alumnos como yo hemos cambiado de algún modo.

Al entrar en la última clase del Camino de la Sabiduría, un seminario de diez semanas de duración, yo estaba reflexionando en todas estas cosas. Aquella noche fue diferente a las otras: en las mesas del aula, siempre cubiertas de fotocopias, notas, botellas de agua y tazas de café, había ahora un banquete de comida multiétnica. Los manteles violeta decorados con un borde dorado estaban cubiertos de diferentes exquisiteces que representaban las tradiciones espirituales que habíamos estudiado. Nos esperaba un delicioso banquete a base de *samosas*, tofu salteado con tirabeques; humus y tabulé de Oriente Próximo; *latkes* de patata, chips de maíz azul y pan frito; fideos *pad* tailandeses y tofu.

Siempre me había maravillado que tantas personas disfrutaran con la comida étnica y, en cambio, se negaran a tomar un bocado de las tradiciones espirituales de las que estos alimentos procedían. Pero esto no sucedió con las que habían seguido el camino de la sabiduría. Ahora el banquete no sólo iba a alimentar nuestro cuerpo, sino también nuestra alma, porque habíamos aprendido los beneficios de alimentarla y saboreado la sabiduría. Al combinar el cuerpo con el alma, el viaje era completo y satisfacía un hambre más profunda que la comida por sí sola no podía saciar.

Mientras la clase continuaba, disfrutamos probando un plato tras otro, riendo y bromeando mientras reflexionábamos sobre los momentos más importantes de nuestro camino de la sabiduría. Grace, una alumna con mechas violeta en el pelo que le enmarcaba el rostro, fue la primera en hablar.

—Los deliciosos *samosas* indios que os he traído representan la tradición hindú. ¿A que estos triángulos fritos rellenos de garbanzos y patatas están buenísimos? —dijo metiéndose el trocito de samosa que le quedaba en la boca—. ¡Es fabuloso que tantas tradiciones nos ofrezcan su sabiduría! Mi práctica favorita es crear un altar. Me encanta llevar el ambiente del mundo sagrado a mi vida y a mi trabajo.

Sarah fue la siguiente en intervenir.

—Yo creí conocer estas culturas, pero estudiarlas juntas ha sido una experiencia muy profunda para mí. Todas estas tradiciones están diciendo en el fondo lo mismo, aunque lo presenten de distintas formas.

—Incluso yo puedo verlo —intervino Walt.

—Walt, ¿qué más ves? —le pregunté.

—Me he dado cuenta de que todas las tradiciones espirituales forman una unidad. Todas ellas hablan de Dios de un modo u otro, de cómo nuestra vida forma parte de algo mucho más importante que ir a trabajar a diario, calcular el dinero de las ventas y hacer el balance final de ese día. La vida no consiste sólo en las actividades cotidianas. Hay algo superior.

—Enhorabuena, Walt, lo has sabido expresar muy bien —le dije.

Donna se limpió la boca con una servilleta y se tragó el último bocado.

—Lo que nos has contado sobre el sabbat ha sido muy importante para mí. ¿Habéis probado los *latkes* de patata que he traído? A veces también los llaman panqueques de patata y están deliciosos con crema agria o compota de manzana. Al volver a celebrar el sabbat, ahora mis amigas entienden por qué desconecto el teléfono los viernes por la noche. He recibido muchas quejas, pero pienso seguir desconectándolo, me encanta mi tiempo libre del sabbat y voy a protegerlo.

Renee cogió una bandeja con fideos y nos la ofreció a los que estábamos en la mesa por si queríamos repetir.

—Este plato tailandés a base de tofu, compuesto de fideos, manteca picante de cacahuete y cebolletas decoradas con trocitos de frutos secos es mi preferido. Como muchos tailandeses practican el taoísmo, el plato representa esta tradición. Mi versión de dejarse llevar por la corriente es la siguiente: antes de venir a estas clases no me gustaban la mayoría de las tradiciones espirituales por el trato que daban a las mujeres. Pero ahora he comprendido que no tengo por qué rechazar la sabiduría que me ofrecen. Puedo apreciar el sabbbat, la devoción de los musulmanes por la oración y el perdón cristiano, y seguir pensando que estas tradiciones pueden mejorar su forma de rendir homenaje a las mujeres y a sus contribuciones —observó Renee con una radiante sonrisa. Nosotros también le sonreímos.

Victoria, que llevaba una ancha falda beige y granate y una blusa a juego que relucía bajo los fluorescentes del techo, se levantó y nos dijo:

—La salsa en la que estáis mojando estos triángulos de maíz azul es *humus*, garbanzos mezclados con *tahini* y ajo, una comida de Oriente Próximo, donde muchas personas siguen el islamismo y el judaísmo. Para transmitir los beneficios que he recibido al estudiar las tradiciones espirituales más relevantes del mundo, quiero que todo el mundo se una a mí en la pista de baile —dijo Victoria señalando el suelo de parqué del otro lado de la sala.

Al cruzar la alfombra gris para acompañarla hasta las planchas lacadas de madera, Victoria prosiguió:

—En todas las partes del mundo, la gente forma círculos y baila para que haya paz en él. Estas danzas proceden de todas las tradiciones espirituales y celebran la unidad que subyace en todas ellas. No os preocupéis, no necesitáis ser unos expertos en música ni en baile. ¡Estáis todos invitados a bailar!

Siguiendo las instrucciones de Victoria, nos cogimos de la mano y nos pusimos a girar en círculo en el sentido de las agujas del reloj.

—Al girar en este círculo nos unimos a la eterna tradición de la danza sagrada, en la que la gente de todas las épocas ha celebrado los cambios estacionales y las distintas etapas de la vida a través del movimiento, la música y las canciones.

Seguimos girando en círculo, pero con mayor rapidez, cantando los nombres de Dios según las diversas tradiciones espirituales en esta danza universal de culto. Después Victoria nos hizo parar y extender los brazos hacia el centro del círculo, cantando varias veces: «Hacia el Único, hacia el Único, hacia el Único».

Comprendí que el camino de la sabiduría que habíamos recorrido juntos culminaba con aquella danza que honraba y celebraba todas las tradiciones. Como cada alumno había traído un plato que representaba una distinta tradición espiritual, era como si nuestro baile pusiera a un hindú al lado de un musulmán, a un judío al lado de un cristiano, a un taoísta al lado de un budista, a un indio americano al lado de un seguidor del Nuevo Pensamiento... ¿Éramos el microcosmos de un mundo que sabía apreciar la sabiduría que se encuentra en las diversas tradiciones espirituales? Si otras personas del mundo recorrieran también el camino de la sabiduría, ¿podríamos llegar a bailar una danza universal de la paz? Porque esto es lo que habíamos hecho en clase. Habíamos resuelto nuestros desacuerdos, mirado en nuestro interior para ver la parte que desempeñábamos en los conflictos, escuchado unas opiniones distintas a las nuestras y al final nos habíamos reunido en un banquete para apreciar la comida y el alimento espiritual de todas las tradiciones representadas en la mesa en forma de platos.

Nuestra danza finalizó al quedarnos unos frente a otros, mirarnos a los ojos e inclinarnos en un gesto de respeto con las manos unidas como si estuviéramos rezando. «*Namaste*», nos dijimos unos a otros. «Que el espíritu que hay en mí rinda homenaje al espíritu que hay en ti, *namaste.*»

—¿Qué os parece si concluimos la clase con una canción de paz? —les sugerí—. Con una que no tenga una letra sexista —añadí echando una miradita a Renee.

Mientras Victoria dirigía la canción, miré a mis alumnos, personas de distintas razas y religiones formando un círculo con las manos cogidas y cantando «Que haya paz en la tierra y que yo sea el primero en manifestarla dentro de mí».

Pensé en el valor de Gandhi al ser una presencia pacífica en el mundo y en su invitación: «Debéis ser el cambio que queréis ver en el mundo». Recé para que nuestro camino de la sabiduría nos llevara a la paz.

# APÉNDICE I:
## *las herramientas para el viaje*

Si estás recorriendo tu camino de la sabiduría, puede que la lectura de algún capítulo de esta obra haga que estalle una mina en tu interior provocándote sentimientos intensos. Esta parte del libro te ofrece las herramientas adicionales para ayudarte a navegar por lo que quizá te parezcan cuestiones difíciles o espinosas. O dicho en otras palabras, «material sensible», rechazos, prejuicios o resentimientos. A continuación encontrarás:

- La definición de material sensible o situaciones con una determinada carga emocional, y algunos ejemplos de cómo se pueden afrontar.
- Preguntas que puedes anotar en tu diario mientras exploras tus orígenes espirituales y confrontas las creencias y los prejuicios que albergas sobre otras tradiciones espirituales.
- Sabios pasos para ayudarte a descubrir tus sentimientos, compartir tu historia con los demás y cultivar una voz interior que te sostenga.

## Cómo afrontar el material sensible

Cuando hablamos de «material sensible», estamos hablando de las cosas irresueltas o a medio resolver que hay en tu historia personal o en las actitudes que te enseñaron en la infancia. Al leer una determinada palabra (por ejemplo, *Dios* o *Jesús*) o algo sobre una tradición en particular (por ejemplo, el islamismo, el judaísmo o el cristianismo), quizá sientas rechazo o ira o te pongas a la defensiva. Esta clase de reacciones pueden impedirte asimilar la sabiduría del camino espiritual.

Como he afrontado mis propios rechazos y he ayudado a los alumnos en las clases del Camino de la Sabiduría, sé que este proceso es difícil, aunque gratificante. Cuando eres consciente de un rechazo, tu primera reacción quizá sea descartarlo o negarlo. Tal vez prefieras obviarlo, en lugar de afrontar los sentimientos encontrados o recuerdos que evoca en ti. Sin embargo, te pido que seas consciente de esos sentimientos y que dejes que te lleven a las situaciones que recuerdes. El proceso de desactivar ese rechazo, prejuicio o resentimiento te liberará y te ayudará a curar algunos malentendidos sobre la situación original, y te ofrecerá la oportunidad de recuperar y apreciar tu propia tradición espiritual o las de los demás.

Algunas veces no somos conscientes de nuestro material sensible, y en otras ocasiones deseamos ser más conscientes de nuestras propias creencias y actitudes. Las siguientes herramientas te ayudarán en ambos sentidos.

Utilizar las herramientas del diario y los Sabios Pasos indicados a continuación te ayudarán a desactivar tu material sensible. Espero que estos consejos te sean útiles:

1. Acepta que una cuestión determinada te ha afectado y te ha provocado una reacción de rechazo, prejuicio o resentimiento.
2. Identifica si la reacción está relacionada con tus orígenes espirituales (Herramienta 1), con otra tradición espiritual (Herramienta 2) o con haber crecido sin pertenecer a ninguna tradición espiritual (Herramienta 3).
3. Lee las instrucciones y escribe las respuestas de las preguntas del diario en el lugar correspondiente.

## Herramienta 1: explora tus orígenes espirituales

**OBJETIVO.** Dedica este viaje a explorar tus creencias sobre la tradición espiritual en la que creciste. Al analizarlas, tal vez descubras material sensible y al mismo tiempo una nueva perspectiva sobre tus valores queridos o los de tu familia. Al volver a analizar tus creencias, quizá valores más lo que tu tradición te ofrece.

**PREGUNTAS DEL DIARIO.** Las siguientes preguntas te ayudarán a examinar tus sentimientos conflictivos y las creencias sin analizar sobre tus orígenes espirituales como, por ejemplo, haber crecido sin pertenecer a una tradición espiritual.

1. Para empezar, lee las preguntas, recuerda tus experiencias y reflexiona durante cinco minutos antes de responderlas.
2. Resérvate un rato, de quince a veinte minutos, para escribir la respuesta a una o dos preguntas.
3. Repite este proceso hasta responder a todas las preguntas. Si lo deseas, adáptalo a tus propias necesidades.

SI HAS CRECIDO EN UNA O MÁS TRADICIONES ESPIRITUALES

1. ¿Cómo describirías la tradición o las tradiciones espirituales en las que creciste (por ejemplo, conservadora, liberal, una sola tradición o estuviste expuesto a diversas tradiciones)?
2. ¿Qué beneficios has recibido de la tradición espiritual en la que creciste?
3. ¿Qué experiencias de tu tradición espiritual te provocan sentimientos intensos o reacciones (por ejemplo, ira, miedo, sentimiento de culpa o tristeza; además de alegría, veneración, salud o inspiración espiritual)?
4. ¿Qué inconveniente, si es que hay alguno, has experimentado en la religión en la que creciste? ¿Qué impresiones negativas, si es que hay alguna, dejó en ti?

---

### *Haciendo las paces*

No siempre he apreciado mi herencia judía. Mientras vivía en la ciudad de Nueva York, nunca necesité plantearme si me identificaba o no con el judaísmo. Participar en las cenas de las festividades con mis familiares judíos me parecía suficiente como para considerarme judía. Al igual que vivir en Nueva York, ya que la cultura judía estaba integrada en esta ciudad. Las emisoras de radio locales guiaban a los conductores de vuelta a casa informándoles sobre el estado del tráfico en los días festivos judíos más importantes. «Si quieren llegar a casa para el Rosh Hashanah antes de que se ponga el sol, salgan un poco antes. Feliz Año Nuevo a todos.» Ser judío tenía un lugar en el palpitar multicultural de la Gran Manzana. Yo solía decir: «Nací en el seno de una familia judía». Y mientras tanto exploraba el yoga, la meditación y la sabiduría de las tradiciones orientales, y me identificaba más con ellas que con el judaísmo como una religión organizada.

Al trabajar por primera vez como profesora en la Universidad de Kentucky fue cuando tuve que plantearme si me consideraba judía o no. Sucedió en las Navidades de 1982, mientras conducía de camino a casa para cenar con Courtney, una nueva amiga que había hecho en el campus, nacida en Kentucky. Ella era una estudiante ya adulta que había retomado los estudios universitarios, una belleza de pelo negro y ojos azul cobalto con un marcado acento sureño. Pasamos por delante de una casa decorada con un candelabro eléctrico de color rojo y velas blancas y me sentí muy contenta.

«¡Oh, mira, un Chanukah menorah! ¡Qué bonito!», exclamé.

Mi amiga sacudió la cabeza.

«¡Oh, no! Son velas navideñas. Créeme, aquí nadie pondría un símbolo judío en el porche de su casa».

La miré sorprendida.

«¿Por qué no?»

«En el sur no se mira con buenos ojos a los judíos —repuso—. Mucha gente cree que mataron a Jesús y que tienen cuernos en la cabeza. No, no vas a ver ningún símbolo judío en Lexington. Quizás en la universidad veas alguno, pero no en las calles».

Sus palabras hicieron que el estómago me diera un vuelco. ¿Debía defender yo a los judíos? No, los judíos no teníamos cuernos, físicamente éramos iguales a cualquier otra persona. Pero nunca me había considerado que formara parte del «pueblo» judío. No me identificaba con la religión en la que había crecido. Sólo iba a las cenas de los días festivos para complacer a mis abuelas, a las que quería mucho.

Eché mucho de menos que los locutores de la radio del Bluegrass State no mencionaran las fiestas más importantes judías. Me entristeció no oír en setiembre un amistoso «¡Feliz Año Nuevo!» o los familiares sonidos hebreos del Rosh Hashanah o del Yom Kippur. Y ahora no había ningún menorah en los alféizares de las ventanas para celebrar el Chanukah. No había valorado que formaba parte de la minoría judía y ahora al estar lejos de ella me sentía terriblemente sola.

Mientras circulaba por la calle pensé con las mejillas cada vez más enrojecidas: «¿Y qué hay de los seis millones de judíos que murieron en las cámaras de gas? Si no digo nada, ¿acaso no seré como los que miraron hacia otro lado para no ver aquellas atrocidades? Pero no puedo pretender ser judía si no siento de verdad que lo soy, ¡estoy hecha un lío!»

Mi amiga, intuyendo que en el asiento de al lado iban las ruinas de la Segunda Guerra Mundial en persona, me preguntó:

«¿Te encuentras bien?»

«No demasiado —le respondí—. Creo que he pillado un resfriado».

Aquella noche nos despedimos pronto y yo me refugié yendo a la cama antes de las ocho.

Viví con este conflicto durante meses. No dejaba de pensar en la obligación moral que tenía como judía. Si me identificaba con los judíos, debía defender la larga lista de discriminaciones que sufría mi pueblo. Y si no me identificaba con ellos, al menos debía ser íntegra conmigo misma, porque en el fondo no me sentía judía.

La ocupada vida universitaria que llevaba —revisando exámenes, dando clases, preparando las lecciones— me hizo olvidar mi conflicto interior, hasta que un día al salir de clase oí a unos estudiantes riéndose. ¡No podía creer lo que estaba oyendo! Se estaban riendo de un chiste antisemita. Esperé un momento y me aclaré la garganta.

«¡A mí los chistes antisemitas no me hacen ninguna gracia! —les solté girando la cabeza mientras los adelantaba para ir a dar mi siguiente clase. Al menos iba a condenar abiertamente el antisemitismo igual como hacia con el sexismo y el racismo. Pero seguía sin resolver mi conflicto interior».

Mientras seguía reflexionando sobre aquella cuestión fueron pasando los años. En 1986, cuando enseñaba en la Universidad de Wisconsin, me uní a un grupo de escritores. Empecé a buscar material sobre los judíos sefardíes para aprender más sobre mi propia herencia. También telefoneé a mi abuela, mi prima Fran y la tía Dottie. A pesar de mantener unas largas conversaciones con ellas sobre mi identidad, seguía sin sentirme judía.

Pero en 1992, cuando me estaba preparando para hablar sobre el judaísmo en una clase del Camino de la Sabiduría, me sorprendí al ver que conocía más las otras religiones que el propio judaísmo. ¿Por qué era así? En una clase había dado a mis alumnos algunas orientaciones para curar los sentimientos encontrados que les había provocado el tema expuesto. Descubrí que la incomodidad que me producía el judaísmo había tomado la forma de un frío distanciamiento hasta el punto de convertirse en indiferencia. Decidí curarme con los mismos medios que les había enseñado a mis alumnos. Mientras respondía a algunas de las preguntas que había escrito en mi diario, vi cómo había dejado que mis decepciones se convirtieran en resentimiento, distanciándome de la tradición que había heredado. Mi lista de injusticias había ido creciendo con los años. Mi hermano había recibido una formación hebrea y tuvo su bar mitzvah, pero yo no. Le hice algunas preguntas al rabino, pero sus respuestas no me dejaron satisfecha. Los oficios religiosos de la sinagoga eran en hebreo, una lengua que no entendía, por eso me resultaban largos y tediosos. Las mujeres nos sentábamos separadas de los hombres.

Pude enfrentarme a mi ira y tristeza al sacarlas a la luz. Al principio había reprimido estos sentimientos, pero con el tiempo se habían ido acumulando. Acepté recibir ayuda para desprenderme de ellas, como si abriera una celda y liberara a los prisioneros que habían estado encerrados durante años en su interior. Encontré una alternativa para todas mis recriminaciones. Podía elegir formarme en la tradición judía e incluso tener un bar mitzvah como mi prima Fran. Podía encontrar unas respuestas satisfactorias a las preguntas que me hacía y asistir a oficios religiosos judíos en inglés celebrados por una rabina. Ahora mis actitudes de antes ya no me producían un conflicto emocional y me parecían menos importantes. Mis problemas sin resolver me habían impedido ver las cosas con claridad. Había proyectado mi propia ira en una religión que era mucho más profunda de lo que yo creía.

Para mí el momento decisivo fue recordar mi conexión con el judaísmo a través de mi abuela. Recordé cómo encendíamos juntas las velas del sabbat y lo mucho que nos queríamos. Estos recuerdos hicieron que mi corazón se abriera y que me revelara que mi vínculo con el judaísmo estaba tejido de manera inextricable con el amor de mi familia. Aunque las prácticas culturales de mi familia no representaran todos los principios de la religión judía, siempre podía sentir esta conexión con el judaísmo a través del corazón y aprender más sobre la religión mientras recorría el camino de la sabiduría. A pesar de las decepciones y de sentirme dolida, también podía abrirle la puerta a este amor y permitir curarme, aceptar y perdonar.

Ahora me siento muy agradecida por haber resuelto el conflicto de mi confusión interior y poder recuperar lo que a mí tanto me gustaba del judaísmo. En la actualidad puedo decir, sin ninguna ambigüedad, que aprecio la riqueza de mi legado judío. Y también me sigue encantando la sabiduría de muchas otras tradiciones espirituales.

---

---

### *La historia de Robin*

Cuando Robin oía las palabras «Jesús» o «cristianismo», sentía una fría indiferencia. Estas palabras cargadas de significado le recordaban a su madre, una cristiana convertida que en nombre de Jesús le enviaba sin que ella lo quisiera textos cristianos para salvarla de su lesbianismo. Aunque Robin le había pedido muchas veces que no lo hiciera, la siguiente carta de su madre siempre contenía algún folleto contra los gays y las lesbianas.

Mientras Robin nos contaba su frustración, vimos cómo sus sonrientes ojos azules se volvían de un gris acero, como si su propia rabia la sumergiera en una profunda frialdad.

«Sé que mi ira me está haciendo más daño que mi madre o

que el mismo Papa, pero me siento ultrajada por la falta de respeto que mi madre tiene conmigo. Siempre que oigo las palabras «Jesús» o «cristianismo» me da un ataque de rabia».

Vimos cómo su ira subía como un ascensor hasta llegar a sus mejillas y luego volvía a bajar.

«Y no es porque tenga un problema con la espiritualidad, porque hace veinte años que estoy practicando los pasos de Alcohólicos Anónimos y me siento conectada a un poder superior, que, por cierto, me quiere como soy».

Robin aceptó responder las preguntas del diario y pudo reconocer sus sentimientos. Sabía instintivamente y por los doce pasos del programa de Alcohólicos Anónimos que el rencor podía poner en peligro su sobriedad.

«Y para empeorar aún más las cosas, mi mejor amiga me ha dicho que quiere ser pastora y me ha pedido que la apoye en su decisión. Cualquier cosa que tenga que ver con la Iglesia hace que me entren ganas de echar a correr. Pero ahora mi mejor amiga quiere que esté en la ceremonia de su ordenación y no sé qué hacer. Si la censuro, si rechazo su estilo de vida, estaré haciendo lo mismo que hizo mi familia al no aceptarme».

Como la clase estaba a punto de terminar, le sugerí que la siguiente semana, mientras respondía a las preguntas del diario, se reservara también un tiempo para analizar sus sentimientos, compartir su historia y cultivar una voz interior sostenedora.

A la semana siguiente, al volver Robin a clase, estaba ansiosa por contarnos cómo había aplicado los Sabios Pasos en su vida.

«Cuando empecé a escribir las preguntas del diario, sentí que la ira se apoderaba de mí. Por suerte, el primer paso sabio me animó a reconocer mis sentimientos. Hasta ese momento no me había dado cuenta de hasta qué punto los había reprimido. Pero mientras estaba reconociéndolos, oí una voz que me decía con dureza: "¿Por qué tienes que ser tan dramática y montar este tinglado por unos simples folletos? ¡No es el fin del mundo!, ¿sabes?" Normalmente reprimo mis sentimientos, pero en esta ocasión me pregunté: "¿Qué es lo que me diría una voz interior sostenedora?" Y entonces oí: "Robin, tienes todo el derecho a tener sentimientos. Eres muy valiente al afrontar lo que sientes. ¡Lo estás haciendo fenomenal!"»

Ante la encrucijada que me ofrecían estas dos voces, decidí por primera vez en mi vida tomar el camino de ser compasiva conmigo y de apoyarme a mí misma. También he encontrado mi camino espiritual, y no es el cristianismo, sino el programa de Alcohólicos Anónimos, porque me funciona mejor. He comprendido que no estaba enfadada con el cristianismo ni con Jesús, sino con mi madre, que estaba intentando cambiarme en nombre de la religión. Lo mejor que mi madre y yo podemos hacer ahora es dejar correr el tema y concentrarnos en otras cosas.

Sé que tendré que trabajar para tolerar su apasionada idea de la religión porque me gustaría que aceptara mi estilo de vida. Y también tendré que hacer lo mismo con mi amiga, la pastora. Puedo apoyarla en su decisión, aunque no comparta sus ideas. Lo que ahora ha cambiado en mi vida es que esta clase de situaciones ya no me producen un conflicto emocional, por eso ahora todo me resulta mucho más fácil.

## Herramienta 2: descubre tus ideas sobre otras tradiciones espirituales

OBJETIVO. Este aspecto del camino de la sabiduría te permitirá descubrir el material sensible, analizar tus creencias sobre otras tradiciones o afrontar tus prejuicios sobre una determinada tradición. Usa este tiempo como una oportunidad para ver las creencias que albergas sobre otras tradiciones, aunque difieran de las actitudes que te inculcaron en la infancia.

Al evaluar tus actitudes y opiniones sobre las tradiciones que no son la tuya, sé consciente de cómo la visión de tu cultura ha condicionado la idea que tienes de ellas. No todo el mundo comparte tus mismos valores. Considera las ventajas del relativismo cultural que te anima a comprender que las creencias de una persona deben interpretarse en el contexto de su propia cultura y no en el de la tuya. Por ejemplo, es mejor respetar las oraciones, la ropa tradicional y las formas de ver y comprender a Dios distintas a las tuyas, en lugar de considerarlas inferiores. Que algo sea diferente no quiere decir que tenga algún fallo. Al analizar tu material sensible adquieres una visión más amplia.

En las clases del Camino de la Sabiduría los alumnos se sorprenden al ver cómo responden a estas preguntas. Muchos de ellos han descubierto que algunos problemas les venían de las creencias que les habían inculcado en su infancia la familia, las instituciones o los medios de comunicación. Por ejemplo, Mark comprendió que su resentimiento con el budismo le venía de los prejuicios que su padre albergaba respecto a los asiáticos. La amargura de su padre, que había luchado en la Segunda Guerra Mundial, le había condicionado. Helene dejó de odiar las fiestas navideñas al descubrir la pena que le causaba que sus padres hubieran sufrido tanto durante el Holocausto. Holly vio que su resentimiento por que no le permitían asistir a las ceremonias de los indios americanos era producido más por las ideas que se había hecho de sus vecinos de la reserva que por la actitud que tenían hacia ella. Incluso después de analizarnos, podemos preguntarnos: «¿Me siguen aún condicionando las creencias que me inculcó mi familia, una institución o los medios de comunicación? ¿Puedo recuperar alguna de las creencias que tenía en mi infancia sobre otras religiones?»

**PREGUNTAS DEL DIARIO.** Las siguientes preguntas te ayudarán a analizar tus sentimientos conflictivos y tus creencias infundadas sobre otras tradiciones espirituales.

1. Para empezar, lee las preguntas, recuerda tus experiencias y reflexiona durante cinco minutos antes de responderlas.
2. Resérvate un rato, de quince a veinte minutos, para escribir la respuesta a una o dos preguntas.
3. Repite este proceso hasta responder a todas las preguntas. Si lo deseas, adapta el proceso a tus propias necesidades.

### TUS OPINIONES SOBRE OTRAS TRADICIONES ESPIRITUALES

1. ¿Qué tradiciones espirituales son las que te producen sentimientos intensos de ira, miedo, tristeza, culpabilidad, desconfianza o distanciamiento? ¿Cuál es la causa de ello?
2. ¿Has mantenido alguna relación estrecha con personas de otra religión? ¿Cómo fue?
3. ¿Qué es lo que tu propia tradición espiritual, tu familia, los amigos o los compañeros de trabajo te han transmitido sobre las otras tradiciones espirituales?

4. ¿Qué ventajas has obtenido, o crees que obtendrás, al explorar otras tradiciones espirituales?

---

### *Hermanos de sangre*

Richie, mi mejor amigo, vivía en el piso de abajo, en el edificio de Brooklyn que alojaba a cuatro familias. Richie se parecía mucho a Richard Gere de joven, tenía hoyuelos en las mejillas y era atractivo, casi guapo. Para mí era más que un hermano, era mi hermano de sangre por un ritual que habíamos hecho de niños. Nos habíamos hecho un pequeño corte en el dedo y habíamos mezclado nuestra sangre. Lo cual significaba que estábamos unidos de por vida.

Durante las vacaciones de Navidad, en la sala de estar de Richie siempre había un árbol navideño con lucecitas rojas, azules y doradas, decorado con bolas, bastoncitos de caramelo de menta y regalos apilados. Mientras yo le esperaba en la entrada para que saliera a jugar conmigo, veía el árbol con sus relucientes luces y lo oía tintinear.

Cuando le pregunté a mi padre por qué no teníamos un árbol, me respondió: «Porque nosotros somos judíos y la familia de Richie es católica». Yo le contesté: «¡Oh!», pero como sólo tenía nueve años concluí que la religión no era de verdad, sino un juego al que los adultos jugaban. Era como cuando Richie y yo jugábamos béisbol cada uno en el equipo contrario en el patio de la escuela. No era más que un juego. En realidad, éramos una sola sangre, una sola vida, y los dos lo sabíamos, porque volvíamos a casa cogidos del brazo.

Recordar esta conclusión que saqué de niña me hizo ver

que desde muy temprano ya apreciaba la diversidad espiritual, una actitud que siguió moldeando mi vida de adulta. Recordar esta historia también me ha hecho apreciar el ambiente de mi infancia, que era ancho de miras y tolerante con las diferencias.

---

### *La historia de Scott*

Scott, el más pequeño de seis hermanos, nos dijo que su familia nunca se había sentido identificada con ninguna tradición espiritual en especial, que no creían fervientemente en Dios y que tampoco negaban su existencia. Cuando él tenía siete años, su hermana mayor, de dieciséis, empezó a colaborar en una iglesia que había cerca de su casa. Quería que Scott fuera el domingo a la escuela dominical con ella, y después de pedírselo varias veces, él aceptó ir.

Scott se sentó en la pequeña aula adyacente a la iglesia con otros niños de seis a dieciséis años. El tema de aquel día fue «¿Qué es Dios para ti?» Él no había oído hablar demasiado de Dios, pero recordaba que lo que había oído de él había sido interesante. Cuando la maestra lo llamó para que respondiera a la pregunta, Scott se puso en pie junto a su silla, como los otros alumnos, y respondió: «Yo creo que Dios se encuentra en los árboles del jardín de mi casa, en la luna por la noche y en las flores». Cuando iba a continuar, advirtió que la maestra tenía el ceño fruncido y los labios apretados como si hubiera probado un limón.

«Scott, nosotros creemos que Dios es nuestro Padre, que está en los cielos, que sacrificó a su único hijo Jesús, a Cristo, para salvarnos de la condenación eterna».

Él se quedó helado al oír aquellas duras palabras, aunque las risitas de los otros niños le hicieran ruborizar. La clase continuó, pero en aquel instante Scott decidió: «¡Odio la iglesia y no creo en Dios!»

A medida que fueron pasando los años, Scott se identificó como un ateo, aunque le seguía gustando estar en contacto con la naturaleza. Pero al convertirse en adulto y conocer otras tradiciones espirituales, vio que había dejado de creer en Dios al estar expuesto a una edad temprana a la estrecha mentalidad de una maestra cuando era demasiado pequeño como para debatir lo que ella le había dicho.

Cuando su padre murió, Scott decidió volver a analizar su idea de la espiritualidad. La muerte le hizo pensar que quizá Dios existía de una forma mucho más amplia de la que él había concebido.

Al recordar aquella temprana experiencia, comprendió que la maestra de la escuela dominical había actuado según sus creencias espirituales. Aunque hubiera preferido aprender de una persona con una mentalidad más abierta, no tenía por qué dejar de creer en la religión ni en Dios por el hecho de pensar que alguien no había respetado sus ideas. Y tampoco tenía por qué condenar las creencias de aquella maestra, aunque ella hubiera condenado sus tempranas experiencias de ver a Dios en la naturaleza.

## Herramienta 3: analiza tus ideas sobre haber crecido sin identificarte con ninguna tradición

**OBJETIVO.** Aprovecha este aspecto del camino de la sabiduría para averiguar cómo te ha afectado crecer sin identificarte con ninguna tradición espiritual. Fíjate sobre todo en cómo sentiste que formabas parte de una minoría en el colegio y en los eventos sociales.

En las clases del Camino de la Sabiduría, los alumnos que crecieron sin identificarse con ninguna tradición se alegran de hablar de este tema. Al vivir en un entorno que supone que uno tiene alguna preferencia religiosa —desde la plegaria en la escuela primaria, hasta la celebración de la Navidad o del Chanukah en los días festivos—, los que han crecido sin identificarse con ninguna tradición en particular pueden sentirse como un bicho raro en el colegio y en los eventos sociales.

**PREGUNTAS DEL DIARIO.** Las siguientes preguntas te ayudarán a analizar tus sentimientos conflictivos y tus creencias infundadas sobre haber crecido sin pertenecer a ninguna tradición espiritual en concreto.

1. Para empezar, lee las preguntas, recuerda tus experiencias y reflexiona durante cinco minutos antes de responderlas.
2. Resérvate un rato, de quince a veinte minutos, para escribir la respuesta a una o dos preguntas.
3. Repite este proceso hasta responder a todas las preguntas. Si lo deseas, adapta el proceso a tus propias necesidades.

#### SI CRECISTE SIN PERTENECER A UNA TRADICIÓN ESPIRITUAL

1. ¿Cómo te sentías con relación a las otras personas de tu misma edad que se identificaban con una tradición religiosa?
2. ¿Cómo te sentías cuando la religión se mencionaba en el colegio, las películas o las conversaciones?

3. ¿Tuviste alguna experiencia espiritual? Si es así, ¿qué es lo que te dijiste sobre ella?
4. ¿En qué te animaron a creer, si es que lo hicieron?

---

## *La plegaria*

Jill, una alumna de unos cuarenta años, de complexión pequeña y ojos color azul oscuro, nos dijo un sábado por la tarde en clase :

«¡Siempre que oía la palabra "Dios" me avergonzaba, no porque hubiera hecho nada malo, sino porque no sentía nada. Me daba vergüenza no tener ningún punto de referencia para comprender lo que esta palabra significaba cuando casi todos los demás parecían tenerlo. Al analizar algunas de las preguntas del diario, recordé cuando estudiaba en la escuela primaria. Durante la plegaria decía: "Una nación bajo Dios", pero no sabía lo que quería decir. Estaba avergonzada. Creía ignorar algo que todo el mundo sabía, como las tablas de multiplicar. Nunca se lo conté a ninguna de mis amigas para que no pensaran que yo era rara. A menudo suponían que era cristiana y dejaba que ellas se lo creyeran. Era demasiado complicado explicarles el razonamiento de mi padre acerca de que la existencia de Dios no podía demostrarse ni dejarse de demostrar, y su consejo de que para conocer la verdad era mejor basarse en la razón y en las evidencias científicas. Pero en la enseñanza secundaria o incluso en el instituto ya no estaba dispuesta a decir: "Mi familia es agnóstica", porque para mí era más importante que mis compañeras me aceptaran.

»Pero ahora que ya soy adulta, al verlo en retrospectiva, pienso: "Jill, cariño, tú no eras un bicho raro por haber crecido sin pertenecer a ninguna tradición espiritual, aunque sí eras distinta a tus compañeras de clase, pero ser distinta no significa tener algún defecto"».

---

## Unos Sabios Pasos

**RECONOCE TUS SENTIMIENTOS.** Yo aprendí mucho sobre cómo analizar mis sentimientos del libro *The Pathway*, de Laurel Mellin. Ser consciente de la ira, la tristeza, el miedo o la sensación de culpa lleva su tiempo. Puedes escribir tus sentimientos en el diario o decirlos en voz alta. Elijas el método que elijas, exprésalos de manera concisa.

«Estoy enfadado porque___________________________.»
«Estoy triste porque_____________________________.»
«Estoy asustado porque___________________________.»
«Me siento culpable porque________________________.»

Es sorprendente ver lo liberador que es reconocer nuestros sentimientos. Sólo por el hecho de ser consciente de ellos ya te liberas de la pesada carga de esos sentimientos sin expresar.

**COMPARTE TU HISTORIA.** Habla con un amigo, un terapeuta o un religioso, es muy liberador contar tus sentimientos cuando confías en una persona. Recordar algo que te ocurrió es sumamente transformador. El conflicto que te produjo te evoca una serie de emociones que te llevan a recordar los incidentes conflictivos. Al compartir tu historia, descubres los pensamientos, las actitudes y las ideas que tenías sobre el incidente, los cuales es posible que no coincidan con los que tienes ahora. En esta confrontación entre las ideas antiguas y las nuevas, tienes la oportunidad de presenciar y participar en tu propia transformación.

**CULTIVA UNA VOZ INTERIOR SOSTENEDORA.** Al compartir tu historia demuestras que eres valiente. Sin embargo, también puedes sentirte vulnerable al hacerlo. Es importante que en ese momento seas consciente de tu diálogo interior. Vigila la voz dura y crítica que quizá desee minimizarte o criticarte por haber compartido tu historia: «No seas tan crío. Esto ocurrió hace mucho tiempo, ¡supéralo de una vez!» Es mejor que no dejes que esta voz se ocupe de la situación. En lugar de ello, sintoniza con la voz compasiva de tu interior que te escucha y apoya como una buena amiga. Escucha las cualidades de comprensión y aliento que te ofrece tu diálogo interior: «Enhorabuena por haberte atrevido a compartir aquellos momentos difíciles de tu vida. Te felicito por ser tan valiente y por afrontar tus sentimientos en lugar de ignorarlos». Al ponerte de este bando, te estás dando la oportunidad de reconocer lo que acarreabas en el subconsciente como si fuera una pesada bola de hierro atada al cuello.

Lo más probable es que te sientas aliviado al ser consciente de tus sentimientos, compartir tu historia y ser compasivo contigo mismo. A menudo, los que siguen el camino de la sabiduría afirman sentirse mucho más libres. Recupera esta sensación de liberación. Reconoce que recorrer el camino de la sabiduría ha valido la pena.

# APÉNDICE II:
## *reflexiones sobre tu camino de la sabiduría*

Al final de un viaje a menudo es un placer repasar los momentos más interesantes. Al haber llegado a esta última parte del libro, quizá creas que tu camino de la sabiduría ya ha terminado, pero paradójicamente el final de un viaje es también el inicio de otro. Resérvate un tiempo, de diez a quince minutos, deja un bolígrafo y una hoja de papel a mano, y reflexiona sobre tu camino de la sabiduría.

### UNA MIRADA AL PASADO

- ¿Qué ha cambiado en tu vida al recorrer el camino de la sabiduría?
- ¿Qué ejercicios para adquirir sabiduría te han producido una mayor satisfacción?
- ¿Te gustaría realizar ahora alguno de los ejercicios que has dejado para otra ocasión o dedicar más tiempo a uno en concreto?

### UNA MIRADA AL FUTURO

- ¿Qué ejercicios para adquirir sabiduría te has comprometido a hacer a diario? ¿Semanalmente? ¿Mensualmente?

- ¿Qué situaciones son un obstáculo en tu camino de la sabiduría?
- ¿Qué soluciones se te ocurren para vencer estos obstáculos?

# APÉNDICE III:
## *lista del camino de la sabiduría*

Puesto que mi compromiso conmigo misma es integrar todas estas prácticas en mi vida, he creado una lista para acordarme de todos los Sabios Pasos que me permiten realizar con éxito este viaje. Tú también puedes usarla leyéndola por la noche o durante el fin de semana, o aplicándola en la vida cotidiana. La lista te ofrece la forma de integrar continuamente los ejercicios para adquirir sabiduría en tu vida para seguir recibiendo sus beneficios. Hazte las siguientes preguntas de la lista del camino de la sabiduría. Recuerda que no puedes alimentarte hoy con el sustento de los ejercicios que hiciste ayer.

1. Hinduismo: crea un altar en tu casa
   - ¿He creado un altar en casa o en el lugar donde trabajo?
   - ¿Me he sentado hoy en un espacio sagrado ante un altar?
   - ¿Reconozco el santuario interior que llevo conmigo a lo largo del día?

2. Budismo: medita y encuentra la paz interior
   - ¿He meditado por la mañana o por la tarde o por la noche?
   - ¿He anotado mis percepciones en mi diario de meditación?

- ¿Soy consciente en mis actividades diarias, como al caminar, lavar los platos o retirar con el rastrillo las hojas del jardín?

3. Islamismo: entrégate a la oración
   - Al levantarme de la cama, al comer y antes de acostarme, ¿he estado en sintonía con la frecuencia de la oración?
   - ¿He creado y consultado mi libreta de oraciones o he dado las gracias de manera espontánea por algo que he apreciado hoy en mi vida?
   - ¿He meditado mientras recitaba mis oraciones?

4. Cristianismo: perdónate a ti mismo y perdona a los demás
   - ¿He visualizado a las personas que hay en mi vida caminando por los pasillos de mi corazón sintiéndose seguras y rodeadas de amor en lugar de censuradas?
   - ¿Me he dedicado a desprenderme de mis resentimientos afirmando: «Perdono del todo y de buen grado a _______ por ___________. Espero que esta persona sea muy feliz en la vida».
   - ¿Puedo escribir en mi diario el nombre de alguna persona de la lista, incluyéndome a mí, a la que haya perdonado?

5. Judaísmo: resérvate un tiempo para el día de descanso
   - ¿Me he reservado esta semana un tiempo para el sabbat?
   - ¿Cuáles son las actividades que me gustan, o que me gustaría hacer, en el sabbat?
   - ¿He apreciado durante el sabbat el montón de cosas buenas que me ofrece la vida?

6. Espiritualidad de los indios americanos: deja que la naturaleza sea tu maestra
   - ¿He paseado hoy por el campo y he disfrutado de un rato de soledad?
   - ¿Me he abierto a la sabiduría de un animal maestro al meditar o pasear en medio de la naturaleza?
   - ¿He pasado un rato esta semana en contacto con la tierra y conectando con los ciclos de la vida al ocuparme del huerto o de mis plantas?

7. Taoísmo: fluye con la corriente
   - En los acontecimientos de hoy, ¿puedo visualizarme dejándome llevar por la corriente y confiando en el río de la vida?
   - Cuando he dudado de cómo relacionarme con una persona o una situación, ¿me he detenido a preguntarme cuál era la actitud que debería adoptar, si yin o yang?
   - ¿He practicado la paciencia mientras esperaba en algún sitio? ¿He fluido en armonía con la vida?

8. Nuevo Pensamiento: capta la visión que Dios tiene de tu vida
   - ¿He hecho un visionado, o planeo hacerlo, solo o con otras personas esta semana?
   - ¿He repasado las sesiones del visionado que he anotado en mi diario para tenerlas en cuenta al igual que la guía que me ofrecen?
   - ¿Estoy hoy avanzando con pequeños pasos hacia el crecimiento espiritual que me indican las visiones?

9. Todas las tradiciones: ofrécete al servicio de los demás
   - ¿Estoy actuando siguiendo la guía interior que he recibido sobre cómo ayudar a los otros?
   - ¿He ayudado a un amigo, a algún miembro de mi familia o a la comunidad?
   - ¿Me preocupo demasiado de mí o soy consciente de las otras personas que hay en mi vida?

# Notas

### Introducción

13 *«Pues la sabiduría vale más que las perlas»:* Proverbios, 8,11.

### Capítulo 1. El hinduismo: crea un altar en tu hogar

45 *«sugiere hacer nueve altares distintos...»:* Denise Linn, *Altars: Bringing Sacred Shrines into Your Everyday Life,* Ballantine Wellspring, Nueva York, 1999, pp. 88-95.

### Capítulo 2. El budismo: medita y encuentra la paz interior

54 *«Sed vuestras propias lámparas»:* el Buda Gautama, citado en Philip Novak, *The World's Wisdom: Sacred Texts of the World's Religions,* HarperSanFrancisco, San Francisco, 1994, p. 61.

56 *«nos narra el Despertar del Buda...»:* Huston Smith, *Las religiones del mundo,* Thassàlia, Barcelona, 1995, p. 68.

59 *«Una de las cosas que nos enseña la meditación...»:* Dalai Lama, *The Path of Tranquility: Daily Wisdom,* Penguin Group, Nueva York, 1998, p. 121.

61 *«La bondad es mi religión...»:* se lo oí decir al Dalai Lama cuando asistí a «Oriente se encuentra con Occidente», una conferencia impartida a principios de los años 1990 en Newport Beach (California). El Dalai Lama, que acababa de recibir el Premio Nobel de la Paz, fue el conferenciante más importante. Su Santidad también desarrolla sus ideas sobre la bondad en *El arte de vivir en el nuevo milenio,* Grijalbo, Barcelona, 2000.

65 *«Nuestro verdadero hogar es el momento presente...»:* Thich Nhat Hanh, *Sintiendo la Paz,* Oniro, Barcelona, 1999, p. 9.

68 *«He llegado...»:* Thich Nhat Hanh, *El largo camino lleva a la alegría: la práctica de la meditación andando,* Oniro, Barcelona, 2004, p. 1.

69 *«Cuando en la meditación descubráis...»:* _________, se lo oí decir en una conferencia sobre la plena conciencia, en Santa Barbara, California, alrededor de 1998.

70 *«¡Aléjate de mí, ira celosa!...»:* Ram Dass, *Journey of Awakening: A Meditator's Guidebook,* Bantam Books, Nueva York, 1990, p. 158.

72 *«A mí la música me ayuda a meditar...»:* Anugama, *Shamanic Dream,* Open Sky Music B00005TZOE, 2000.

77 *«Existen estudios documentados...»:* Ann Hayes, «Meditation and Health: An Annotated Bibliography», *Reference and User Services Quarterly* 44, nº 1(otoño 2004), pp. 18-25.

**Capítulo 3. El islamismo: entrégate a la oración**

81 *«El Señor es mi pastor...»:* Salmo 23, 1-5.

84 *«¡No hay más Dios que Alá!...»:* El Corán, 96,1-3, extracto de Huston Smith, *Las religiones del mundo,* Thassàlia, Barcelona, 1995, p. 228.

87 *«El énfasis del islamismo en la entrega o la sumisión...»:* Ibíd.

88 *«Proclama que tu Señor es maravilloso y bondadoso...»* El Corán, 96, 1-3.

91 *«que recitaba sus oraciones matinales en voz alta...»:* Jim Castelli, editor, *How I Pray: People of Different Religions Share with Us That Most Sacred and Intimate Act of Faith,* Ballantine Books, Nueva York, 1994, p. 78.

93 *«Salimos girando de la nada...»:* Jalal al-Din Rumi, Daniel Liebert, traductor, *Rumi: Fragments, Ecstasies,* Source Books, Santa Fe, 1981, p. 11.

96 *«describen la sincronización de las cinco oraciones diarias...»:* Coleman Barks y Michael Green, *The Illuminated Prayer: The Five-Times Prayer of the Sufis as Revealed by Jellaludin Rumi and Bawa Muhaiyaddeen,* Ballantine Wellspring, Nueva York, 2000, pp. 45-58.

**Capítulo 4. El cristianismo: perdónate a ti mismo y perdona a los demás**

113 *«estaba aprendiendo a aplicar los principios de Alcohólicos Anónimos...»:* encontrarás más información sobre este tema en www.alcoholics-anonymous.org.

114 «*Asistía a las reuniones de Al-Anon…*»: encontrarás más información sobre este tema en www.al-anon.alateen.org.

115 «*Lista de personas para perdonar…*»: Catherine Ponder es una autora importante del Nuevo Pensamiento que escribe sobre la prosperidad, el amor y el perdón. Encontrarás más información sobre ella en www.CatherinePonder.com.

120 «*Padre, perdónales, porque no saben lo que hacen…*»: San Lucas 23, 34.

120 «*Un precepto nuevo os doy…*»: San Juan 13, 34, citado en *The World's Wisdom Sacred Texts of the World's Religions,* de Philip Novak, HarperSanFrancisco, San Francisco, 1994, p. 242.

121 «*El que de vosotros esté sin pecado…*»: San Juan 8, 4-6; 7, 9-11, citado en la obra de Philip Novak, p. 243.

121 «*No hay ninguna dificultad…*»: Emmet Fox, *Power Through Constructive Thinking,* HarperCollins, Nueva York, 1940, p. 267.

124 «*Señor, ¿cuántas veces he de perdonar a mi hermano…?*»: San Mateo 18, 21-22.

127 «*y la verdad os liberará…*»: San Juan 8, 32.

140 «*Perdonar a alguien es un agradable acto interior…*»: atribuido a Catherine Ponder, aunque se desconoce la fuente de la que procede. Comparar sus reflexiones sobre el perdón en *The Dynamic Laws of Prosperity,* DeVorrs Publications, Marina del Rey, 1962, pp. 384-411.

**Capítulo 5. El judaísmo: reservate un tiempo para el día de descanso**

146 «*las alturas de la tierra…*»: Isaías 58, 13-14

148 «*Los Diez Mandamientos…*»: Éxodo 19, 3-6; 20, 1-14, citado en Philip Novak, *The World's Wisdom: Sacred Texts of the World's Religions,* HarperSanFrancisco, San Francisco, 1994, pp. 187-188 (reimpresión procedente de *The Tanakh: The New JPS Translation According to the Traditional Hebrew Text,* Jewish Publication Society, Filadelfia, 1988.

149 «*Como busca la cierva corrientes de agua…*»: Salmo 42, 1, citado en Frederic y Mary Ann Brussat, *Spiritual Literacy: Reading the Sacred in Everyday life,* Scribner, Nueva York, 1996, p. 506.

150 *«La misma existencia es una bendición…»:* Abraham Joshua Heschel, *The Sabbath: Its Meaning for Modern Man,* Farrar, Straus and Giroux, Nueva York, 1951, p. 123.

150 *«Ven amada, al encuentro de la novia…»:* Solomon Alkabetz de Safed, citado en *The Essential Kabbalah: The Heart of Jewish Mysticism,* de Daniel Matt, HarperSanFrancisco, San Francisco, 1995, p. 54.

151 *«El sabbat es una novia y su celebración es como una boda…»:* citado en Wayne Muller, *Sabbath: Finding Rest, Renewal and Delight in Our Busy Lives,* Bantam, Nueva York, 2000, p. 54.

152 *«un santuario en el tiempo…»:* Heschel, *The Sabbath,* p. 7.

156 *«En un documental de la BBC que les mostré a mis alumnos…»:* doctor Pinchas Peli, un rabino de sexta generación, era entrevistado por Ronald Eyres, *The Long Search,* vídeo 7, «Judaism, The Chosen People», 1997, una serie de trece vídeos producidos por la BBC en colaboración con Time Life Books, R. M. Production, Ambrose Video, Nueva York, 1987.

**Capítulo 6. La espiritualidad de los indios americanos: deja que la naturaleza sea tu maestra**

173 *«están integrados aproximadamente por 2,4 millones de personas…»:* Stuart M. Matlins y Arthur J. Magida, *How to Be a Perfect Stranger: The Essential Religious Etiquette Handbook,* 3ª ed., Jewish Lights Publishing, Nueva York, 2002, pp. 216-217.

176 *«Tierra, enséñame a permanecer en quietud…»:* citado en *The World's Wisdom: Sacred Texts of the World's Religions* de Philip Novak, HarperSanFrancisco, San Francisco, 1994, pp. 369-370.

178 *«El mar no recompensa a quienes…»:* Anne Morrow Lindbergh, *Regalo del mar,* Circe Ediciones, Barcelona, 1995, p. 15.

181 *«Examina tu vida…»:* Denise Linn, *Quest: A Guide for Creating Your Own Vision Quest,* Ballantine Books, Nueva York, 1997, p. 103.

186 *«sacando con cuidado una araña…»:* Sue Monk Kidd, *La vida secreta de las abejas,* Ediciones B, Barcelona, 2003, p. 176.

### Capítulo 7. El taoísmo: fluye con la corriente

205 «*Lao Tsé, el antiguo maestro que fundó el taoísmo…*»: Huston Smith, *Las religiones del mundo*, Thassàlia, Barcelona, 1995, p. 124.

214 «*Debemos dejar que madure…*»: esta estrofa se refiere a la sabiduría de Lao Tsé, *Tao Te Ching*, cap. 48. Comparar una traducción distinta en Lao Tzu, *Tao Te Ching*, trad. Stephen Michell, Harper-Collins, Nueva York, 1988, p. 54.

227 «*¿Tienes la suficiente paciencia para esperar…?*»: Lao Tzu, *Tao Te Ching*, trad. Stephen Mitchell, Harper & Row, San Francisco, 1988, cap. 15, citado en Philip Novak, *The World's Wisdom: Sacred Texts of the World's Religions*, HarperSanFrancisco, San Francisco, 1994, p. 151.

### Capítulo 8. El Nuevo Pensamiento: capta la visión que Dios tiene de tu vida

249 «*Estad quietos, y conoced que yo soy Dios…*»: Salmo 46, 10.

255 «*debemos sembrarla…*»: Thomas Troward, *The Edinburgh and Dore Lectures on Mental Science*, DeVorss and Company, Los Ángeles, 1989, p. 37.

255 «*principios del proceso creativo…*»: Wayne Dyer, *You'll See It When You Believe It: The Way to Your Personal Transformation*, Harper Paperbacks, Nueva York, 2001, p. 220.

255 «*la visualización como una herramienta para crear la vida que uno desea…*»: Shakti Gawain, *Visualización creativa: cómo crear lo que deseas en la vida con el poder de la imaginación*, Editorial Sirio, Málaga, 1990, pp. 19-23.

259 «*Caminar con Dios lleva su tiempo…*»: Howard Thurman, *For the Inward Journey*, Harcourt Brace Jovanovich, Nueva York, 1984, p. 34.

### Capítulo 9. Todas las tradiciones: ofrécete al servicio de los demás

268 «*liberándome de las ataduras del yo…*»: extracto de una cita más extensa que forma parte de la oración del Tercer Paso esencial para el proceso de la recuperación. «Dios, me ofrezco a ti para que me transformes y hagas conmigo lo que te plazca. Libérame de las ataduras del yo, es mejor

que yo siga tu voluntad...», *Anonymous,* Alcoholics Anonymous, Alcoholics Anonymous World Service, Nueva York, 2001, p. 63.

270 «*Tratad a los demás...*»: San Lucas 6, 31.

270 «*Pues como el cuerpo sin espíritu...*»: Epístola de Santiago, 2, 26.

272 «*Cuando sólo pensamos en nosotros mismos...*»: Ernest Holmes, *Science of Mind,* Jeremey P. Tarcher/Putnam, Nueva York, 1997, p. 440.

273 «*Todos compartimos el anhelo de ir más allá...*»: Jack Kornfield, *Camino con corazón,* Los Libros de la Liebre de Marzo, Barcelona, 2000, p. 37.

275 «*Te sorprende el deseo que sientes de ayudar a los demás...*»: Meredith Gould, *Deliberate Acts of Kindness: Service as a Spiritual Practice,* Image Books/Doubleday, Nueva York, 2002, p. 29.

279 «*Cuando el alma brilla...*»: atribuido a Lao Tsé, *Tao Te Ching,* cap. 54. Comparar con esta otra traducción de Lao Tsé, *Tao Te Ching,* trads. Gia-Fu Feng y Jane English, Vintage Books, Nueva York, 1972, p. 104.

279 «*Dios quiere el corazón...*»: El Talmud, citado en Frederic y Mary Ann Brussat, *Spiritual Literacy: Reading the Sacred in Everyday Life,* Scribner, Nueva York, 1996, p. 530.

279 «*El propósito de la vida...*»: atribuido al Dalai Lama, se desconoce la fuente de la que procede. Véase también la explicación del Dalai Lama sobre la calidez del corazón en *El arte de la felicidad,* Grijalbo, Barcelona, 1999.

281 «*El espíritu no tiene más cuerpo en esta tierra...*»: santa Teresa de Ávila, canción de una danza sufí (adaptada), citada en *Spiritual Literacy,* p. 325.

285 «*No dudes nunca de que un pequeño grupo de ciudadanos comprometidos...*»: atribuido a Margaret Mead, se desconoce la fuente de la que procede.

285 «*Llénate tú primero...*»: san Agustín, citado en Kathryn Spink, *Mother Teresa: A Complete Authorized Biography,* HarperCollins, Nueva York, 1991, p. 181.

292 «*Empezamos esta práctica tomando el sufrimiento de otro ser...*»: Pema Chödrön, *Cuando todo se derrumba: palabras sabias para momentos difíciles,* Gaia, 1998, Móstoles, pp. 128-129.

292 *«y sentiremos compasión por los demás......»:* Ibíd, p. 111.

294 *«Soy el lápiz que sostiene Dios...»:* Madre Teresa, citado en Frederick y Mary Ann Brussat, *Spiritual Literacy: Reading the Sacred in Everyday Life,* Scribner, Nueva York, 1996, p. 285.

**Epílogo: saborea la sabiduría**

306 *«Que haya paz en la tierra...»:* Jill Jackson y Sy Miller, *Let There Be Peace on Earth,* copyright 1955.

306 *«Debéis ser el cambio...»:* atribuido a Mahatma Gandhi, se desconoce la fuente de la que procede.

**Apéndice 1: las herramientas para el viaje**

325 *«Yo aprendí mucho sobre cómo analizar mis sentimientos...»:* Laurel Mellin, *The Pathway: Follow the Road to Health and Happiness,* HarperCollins, Nueva York, 2003, p. 183.

# Bibliografía


### Capítulo 1. El hinduismo: crea un altar en tu hogar

Knipe, David M., *Hinduism: Experiments in the Sacred,* Harper-San Francisco, San Francisco, 1991.

Linn, Denise, *Altars: Bringing Sacred Shrines into Your Everyday Life,* Ballantine Wellspring, Nueva York, 1999.

Narayanan, Vasudha, *Entender el hinduismo,* Naturart, Barcelona, 2005.

Streep, Peg, *Altares: cómo crear un espacio sagrado,* Obelisco, Barcelona, 2000.

### Capítulo 2. El budismo: medita y encuentra la paz interior

Collier, James Lincoln, *The Empty Mirror,* Bloomsbury, Nueva York/Londres, 2004.

Dalai Lama, *El arte de la felicidad,* Grijalbo, Barcelona, 1999.

—, *El arte de vivir en el nuevo milenio,* Grijalbo, Barcelona, 2000.

—, *The Path to Tranquility: Daily Wisdom,* Penguin Group, Nueva York, 1998.

Dass Ram, *Journey of Awakening: A Meditator's Guidebook,* Bantam Books, Nueva York, 1990.

Kornfield, Jack, *Después del éxtasis, la colada: cómo crece la sabiduría del corazón en la vía espiritual,* Los Libros de la Liebre de Marzo, 2001, Barcelona.

—, *Camino con corazón,* Los Libros de la Liebre de Marzo, Barcelona, 2000.

Nhat Hanh, Thich, *The Essential Writings,* editado por Robert Ellsberg, Orbis Books, Maryknoll, Nueva York, 2001.

—, *El largo camino lleva a la alegría: la práctica de la meditación andando,* Oniro, Barcelona, 2004.

—, *Hacia la paz interior,* Plaza & Janés Editores, S. A., Barcelona, 1993.

—, *Sintiendo la paz,* Oniro, Barcelona, 1999.

Novak, Philip, *The World's Wisdom: Sacred Texts of the World's Religions,* HarperSanFrancisco, San Francisco, 1994.

Smith, Huston, *Las religiones del mundo,* Editorial Tassàlia, Barcelona, 1995.

Suzuki, Shunryu, *Mente zen, mente de principiante,* Troquel, Buenos Aires, 1994.

**Capítulo 3. El islamismo: entrégate a la oración**

Barks, Coleman, y Michael Green, *The Illuminated Prayer: The Five-Times Prayer of the Sufis,* Ballantine Wellspring, Nueva York, 2000.

Castelli, Jim, editor, *How I Pray: People of Different Religions Share with Us That Most Sacred and Intimate Act of Faith,* Ballantine Books, Nueva York, 1994.

Liebert, Daniel, trad., *Rumi: Fragments, Ecstasies,* Source Books, Santa Fe, 1981.

Roth, Gabrielle, *Sweat Your Prayers,* Tarcher/Putnam, Nueva York, 1997.

Shannon, Maggie Oman, *The Way We Pray: Prayer Practices from Around the World,* Conari Press, Boston, 2001.

Smith, Huston, *Las religiones del mundo,* Editorial Tassàlia, Barcelona, 1995.

**Capítulo 4. El cristianismo: perdónate a ti mismo y perdona a los demás**

Enright, Robert, *Forgiveness Is a Choice: A Step-by-Step Process of Resolving Anger and Restoring Hope,* American Psychological Association, Washington, D C, 2001.

Ferrini, Paul, y Pia MacKenzie, *Twelve Steps of Forgiveness: A Practical Guide in Transforming Fear to Love,* Heartways Press, Greenfield, Massachusetts, 1991.

Fox Emmet, *Power Through Constructive Thinking,* HarperCollins, Nueva York, 1940.

Ponder, Catherine, *The Dynamic Laws of Prosperity,* DeVorss Publications, Marina del Rey, California, 1962.

**Capítulo 5. El judaísmo: resérvate un tiempo para el día de descanso**

Brussat, Frederic, y Mary Ann, *Spiritual Literacy: Reading the Sacred in Everyday Life,* Scribner, Nueva York, 1996.

Heschel, Abraham Joshua, *The Sabbath: Its Meaning for Modern Man,* Farrar, Straus and Giroux, Nueva York, 1951.

Matlins, Stuart, M., y Arthur J. Magida, *How to Be a Perfect Stranger: The Essential Religious Etiquette Handbook,* 3ª ed., Jewish Lights Publishing, Nueva York, 2002.

Matt, Daniel, *La cábala esencial: una introducción extraordinaria al corazón del misticismo judío,* Ediciones Robinbook, S. A., Barcelona, 1997.

Muller, Wayne, *Sabbath: Finding Rest, Renewal, and Delight in Our Busy Lives,* Bantam, Nueva York, 2000.

### Capítulo 6. La espiritualidad de los indios americanos: deja que la naturaleza sea tu maestra

Kidd, Sue Monk, *La vida secreta de las abejas,* Ediciones B, Barcelona, 2006.

Lindbergh, Anne Morrow, *Regalo del mar,* Circe Ediciones, Barcelona, 1995.

Linn, Denise, *Quest: A Guide for Creating Your Own Vision Quest,* Ballantine Books, Nueva York, 1997.

Matlins, Stuart, M., y Arthur J. Magida, *How to Be a Perfect Stranger: The Essential Religious Etiquette Handbook,* 3ª ed., Jewish Lights Publishing, Nueva York, 2002.

Novak, Philip, *The World's Wisdom: Sacred Texts of the World's Religions,* HarperSanFrancisco, San Francisco, 1994.

Sams, Jamie, y David Carson, *La rueda medicinal: las cartas del círculo indio de sanación a través de los animales,* RBA Libros, S. A. 1997.

### Capítulo 7. El taoísmo: fluye con la corriente

Lao Tzu, *Tao Te Ching*, traducido por Stephen Mitchell, HarperCollins, Nueva York, 1988.

Novak, Philip, *The World's Wisdom: Sacred Texts of the World's Religions*, HarperSanFrancisco, San Francisco, 1994.

Oldstone-Moore, Jennifer, *Taoism: Origins, Beliefs, Practices, Holy Texts, Sacred Places*, Oxford University Press, Londres, 2003.

Smith, Huston, *Las religiones del mundo*, Editorial Thassàlia, Barcelona, 1995.

### Capítulo 8. El Nuevo Pensamiento: capta la visión que Dios tiene de tu vida

Dyer, Wayne, *You'll See It When You Believe It: The Way to Your Personal Transformation*, Harper Paperbacks, Nueva York, 2001.

Garwain, Shakti, *Visualización creativa*, Editorial Sirio, S. A., Málaga, 1990.

Holmes, Ernest, *The Holmes Reader for All Seasons*, DeVorrs Publications, Marina del Rey, California, 1993.

Hopkins, Emma Curtis, *Scientific Mental Practice*, DeVorrs & Company, Marina del Rey, 1974.

Morrissey, Mary Manin, *Construye tu campo de sueños*, Obelisco, Barcelona, 1999.

—, *New Thought: Practical Steps to Living Your Greater Life*, Tarcher/Putnam, Nueva York, 1996.

Thurman, Howard, *For the Inward Journey*, Harcourt Brace Jovanovich, Nueva York, 1984.

Troward, Thomas, *The Edinburgh and Done Lectures on Mental Science*, DeVorss and Company, Los Ángeles, 1989.

**Capítulo 9. Todas las tradiciones: ofrécete al servicio de los demás**

Brussat, Frederic, y Mary Ann, *Spiritual Literacy: Reading the Sacred in Everyday Life*, Scribner, Nueva York, 1996.

Chödrön, Pema, *Cuando todo se derrumba: palabras sabias para momentos difíciles*, Gaia, Móstoles, 1998.

Cousins, Norman, *The Words of Albert Schweizer*, Newmarket Press, Nueva York, 1990.

Dalai Lama, *El arte de la felicidad*, Grijalbo, Barcelona, 1999.

Dass, Ram y Mirabai Bush, *Compassion in Action: Setting Out on the Path of Service*, Three Rivers Press, Nueva York, 1995.

Dass, Ram y Paul Gorman, *Cómo puedo ayudar: manual de un servidor del mundo*, Gaia Ediciones, Madrid, 1998.

Gould, Meredith, *Deliberate Acts of Kindness: Service as a Spiritual Practice*, Image Books/Doubleday, Nueva York, 2002.

Holmes, Ernest, *Science of Mind*, Jeremy P. Tarcher/Putnam, Nueva York, 1997.

Kornfield, Jack, *Después del éxtasis, la colada: cómo crece la sabiduría del corazón en la vía espiritual*, Los Libros de la Liebre de Marzo, Barcelona, 2001.

—, *Camino con corazón*, Los Libros de la Liebre de Marzo, Barcelona, 1997.

Lao Tzu, *Tao Te Ching*, traducido por Gia-Fu Feng y Jane English, Vintage Books, Nueva York, 1972.

Nhat Hanh, Thich, *El largo camino lleva a la alegría: la práctica de la meditación andando,* Oniro, Barcelona, 2004.

Spink, Kathryn, *Madre Teresa,* Plaza & Janés Editorial, S. A., Barcelona, 1997.

**Apéndice I: las herramientas para el viaje**

Mellin, Laurel, *The Pathway: Follow the Road to Health and Happiness,* HarperCollins, Nueva York, 2003.

**Las fuentes de la sabiduría de las religiones más importantes del mundo**

Borysenko, Joan, *The Ways of the Mystic: Seven Paths to God,* Hay House, Carlsbad, California, 1997.

Brussat, Frederic, y Mary Ann, *Spiritual Literacy: Reading the Sacred in Everyday Life,* Scribner, Nueva York, 1996.

Fox, Matthew, *One River, Many Wells: Wisdom Springing from Many Faiths,* Tarcher/Putnam, Nueva York, 2002.

Matlins, Stuart, M., y Arthur J. Magida, *How to Be a Perfect Stranger: The Essential Religious Etiquette Handbook,* 3ª ed., Jewish Lights Publishing, Nueva York, 2002.

Novak, Philip, *The World's Wisdom: Sacred Texts of the World's Religions,* HarperSanFrancisco, San Francisco, 1994.

## Sobre la autora

Sage Bennet da con frecuencia conferencias y presentaciones en centros espirituales, institutos y universidades de distintas partes de Estados Unidos. Ofrece seminarios, retiros, asesoramiento y orientación a los que exploran los misterios más profundos de sus viajes espirituales. En la actualidad está trabajando en las facultades de la Universidad de Loyola Marymount, en el Harbor College de Los Ángeles y en el Instituto Holmes.

Ha ejercido como educadora durante más de veinticinco años. Tiene un máster y un doctorado en filosofía de la New School for Social Research de Nueva York y una licenciatura en psicología de la Universidad de Long Island. También ha recibido la ordenación como pastora. Ejerció como pastora en el Instituto Holmes de Los Ángeles en el Agape International Spiritual Center durante ocho años. Durante la última década ha estado realizando ceremonias sagradas, como casamientos, servicios conmemorativos y rituales para los difuntos.

Tiene un consultorio privado en Marina del Rey (California), donde ofrece asesoramiento y orientación espiritual en persona y por teléfono a gente de todas partes del mundo. Vive con su pareja y su perro de agua portugués en un barco en Marina del Rey. Su página web es www.sagebennet.com.